VERTIGES

DU MÊME AUTEUR

Morts suspectes, éd. Belfond, 1978.
Sphinx, éd. Trévise, 1981.

ROBIN COOK

VERTIGES

traduit de l'américain
par Jean-Paul Martin

roman
MAZARINE

*Ce livre est dédié
à Barbara,
avec tout mon amour.*

C'est du cerveau et du seul cerveau, que proviennent nos plaisirs, nos joies, nos rires et nos facéties, tout comme nos peines, nos souffrances, nos chagrins et nos larmes...

Hippocrate, *La Maladie sacrée*
Chap. XVII

1

Katherine tira la porte et pénétra dans l'hôpital. Aussitôt, elle remarqua l'odeur : une odeur à dominante chimique, un mélange d'alcool et de déodorant douceâtre, écœurante. L'alcool était destiné à combattre les microbes qui, pensa-t-elle, devaient infester l'atmosphère ; quant au déodorant, il était là pour faire oublier l'odeur de la maladie.

Jusqu'à sa dernière visite à l'hôpital, quelques mois plus tôt, jamais l'idée qu'elle pût mourir n'avait effleuré Katherine, et elle trouvait normal d'être en bonne santé et bien dans sa peau. C'était différent désormais, et tandis qu'elle pénétrait dans l'hôpital imprégné de cette odeur, elle se rappela brusquement les problèmes de santé qu'elle avait eus récemment. Se mordant la lèvre inférieure pour dominer ses émotions, elle se fraya un chemin vers les ascenseurs.

Dans la cabine, les yeux figés sur l'indicateur d'étages, elle tenta d'ignorer ses voisins en repassant mentalement le discours préparé à l'intention de la réceptionniste du service de gynécologie. « Bonjour, je m'appelle Katherine Collins. Je suis étudiante et je suis déjà venue quatre fois. Je dois rentrer chez moi pour voir mon médecin de famille et lui parler de mes problèmes de santé. Je voudrais donc une copie de mon dossier gynécologique. »

Voilà qui paraissait assez simple. Katherine se permit de jeter un regard distrait sur le garçon d'ascenseur dont le visage avait l'air terriblement large. En fait, quand il se mit de profil, il révéla une tête plate. Involontairement, les yeux de Katherine se fixèrent sur l'image déformée, et lorsque le liftier se tourna pour annoncer le deuxième étage, il croisa son regard. L'un de ses yeux regardait vers le bas et sur le côté. L'autre scrutait Katherine avec une sorte de fixité maligne. Katherine détourna son regard et se sentit rougir. Un homme grand, fort et poilu poussa tout le monde pour sortir de l'ascenseur. Katherine se retint de la main à la paroi et, comme elle baissait la tête, elle croisa le regard d'une fillette blonde d'environ cinq ans, aux yeux verts. L'un des yeux exprima comme un sourire ; l'autre œil se trouvait perdu sous les plis violacés d'une énorme masse tumorale.

Les portes se refermèrent et l'ascenseur s'éleva. Une sensation de vertige envahit Katherine, différente de celle du vertige annonciateur des deux crises du mois précédent. Elle ferma les yeux et lutta contre l'impression de claustrophobie. Quelqu'un toussa derrière elle et elle sentit une fine pulvérisation dans le cou. L'ascenseur eut un soubresaut, les portes s'ouvrirent et Katherine émergea au troisième étage. Elle se dirigea vers le mur et s'y appuya, laissant les patients la dépasser. Rapidement, son vertige se dissipa. Lorsqu'elle se sentit de nouveau normale, elle tourna à gauche dans un couloir dont la peinture vert clair devait dater de vingt ans.

· Le couloir débouchait dans la salle d'attente du service de gynécologie, saturée de patientes, d'enfants et de fumée de cigarette. Katherine traversa l'aire centrale et s'enfonça dans un cul-de-sac sur sa droite. Le service de gynécologie du Centre hospitalier universitaire, réservé aux étudiants et au personnel de l'hôpital, possédait sa propre salle d'attente. Le décor et le mobilier étaient les mêmes que ceux de la salle principale. Lorsque Katherine y pénétra, sept femmes étaient assises sur des sièges en vinyle et acier, feuilletant nerveusement toutes les sept les pages de vieux magazines. Agée de vingt-cinq ans environ, les cheveux décolorés, le teint pâle et le corps étriqué, la réceptionniste, assise derrière un bureau, avait l'air d'un oiseau. Le badge fermement planté sur sa poitrine plate annonçait qu'elle s'appelait Ellen Cohen. Elle leva les yeux sur Katherine qui s'approchait du bureau. « Bonjour, je m'appelle Katherine Collins... » Elle remarqua que sa voix manquait d'assurance. Lorsqu'elle eut fini d'exprimer sa demande, elle prit conscience que sa voix paraissait implorante.

La réceptionniste la regarda dédaigneusement. « Vous voulez votre dossier ? » demanda-t-elle d'un ton incrédule. Katherine acquiesça et essaya de sourire. « Bon, eh bien il faudra en parler à Mrs. Blackman. Allez vous asseoir, je vous prie. » La voix d'Ellen Cohen se fit brusque et autoritaire. Katherine tourna les talons et trouva une place près du bureau. La réceptionniste alla à un classeur et en sortit un dossier, puis elle disparut par l'une des nombreuses portes donnant sur les salles d'examen.

Elle revint au bout de quelques minutes et se remit à sa dactylographie.

Furtivement, Katherine jeta un regard circulaire sur la salle d'attente, remarquant les têtes courbées des jeunes femmes qui, tel un bétail ignorant, attendaient leur tour. Katherine remercia le ciel à l'idée de ne pas se trouver là, elle aussi, pour un examen. Elle avait ce genre d'expérience en horreur pour y être passée quatre fois, la dernière remontant à peine à quatre semaines ; le simple fait de se rendre à l'hôpital était déjà un effort. En fait, elle aurait de beaucoup préféré retourner à Weston, Massachusetts, pour voir le docteur Wilson, son gynécologue habituel, le premier et le seul autre médecin à l'avoir examinée, en dehors de ce lieu impersonnel et froid où, associée à l'environnement de la ville, chaque visite tournait au cauchemar.

L'infirmière praticienne, Mrs. Blackman, émergea de l'une des salles. Quarante-cinq ans, trapue, les cheveux d'un noir de jais tirés en un chignon serré sur le sommet du crâne, elle était vêtue de son uniforme d'un blanc immaculé, raidi par un empesage professionnel.

Elle échangea quelques mots avec la réceptionniste et Katherine entendit qu'on prononçait son nom. L'infirmière hocha la tête, se tournant un instant pour regarder en direction de Katherine. Démentant la rigidité de son maintien, les yeux marron foncé de Mrs. Blackman dégageaient une impression de chaleur. Katherine se dit que Mrs. Blackman, en dehors de l'hôpital, devait être une femme agréable.

Mais Mrs. Blackman ne vint pas parler à Katherine. Elle chuchota quelque chose à Ellen Cohen, puis s'en retourna vers les salles d'examen. Katherine se sentit rougir. Elle comprit qu'on voulait délibérément l'ignorer ; c'était là une manière de manifester, pour le personnel de l'hôpital, son mécontentement quant au désir de Katherine de consulter son médecin personnel. Nerveusement, elle saisit un vieux numéro du *Ladies' Home Journal* et se mit à le feuilleter, sans arriver à se concentrer sur sa lecture.

Mrs. Blackman reparut vingt minutes plus tard et se remit à parler à voix basse à la réceptionniste. Katherine feignit d'être plongée dans son magazine. Finalement, l'infirmière vint vers elle.

« Miss Collins ? », interrogea Mrs. Blackman avec un soupçon d'irritation.

Katherine leva les yeux.

« On me dit que vous avez demandé votre dossier médical ?

— C'est exact », répondit Katherine en reposant son magazine.

« Vous n'êtes pas satisfaite de votre traitement ?

— Non, pas du tout. Je rentre chez moi pour voir mon médecin de famille et je souhaite emmener mon dossier médical complet.

— Voilà qui n'est pas très régulier, dit Mrs. Blackman. Nous avons pour règle de ne communiquer nos dossiers que sur demande d'un médecin.

— Je rentre chez moi ce soir et je voudrais emporter mon dossier. Si mon médecin en a besoin, je ne veux pas attendre qu'on le lui envoie.

— Ce n'est pas ainsi que nous procédons ici habituellement, au Centre médical.

— Mais je sais que j'ai le droit d'obtenir copie de mon dossier si je le désire. »

Mrs. Blackman la foudroya du regard :

« Il va falloir que vous en parliez au docteur. »

Sans attendre de réponse, elle tourna le dos à Katherine et disparut par l'une des portes voisines.

Katherine poussa un profond soupir et se replongea dans son magazine, sentant peser sur elle le regard des autres femmes. Elle aurait voulu entrer en elle-même, comme une tortue, ou se lever et partir. Elle ne pouvait faire ni l'un ni l'autre. Le temps s'écoulait avec une lenteur désespérante. On appela plusieurs autres patientes pour leur examen. Il devenait désormais évident qu'on l'ignorait.

Trois quarts d'heure plus tard, le docteur Harper arriva d'un pas nonchalant et s'arrêta devant elle. Le docteur était chauve, à l'exception de deux mèches de cheveux qui partaient de dessus les oreilles pour descendre se rejoindre en une maigre touffe sur la nuque. C'était lui qui avait examiné Katherine en deux précédentes occasions, et elle se souvenait distinctement de ses mains et de ses doigts poilus qui avaient pris une tout autre apparence une fois rendus plus mats sous les gants de latex à demi transparents.

Sans un mot, il ouvrit le dossier de Katherine d'une pichenette, le tenant au creux de sa main gauche tandis que, de son index droit, il guidait sa lecture, comme s'il allait faire un sermon.

Katherine baissa les yeux. Une série de minuscules taches de sang maculaient le devant de la jambe gauche du

15

pantalon du médecin. Passé dans sa ceinture, à droite, apparaissait un morceau de tube de caoutchouc et, à gauche, un bruiteur destiné à émettre un « bip » quand on cherchait à joindre le médecin.

« Pourquoi voulez-vous votre dossier de gynécologie ? » demanda-t-il sans la regarder.

Katherine répéta son histoire.

« Je pense que c'est une perte de temps », dit le docteur Harper, tout en continuant à feuilleter le dossier. « Vraiment, ce dossier ne contient pratiquement rien. Deux tests de Pap[1] — des frottis — légèrement atypiques, un Gram légèrement positif qu'on peut attribuer à une faible ulcération cervicale. Rien d'intéressant. Ici, je vois que vous avez fait une cystite, mais provoquée sans aucun doute par les rapports que vous avez eus le jour précédant les symptômes et dont vous avez admis... »

Katherine se sentit rougir d'humiliation. Elle savait que tout le monde dans la salle d'attente, pouvait entendre.

« ... Voyez-vous, Miss Collins, vos crises n'ont rien à voir avec la gynécologie. Je vous conseillerais d'aller consulter au service de neurologie...

— Je suis déjà allée en neurologie, coupa Katherine, au bord des larmes, et on m'a remis mon dossier. »

Le docteur David Harper leva lentement la tête. Il paraissait ennuyé. « Ecoutez, Miss Collins, nous vous avons dispensé ici des soins excellents...

— Je ne me plains pas des soins, dit Katherine, les yeux maintenant pleins de larmes, je veux seulement mon dossier.

— Je voulais simplement dire, poursuivit le docteur Harper, que vous n'avez nul besoin de consulter quelqu'un d'autre en ce qui concerne votre état gynécologique.

— Voulez-vous, s'il vous plaît, dit Katherine lente-

---

1. Test de Papanicolaou, du nom du médecin américain George Papanicolaou qui le mit au point. Méthode simple de détection précoce des cancers de l'utérus notamment. (N.D.T.)

ment, me donner mon dossier ou faut-il que j'aille le demander à l'administrateur ? »

D'un geste rapide de la main, elle essuya la larme qui avait glissé sur sa joue.

Finalement, le docteur haussa les épaules et Katherine put l'entendre jurer dans sa barbe tandis qu'il jetait le dossier sur le bureau de la réceptionniste, lui demandant d'en faire une copie. Sans un salut ni même un regard, il disparut dans les salles d'examen.

Tout en enfilant son manteau, Katherine réalisa qu'elle tremblait et que, de nouveau, elle se sentait prise de vertige. Elle se dirigea vers le bureau de la réceptionniste pour trouver un appui.

La blonde qui ressemblait à un oiseau décida de l'ignorer tout en finissant de taper une lettre. Lorsqu'elle introduisit l'enveloppe dans la machine, Katherine fit en sorte de rappeler sa présence à la réceptionniste.

« D'accord. Un instant », dit Ellen Cohen, marquant chaque mot de son irritation. Sans se presser, elle tapa l'enveloppe, y glissa la lettre et la cacheta. Puis elle se leva, prit le dossier de Katherine, se tourna et disparut. Durant tout ce temps, elle évita les yeux de Katherine.

On appela deux autres patientes avant que Katherine reçût une enveloppe de papier marron. Elle réussit à remercier la réceptionniste qui ne lui fit pas l'honneur d'une réponse. Peu importait à Katherine. L'enveloppe sous le bras et le sac en bandoulière, elle fit demi-tour et, d'un pas pressé, traversa le brouhaha de la salle d'attente du service de gynécologie.

Elle fut obligée de s'arrêter un instant, soudain submergée par une vague de vertige étouffante. Elle tendit la main et saisit en tâtonnant le dos d'une chaise. L'enveloppe de papier brun glissa et tomba sur le sol. La salle se mit à tourner et les genoux de Katherine se dérobèrent.

Elle sentit des mains fermes qui la soutenaient sous les bras pour la maintenir debout. Une voix essayait de la

17

rassurer et lui disait que tout allait bien se passer. Elle voulut répondre qu'elle se sentirait parfaitement bien si seulement elle pouvait s'asseoir un instant, mais aucun mot ne sortit. Elle prit vaguement conscience qu'on la transportait debout dans un couloir, et que ses pieds heurtaient le sol comme ceux d'une marionnette.

Elle passa une porte, pénétra dans une petite pièce. L'horrible sensation que tout tournait persista. Katherine craignit de vomir et une sueur froide perla sur son front. Elle eut conscience qu'on l'allongeait. Presque aussitôt, sa vision commença à devenir plus nette et la salle cessa de tourbillonner. Deux médecins vêtus de blanc étaient en train de s'occuper d'elle. Ils réussirent, non sans mal, à lui faire sortir un bras de son manteau pour lui poser un garrot.

« Je crois que je me sens mieux », dit Katherine, en clignant les yeux.

« Parfait, dit l'un des docteurs, on va vous donner un petit quelque chose.

— Quoi ?

— Simplement de quoi vous calmer. »

Katherine sentit une aiguille lui piquer la saignée du coude. On lui retira le garrot et elle perçut le battement de son pouls au bout des doigts.

« Mais, je me sens beaucoup mieux », protesta-t-elle. Elle tourna la tête, et vit alors une main pousser le piston d'une seringue. Les médecins étaient penchés sur elle.

« Mais je me sens bien », dit Katherine.

Les deux médecins ne répondirent pas. Ils se contentèrent de la regarder, tout en la maintenant allongée.

« Vraiment, je me sens mieux maintenant », dit Katherine. Ses yeux allaient d'un médecin à l'autre. L'un des deux avait les yeux les plus verts qu'elle eût jamais vus, pareils à des émeraudes. Katherine essaya de bouger. La poigne des médecins se fit plus ferme.

Soudain, la vision de Katherine faiblit et les docteurs

apparurent lointains. Dans le même temps, ses oreilles se mirent à bourdonner et son corps devint lourd.

« Je me sens beaucoup... » Katherine avait la voix pâteuse et ses lèvres se mouvaient lentement. Sa tête tomba sur le côté. Elle put voir qu'elle se trouvait sur le sol d'une salle de débarras. Puis ce furent les ténèbres.

2

Dans la salle de contrôle, le docteur Martin Philips appuya sa tête contre le mur ; la fraîcheur du plâtre lui fit du bien. En face de lui, quatre étudiants de troisième année de médecine se pressaient contre la cloison vitrée, observant, avec une admiration mêlée d'effroi, la préparation d'un patient pour son passage au C.A.T. scan[1] — la scanographie.

Dans la salle du scanner, le manipulateur de radiologie vérifiait la position de la tête du patient par rapport au gigantesque engin en forme de beignet. Il se releva, détacha un morceau de ruban adhésif et fixa la tête du patient sur un bloc de styromousse.

Se penchant par-dessus la table de travail, Philips saisit la fiche de demande d'examen et le dossier du patient. Il les parcourut l'une et l'autre, à la recherche de renseignements cliniques.

1. C.A.T. scan = *Computer axial tomography* (Tomographie axiale par ordinateur). Inventé en 1971 par le Britannique G.N. Hounsfield et l'Américain A. MacLeod Cormack, le scanner — ou scanographe, ou tomodensitomètre — a valu à ces savants le prix Nobel de médecine. Basé sur l'utilisation des rayons X, il donne un écho radar interprété par ordinateur et permet des « tomographies » ou tranches de radiographies impossibles à obtenir auparavant pour certains organes et révolutionnant ainsi le radiodiagnostic. Au début de 1980, la France comptait, dans ses hôpitaux et cliniques, 58 scanographes dont 35 crâniens et 23 « corps entier ». (N.D.T.)

« Le patient s'appelle Schiller », dit Philips. Les étudiants, absorbés par le spectacle des préparatifs, ne se retournèrent pas pour écouter Philips. « Le malade se plaint principalement d'une faiblesse du bras droit et de la jambe droite. Age : quarante-sept ans. » Philips regarda le patient. Son expérience lui disait que l'homme devait être terrorisé.

Il remit en place la fiche de demande d'examen et le dossier tandis que, dans la pièce où se trouvait le scanner, le manipulateur mettait en route la table d'examen. Lentement, la tête du patient glissa dans l'orifice du scanner, comme pour y être dévorée. Le manipulateur jeta un dernier coup d'œil à la position de la tête, puis fit demi-tour et regagna la salle de contrôle.

« Bon, si vous voulez vous reculer de la vitre un instant », dit Philips. Les quatre étudiants obéirent instantanément, se plaçant sur le côté de l'ordinateur dont les lumières clignotaient déjà.

Le manipulateur ferma soigneusement la porte de communication et décrocha le micro : « Restez parfaitement immobile, monsieur Schiller. Parfaitement immobile. » Il pressa, de l'index, le bouton de mise en route du tableau de contrôle. Dans la salle du scanner, l'énorme masse qui entourait la tête de M. Schiller commença ses mouvements de rotation brusques et intermittents, pareils à ceux du rouage principal d'une gigantesque horloge mécanique. Le bruit des déclenchements, fort pour M. Schiller, arrivait assourdi de l'autre côté de la vitre.

« En ce moment, dit Martin, l'appareil procède à deux cent quarante interprétations séparées de radios pour chaque mouvement rotatif d'un degré seulement. »

Martin avait mal à la tête. Il n'avait pas encore pris son café et se sentait un peu sonné. Habituellement, il s'arrêtait à la cafétéria de l'hôpital, mais ce matin les étudiants ne lui en avaient pas laissé le temps. En sa qualité de chef-adjoint du service de Neuroradiologie, Philips ne manquait jamais de s'occuper personnellement du premier contact des étudiants avec la neuroradiologie. L'obligation qu'il s'en était faite avait tourné à la corvée car elle empiétait sur le temps qu'il consacrait à la recherche. Au début, il s'amusait à impressionner les étudiants par sa connaissance de l'anatomie du cerveau. Désormais, il n'y prenait plaisir que lorsqu'il tombait sur un étudiant particulièrement futé, ce qui n'arrivait pas très souvent en neuroradiologie.

Au bout de quelques minutes, le scanner cessa son mouvement de rotation et la console de l'ordinateur s'anima. On aurait dit le tableau de bord d'une fusée d'un film de science-fiction.

« Dans les trente secondes, l'ordinateur résout simultanément quarante-trois mille deux cents équations de mesure de densité tissulaire », dit le manipulateur.

Levant la tête, Philips observa les étudiants, figés face à la console de l'ordinateur. Il tourna le regard vers la fenêtre tapissée de plomb d'où il ne pouvait voir que les pieds nus de M. Schiller. En cet instant, le patient jouait le rôle d'un figurant oublié, dans le drame qui se déroulait. Pour les étudiants, la machine apparaissait infiniment plus intéressante.

Philips se regarda dans la glace placée au-dessus d'une armoire de première urgence. Il ne s'était pas encore rasé et sa barbe d'une journée pointait comme des poils de brosse. Il arrivait une bonne heure avant tout le monde dans le service et avait pris l'habitude de se raser dans les vestiaires du service de chirurgie. D'ordinaire, il se levait, faisait son jogging, prenait sa douche et se rasait à l'hôpital, puis il s'arrêtait prendre un café à la cafétéria. Ce qui lui permettait, normalement, de consacrer deux heures d'affilée à ses travaux de recherche.

Les yeux toujours fixés sur le miroir, Philips passa sa main dans ses épais cheveux blond roux, les repoussant en arrière. Bien qu'il se souciât rarement de son aspect, Philips était un homme séduisant de quarante-cinq ans. Les rides apparues récemment autour de ses yeux et de sa bouche ne faisaient qu'augmenter son charme, un peu juvénile encore quelques années plus tôt. Il paraissait plus dur maintenant, et un patient avait récemment fait la remarque qu'il ressemblait plus à un cowboy de la télévision qu'à un docteur. La réflexion lui avait fait plaisir. Mince mais athlétiquement bâti, Philips mesurait un peu moins d'un mètre quatre-vingts ; il avait un visage anguleux, au nez parfaitement rectiligne, à la bouche expressive. Ses yeux, d'un bleu clair très vif, reflétaient l'intelligence qui lui avait valu de sortir de Harvard avec une mention « très bien » et des félicitations du jury, promo 1961.

Le tube cathodique s'anima sur la console de sortie avec l'apparition de la première image. Rapidement, le manipulateur procéda à un réglage en largeur et en densité pour obtenir la meilleure image possible. Les étudiants s'agglutinèrent autour du petit écran, pareil à celui d'un appareil de télévision, comme s'ils allaient assister à la finale de la coupe de football, mais l'image qu'ils virent apparut ovale, bordée de blanc et avec un intérieur granuleux : une image construite par l'ordinateur, représentant l'intérieur de la tête du patient et positionnée comme si l'on regardait M. Schiller d'au-dessus après lui avoir retiré le sommet du crâne.

Martin jeta un coup d'œil à sa montre. Huit heures moins le quart. Le docteur Denise Sanger allait bientôt arriver pour prendre les étudiants en charge. Philips avait hâte de retrouver son collaborateur, William Michaels. Michaels avait appelé la veille, disant qu'il arriverait tôt dans la matinée avec une petite surprise pour Philips. Depuis quatre ans, les deux hommes travaillaient sur un programme destiné à permettre à un ordinateur de lire les radios du crâne à la place du radiologue. Il s'agissait de programmer la machine de telle sorte qu'elle en arrive à des jugements qualitatifs quant aux densités des zones radiographiées. S'ils y parvenaient, ce serait une véritable révolution. Comme les problèmes d'interprétation des radios du crâne étaient identiques à ceux de l'interprétation de n'importe quelle radio, le programme pourrait s'appliquer au domaine de la radiologie tout entière. Et s'ils réussissaient... Parfois, Philips se laissait aller à rêver qu'il possédait son propre service de recherche. Et après, pourquoi pas le Nobel ?

L'image suivante apparut sur l'écran, ramenant Philips à des préoccupations plus immédiates.

« Cette tomo se situe treize millimères plus haut que la précédente », dit le manipulateur. Il montra du doigt la section postérieure de l'ovale. « Ici, nous avons le cervelet et...

— Il y a une anomalie, dit Philips.

— Où ? » demanda le manipulateur, assis sur un petit tabouret face à l'ordinateur.

« Ici », dit Philips, se glissant dans le groupe afin de pouvoir indiquer l'endroit. Il mit le doigt sur la zone que le manipulateur venait juste de décrire comme étant le cervelet. « Cette zone claire, là, dans l'hémisphère cérébral droit est anormale. Elle devrait présenter la même densité que de l'autre côté.

— Qu'est-ce que c'est ? demanda l'un des étudiants.

— Difficile à dire à ce stade », répondit Philips. Il se pencha pour observer de plus près la zone en cause. « J'aimerais savoir si le patient a un problème de démarche.

— Oui, c'est le cas, dit le manipulateur. Il fait de l'ataxie depuis une semaine.

— Probablement une tumeur », dit Philips en se redressant.

Le visage des quatre étudiants refléta aussitôt la consternation, tandis qu'ils fixaient l'innocente zone claire sur l'écran. D'un côté, ils frissonnaient de plaisir à la vue d'une démonstration positive du pouvoir de la technologie moderne du diagnostic, de l'autre, ils se sentaient effrayés par le concept de tumeur du cerveau, par l'idée que n'importe qui pouvait en avoir une, même eux.

L'image suivante commença à effacer la précédente.

« Voici une autre zone de luisance dans le lobe temporal », dit Philips, désignant rapidement du doigt une zone que, déjà, l'image suivante faisait disparaître. « Nous la verrons mieux sur la prochaine tomo. Mais il va nous falloir une étude de contraste. »

Le manipulateur se leva et alla injecter une matière opacifiante dans la veine de M. Schiller.

« Quelle est la fonction de la matière opacifiante ? demanda une étudiante.

— Cela permet de faire ressortir les lésions telles que les tumeurs, en franchissant la barrière vasculaire cérébrale », dit Philips. Il se retourna. Denise Sanger le regardait en souriant. Elle retira sa courte blouse blanche et la suspendit près de l'armoire de première urgence. Denise Sanger portait un chemisier rose, froncé sur le devant et fermé par un nœud bleu en ruban. Au moment où elle levait le bras pour pendre sa blouse, sa poitrine se dessina sous le chemisier et Philips apprécia en connaisseur.

Denise était l'une des plus jolies femmes qu'il ait jamais vues. Elle prétendait mesurer un mètre soixante-trois alors qu'elle ne faisait, en réalité, qu'un mètre soixante. C'était une fille mince — elle devait peser dans les soixante kilos, avec de jolis seins. D'habitude, elle coiffait ses cheveux châtains et fournis en arrière, pour dégager son front, et les maintenait à l'aide d'une barrette sur la nuque. Ses yeux, d'un marron clair pailleté de gris, lui donnaient un air plein de vie et malicieux. Bien peu de gens devinaient qu'elle était sortie « première » de l'Ecole de Médecine, trois ans plus tôt ; pas plus qu'on ne croyait qu'elle avait vingt-huit ans.

Denise frôla Philips, lui pressa furtivement le coude au passage, mais si rapidement qu'il ne put répondre. Elle s'assit devant l'écran, régla les boutons et se présenta aux étudiants. Le manipulateur revint, annonçant qu'il avait administré la matière opacifiante. Il prépara le scanner pour un nouveau passage.

Philips se pencha, de telle sorte qu'il dut s'appuyer sur l'épaule de Denise. Il montra du doigt l'image sur l'écran :

« Vous avez là une lésion du lobe temporal et au moins une, peut-être deux lésions du lobe frontal. » Il se tourna vers les étudiants. « J'ai remarqué, dans le dossier, que le patient était un gros fumeur. A quoi cela vous fait-il penser ? »

Les étudiants fixaient l'image, immobiles, n'osant faire le moindre geste.

« Je vais vous fournir un indice, dit Philips. Habituellement, les tumeurs primaires du cerveau sont localisées en un seul endroit tandis que les tumeurs émanant d'autres parties du corps, que nous appelons des métastases, peuvent être soit isolées, soit multiples.

« Un cancer du poumon », laissa échapper l'un des étudiants comme s'il se trouvait à un jeu télévisé.

« Très bien, dit Philips. A ce stade, on ne peut être sûr à 100 pour 100, mais je prendrais volontiers le pari.

— Combien de temps lui reste-t-il à vivre ?
demanda l'étudiant, atterré, de toute évidence, par le diagnostic.

« Dans quel service est-il ? demanda Philips.

— Dans le service de neurochirurgie du docteur Curt Mannerheim, dit Denise.

— Alors il n'en a plus pour longtemps, dit Martin. Mannerheim va l'opérer.

— C'est inopérable, un cas pareil », dit Denise en se retournant vivement.

« Vous ne connaissez pas Mannerheim. Il opère n'importe quoi. Notamment les tumeurs. »

De nouveau, Martin se pencha sur l'épaule de Denise, respirant ses cheveux. Pour Philips, il s'agissait d'une odeur aussi unique qu'une empreinte digitale et, malgré le climat professionnel où il se trouvait, il se sentit un peu excité. Il se leva pour rompre le charme.

27

« Docteur Sanger, puis-je vous parler un instant ? » dit-il soudain, lui faisant signe de le suivre dans un coin de la salle.

Denise, surprise, obéit docilement.

« Je pense, sur le plan professionnel... », dit Philips en conservant le même ton officiel. Puis il s'arrêta et, lorsqu'il reprit, sa voix devint un chuchotement : « ... que tu as l'air incroyablement sexy aujourd'hui ! » L'expression de Denise changea lentement. Elle mit un instant à réaliser et elle faillit éclater de rire.

« Martin, tu m'as eue. Tu avais un ton si sévère que j'ai pensé avoir fait une erreur.

— C'est bien le cas. Tu as mis ce truc sexy pour inhiber purement et simplement mes possibilités de concentration.

— Sexy ? Je suis boutonnée jusqu'au larynx !

— Sur toi, n'importe quoi a l'air sexy.

— Vieux cochon ! »

Martin fut forcé de rire. Denise avait raison. Chaque fois qu'il la voyait, il lui revenait involontairement à l'esprit combien elle était merveilleuse, nue.

Il sortait avec elle depuis six mois, et il se sentait toujours comme un adolescent excité. Au début, ils avaient pris toutes les précautions pour éviter que le reste de l'hôpital ait vent de leur affaire, mais maintenant que leur liaison était plus sérieuse, ils se souciaient moins de la garder secrète.

« *Vieux*, hein ? chuchota Martin. Tu seras punie pour cette réflexion. Je te laisse ces étudiants. S'ils commencent à s'ennuyer, envoie-les en salle d'angiographie. On va leur donner une overdose de clinique avant de passer à la théorie. »

Denise acquiesça de la tête, résignée.

« Et quand tu en auras terminé avec le programme de scanographie de la matinée », poursuivit Philips toujours en chuchotant, « passe à mon bureau, on pourra peut-être filer prendre un café ! »

28

Avant qu'elle pût répondre, il prit sa longue blouse blanche et sortit.

Les salles de chirurgie se trouvaient au même étage que la radiologie et Philips s'y dirigea. Esquivant un embouteillage de chariots chargés de patients qui attendaient de passer à la fluoroscopie, Philips traversa la salle de lecture des radios. Celle-ci se composait d'un vaste espace occupé par des bancs et des boxes de lecture de radios, où se trouvaient d'ordinaire une douzaine d'internes qui bavardaient et prenaient le café. Les appareils de radiographie tournaient déjà depuis une demi-heure, mais on attendait encore l'avalanche quotidienne de radios. Philips ne se souvenait que trop bien de son internat. Il avait fait son apprentissage au Centre médical et, se conformant au style exigeant de l'un des plus brillants services de radiologie du pays, il avait passé dans cette même salle de nombreuses journées de douze heures.

Ses efforts avaient été récompensés par une invitation à demeurer comme chargé de cours en neuroradiologie. Son contrat terminé, et eu égard à la remarquable qualité de ses services, on lui avait offert un poste dans l'équipe et une nomination à l'Unité d'enseignement. De ce poste de débutant, il avait rapidement gravi les échelons jusqu'à son titre actuel de chef-adjoint du service de Neuroradiologie.

Philips s'arrêta un instant au beau milieu de la salle de lecture des radios. L'éclairage unique, bas, émanant des tubes fluorescents situés derrière les vitres dépolies des boxes de lecture, laissait tomber une lumière sinistre sur les occupants de la salle. Pendant un instant, les internes prirent l'aspect de cadavres, à la peau morte et aux orbites vides. Philips se demanda pourquoi il n'en avait jamais pris conscience. Il regarda ses mains. Elles lui apparurent de la même teinte terreuse.

Il poursuivit son chemin, curieusement mal à l'aise. Ce n'était pas la première fois, au cours de l'année écoulée, qu'il contemplait d'un mauvais œil une scène banale d'hôpital. Peut-être fallait-il en imputer la cause à un mécontentement léger mais croissant à l'égard de son travail, un travail qui devenait de plus en plus administratif et, pour couronner le tout, qui se trouvait bloqué par la conjoncture. Le chef du service de Neuroradiologie, Tom Brockton, âgé de cinquante-huit ans, n'envisageait pas de prendre sa retraite. En outre, le patron de la Radiologie, Harold Goldblatt, était également un neuroradiologue. Philips devait bien admettre que son ascension foudroyante avait atteint un palier, non par son manque de compétence à lui, mais du fait que les deux postes au-dessus du sien se trouvaient solidement occupés. Depuis près d'un an, Philips avait commencé à envisager, avec une certaine réticence, de quitter le Centre médical pour un autre hôpital où il pourrait se trouver propulsé au sommet.

Martin tourna dans le couloir menant à la chirurgie. Il passa les deux portes à battants dont un panneau indiquait aux visiteurs qu'ils pénétraient dans une zone réservée, puis il passa de nouveau deux portes à battants s'ouvrant sur la salle de préparation des patients. Une foule de chariots, chargés de patients angoissés et attendant d'être opérés, encombrait la pièce. A l'extrémité de ce vaste domaine, un long bureau encastré en Formica blanc gardait l'entrée des trente salles d'opération et de la salle de réveil. Trois infirmières, en blouse chirurgicale verte, s'activaient derrière le bureau, s'assurant qu'on allait conduire le bon patient dans la bonne salle pour la bonne opération. Au rythme de deux cents opérations toutes les vingt-quatre heures, ce n'était pas un travail de tout repos.

« Quelqu'un peut-il m'indiquer la malade de Mannerheim ? » demanda Philips en se penchant par-dessus le bureau.

Les trois infirmières levèrent les yeux et faillirent répondre toutes à la fois. Martin, l'un des rares célibataires intéressants de l'hôpital, était toujours le bienvenu en salle d'op.

« Il vaudrait peut-être mieux que je m'adresse ailleurs », dit Philips, feignant de se retirer.

« Oh non ! dit une blonde.

— On pourrait peut-être retourner en discuter dans la lingerie », suggéra une autre.

La salle d'opération était le seul endroit de l'hôpital où toute inhibition disparaissait. L'atmosphère apparaissait totalement différente de celle des autres services. Cela tenait peut-être au fait, pensait Philips, que tout le monde avait l'air d'être en pyjama, sans parler de la tension permanente à laquelle les allusions sexuelles servaient de soupape. Quoi qu'il en fût, Philips s'en souvenait parfaitement. Il avait passé une année d'internat en chirurgie avant d'opter pour la radiologie.

« Quel est la malade de Mannerheim qui vous intéresse ? » demanda l'infirmière blonde. « Marino ?

— C'est cela, répondit Philips.

— Juste derrière vous », dit la blonde.

Philips se retourna. A sept ou huit mètres de lui se trouvait un chariot sur lequel reposait la silhouette recouverte d'une femme de vingt et un ans. Elle avait dû entendre son nom à travers les brumes de son traitement pré-opératoire car elle tourna lentement la tête vers Philips. Le crâne complètement rasé en prévision de l'intervention, elle avait l'air, pensa Philips, d'un petit oiseau déplumé. Il l'avait déjà vue deux fois à l'occasion des radios précédant l'opération et il fut frappé de voir combien elle avait changé entre-temps. Il n'avait pas remarqué qu'elle était si petite, si délicate. Avec ses yeux suppliants, on aurait dit un enfant abandonné et Philips dut se contraindre à détourner le regard et à reporter son attention sur les infirmières. S'il avait abandonné la chirurgie, c'était, entre autres, parce qu'il avait compris qu'il ne pouvait maîtriser ses sentiments à l'égard de certains malades.

« Pourquoi n'ont-ils pas encore commencé à s'occuper

d'elle ? » demanda-t-il à l'infirmière, irrité qu'on abandonne la patiente à sa peur.

« Mannerheim attend les électrodes spéciales du Gibson Memorial Hospital, dit l'infirmière blonde. Il désire procéder à quelques enregistrements de la partie intéressée du cerveau avant l'ablation.

— Je vois... », dit Philips, tentant d'établir un emploi du temps pour sa matinée. Mannerheim avait toujours le chic pour bouleverser le programme de chacun.

« Mannerheim a deux visiteurs qui arrivent du Japon, ajouta l'infirmière blonde, et il nous prépare le grand jeu pendant toute la semaine. Mais ils vont commencer dans quelques instants. On a appelé la malade. C'est seulement que nous n'avons personne pour l'accompagner.

« Très bien », dit Philips, repartant déjà dans l'antichambre. « Quand Mannerheim voudra sa radio de localisation, appelez directement mon bureau. Ça devrait permettre de gagner quelques minutes. »

En rebroussant chemin, Martin se rappela qu'il fallait encore qu'il se rase. Il se dirigea vers la salle de repos et les vestiaires de la chirurgie, quasiment déserts. A huit heures dix, toutes les opérations de sept heures trente étaient en cours et les suivantes ne commenceraient pas avant un certain temps. Un seul chirurgien s'y trouvait, téléphonant à son agent de change tout en se grattant, l'air absent. Philips passa dans les vestiaires et composa la combinaison du cadenas de la petite armoire que Tony, le vieux qui s'occupait des locaux de la chirurgie, lui avait permis de conserver.

A peine avait-il terminé de se barbouiller le visage de mousse à raser qu'il sursauta au « bip » que fit son bruiteur. Il n'avait pas senti combien il avait les nerfs tendus. Il utilisa le téléphone mural pour répondre, essayant d'éviter de coller de la mousse à raser sur le récepteur. Helen Walker, sa secrétaire, l'avisa que William Michaels était arrivé et l'attendait dans son bureau.

32

Philips retourna se raser avec un regain de bonne humeur. Il sentait remonter en lui, avec force, toute son excitation pour la surprise annoncée par William. Il s'aspergea le visage d'eau de Cologne et s'empêtra dans sa longue blouse blanche avant de l'enfiler. En retraversant la salle de repos de la chirurgie, il remarqua que le chirurgien téléphonait toujours à son agent de change.

Quand Martin arriva à son bureau, il courait presque. Helen Walker leva les yeux de sa machine à écrire en sursautant tandis que l'image fugitive de son patron passait devant elle. Elle commença à se lever, rassemblant une pile de correspondances et de messages téléphonés, mais s'arrêta lorsque la porte du bureau de Philips claqua. Elle haussa les épaules et retourna à sa machine.

Philips s'adossa à la porte fermée, respirant profondément. Michaels feuilletait, d'un air désinvolte, l'un des journaux de radiologie de Philips.

« Et alors ? », dit Philips tout excité. Michaels, comme d'habitude, portait la même veste de tweed mal coupée qu'il avait achetée quand il était en troisième année au M.I.T. Il avait trente ans, mais en faisait à peine vingt ; ses cheveux étaient si blonds que les cheveux de Philips, pourtant clairs, paraissaient presque bruns en comparaison. Il souriait, sa petite bouche espiègle exprimant sa satisfaction, ses yeux bleu clair pétillant.

« Quoi de neuf ? » demanda-t-il, feignant de se replonger dans son magazine.

« Ça va... » dit Philips. « Je sais que tu es en train d'essayer de me mettre en boule. Le malheur, c'est que tu y réussis trop bien.

— Je ne sais pas ce que... » commença Michaels, mais il ne put poursuivre. D'un mouvement rapide, Philips traversa la pièce et lui arracha le magazine des mains.

« Cesse de jouer les idiots, dit Philips. Tu savais bien qu'en disant à Helen que tu avais une " surprise ", ça me rendrait fou. J'ai failli t'appeler la nuit dernière à quatre heures du matin. Maintenant je regrette de ne pas l'avoir fait. Je crois que tu ne l'aurais pas volé.

— Ah, oui, la surprise, le taquina Michaels. J'avais presque oublié. »

Il se pencha et fouilla dans sa serviette. Il en ressortit un petit paquet enveloppé dans du papier vert foncé et entouré d'un épais ruban jaune.

Le visage de Martin marqua la surprise. « Qu'est-ce que c'est que ça ? » Il s'était attendu à quelques papiers, très probablement des listings d'ordinateur, faisant apparaître quelque découverte sensationnelle en rapport avec leurs recherches. Il n'avait jamais pensé à un cadeau.

« C'est ta surprise », dit Michaels, tendant le paquet à Philips.

« Pourquoi diable me fais-tu un cadeau ?, dit Philips, irrité.

— Parce que tu es un associé génial », dit Michaels, tendant toujours le paquet à Philips. « Tiens, prends-le. »

Philips le remercia tout en soupesant le paquet, un paquet léger, long d'à peu près dix centimètres et épais à peu près de deux.

« Tu ne l'ouvres pas ? demanda Michaels.

— Bien sûr que si », répondit Philips, scrutant un instant le visage de Michaels.

Offrir un cadeau lui semblait peu coller avec le personnage de ce gamin de génie du Département d'Informatique scientifique. Non pas qu'il ne se montrât pas amical et généreux. Seulement, il était tellement dans ses recherches que, d'ordinaire, il négligeait les civilités. En fait, depuis quatre ans qu'ils travaillaient ensemble, Philips n'avait jamais vu Michaels sous un aspect mondain. Philips avait décidé que l'incroyable intelligence de Michaels ne s'arrêtait jamais de fonctionner. Après tout, on l'avait choisi, lui, parmi tous, à vingt-six ans, pour diriger la toute nouvelle Division de l'Intelligence artificielle de la Faculté. Il avait achevé son doctorat en philosophie au M.I.T. alors qu'il n'avait que dix-neuf ans.

34

« Vas-y », dit Michaels, impatient.

Philips défit le nœud et laissa tomber le ruban parmi les papiers qui jonchaient son bureau. Suivit le papier vert. Apparut une boîte noire.

« Il y a un certain symbolisme là-dedans, dit Michaels.

— Ah oui ? dit Philips.

— Ouais, répondit Michaels. Tu sais comment la psychologie considère le cerveau : comme une boîte noire. Eh bien, tu dois regarder dedans. »

Philips eut un léger sourire. Il ignorait de quoi parlait Michaels. Il retira le couvercle de la boîte et farfouilla dans du papier de soie. A sa grande surprise, il en dégagea une cassette de Fleetwood Mac, *Rumeurs.*

« Qu'est-ce que ce truc ? » fit-il, étonné.

« Encore du symbolisme, expliqua Michaels. Tu vas considérer ce qu'il y a là-dedans comme bien plus que de la musique ! »

Soudain, toute la charade prit un sens. Philips ouvrit la boîte et en sortit la cassette. Il ne s'agissait pas d'un enregistrement musical, mais d'un programme d'ordinateur.

« Où en est-on arrivé ? » demanda Philips, presque en chuchotant.

« Il y a là tout le paquet, dit Michaels.

— Non ! s'exclama Martin, incrédule.

— Tu te souviens du dernier matériel que tu m'as fourni ? Eh bien, ça a marché comme un charme. Ça a permis de résoudre le problème de la densité et de l'interprétation limitrophe. Ce programme englobe tout ce que tu avais mis dans l'ensemble de tes organigrammes. Il va interpréter n'importe quelle radio du crâne que tu lui fourniras, à condition que tu le glisses dans cet appareil là-bas. »

Michaels montrait l'extrémité du bureau de Philips où, sur une table de travail, se trouvait un appareil électrique de la taille d'un poste de télé. Un prototype plus qu'un modèle de série, de toute évidence. Le devant se composait

35

d'une plaque d'acier toute simple et les boulons de fixation dépassaient. Dans le coin supérieur gauche se trouvait une fente destinée à recevoir la cassette du programme. Deux câbles électriques sortaient de chaque côté. L'une des lignes était branchée sur une unité d'entrée et de sortie avec un clavier de machine à écrire. L'autre sortait d'une boîte rectangulaire en acier d'un peu plus d'un mètre carré, haute d'une trentaine de centimètres. Sur la partie frontale de cet engin métallique apparaissait une longue fente laissant voir des rouleaux destinés à l'insertion des clichés de radiographie.

« Je n'arrive pas à y croire ! » dit Philips, craignant que Michaels ne se moque encore de lui.

« Nous non plus, avoua Michaels. Tout est tombé au poil d'un seul coup. » Il se leva et tapota l'ordinateur. « Tout le boulot que tu as pu faire sur la résolution du problème et les aspects de la reconnaissance des types en radiologie a non seulement mis en évidence le fait qu'il nous fallait un appareil nouveau mais aussi suggéré la manière de le concevoir. Et le voici.

— Ça a l'air simple, vu de l'extérieur.

— Comme toujours, il ne faut pas se fier aux apparences, dit Michaels. Les entrailles de cet appareil vont révolutionner le monde des ordinateurs.

— Et songe à sa répercussion dans le domaine de la radiologie, s'il peut vraiment lire les radios, dit Martin.

— Il va les lire, dit Michaels. Mais il se peut qu'il reste des os dans le programme. Ce qu'il va falloir que tu fasses, c'est présenter un programme à autant de radios du crâne que tu pourras trouver parmi celles que tu as interprétées dans le passé. S'il y a des pépins, je crois qu'ils se situeront au niveau des faux négatifs. C'est-à-dire que le programme va déclarer que la radio est normale alors qu'elle présentera des signes de pathologie.

— On a le même problème avec les radiologues, dit Philips.

— Eh bien, je crois qu'on pourra éliminer ça dans le

programme, dit Michaels. Ça va dépendre de toi. Bon, maintenant pour mettre ce truc en marche, il faut d'abord l'allumer. Je crois que même un docteur en médecine est capable de faire ça.

— Sans doute, répondit Philips, mais il va falloir un docteur en philosophie pour mettre la prise.

— Très bien, dit Michaels en riant. » « Quand la prise est branchée et l'appareil allumé, tu introduis la cassette du programme dans l'unité centrale. L'imprimante de sortie te dira quand glisser la radio dans le scanner à laser.

— Et l'orientation du cliché ?

— Sans importance, si le côté émulsion se trouve bien vers le bas.

— D'accord », dit Philips en se frottant les mains et en contemplant l'engin comme un père fier de son rejeton. « Je n'arrive toujours pas à y croire !

— Moi non plus, dit Michaels. Qui aurait cru, il y a quatre ans, que nous serions parvenus à réaliser ce genre de progrès ? Je me souviens encore parfaitement du jour où tu es arrivé sans crier gare au Département de l'Informatique scientifique, demandant d'une voix plaintive si quelqu'un s'intéressait à la reconnaissance des types.

— J'ai eu vraiment du pot de tomber juste sur toi, répliqua Philips. A l'époque, je t'ai pris pour un étudiant. Je ne savais même pas en quoi consistait la Division de l'Intelligence artificielle.

— La chance joue un rôle dans toute découverte scientifique, reconnut Michaels. Mais après la chance, il faut travailler dur. Souviens-toi que plus tu passeras de radios du crâne, mieux ce sera. Non seulement pour désosser le programme, mais aussi du fait de son caractère heuristique.

— Pas de grands mots avec moi, dit Philips. Qu'est-ce que tu entends par " heuristique " ?

— Alors tu n'aimes pas ta propre salade, dit Michaels en riant. Je n'aurais jamais pensé qu'un médecin pouvait se plaindre de mots incompréhensibles. Un programme heuristique, c'est un programme capable d'apprendre.

— Tu veux dire que ce truc va encore s'améliorer?

— Tu as pigé, dit Michaels, se dirigeant vers la porte. Mais ça dépend de toi. Et dis-toi bien que le même schéma pourra s'appliquer à d'autres domaines de la radiologie. Aussi, à temps perdu — si tu en as — essaie d'utiliser l'organigramme pour lire les angiographies du cerveau. Je t'en parlerai plus tard. »

Refermant la porte derrière Michaels, Philips alla à sa table de travail et contempla l'appareil de lecture des radios. Il aurait voulu commencer sur-le-champ, mais il savait que la routine quotidienne s'y opposait. Comme pour le confirmer dans cette pensée, Helen entra avec une pile de courrier, de messages téléphoniques et la nouvelle réjouissante que l'appareil de radio de l'une des salles d'angiographie ne fonctionnait pas bien. A regret, Philips tourna le dos à sa nouvelle machine.

3

« Lisa Marino ? »

Lisa ouvrit les yeux. Une infirmière, du nom de Carol Bigelow et dont seuls les yeux marron foncé étaient visibles dans le visage, se pencha sur elle. Une coiffe recouvrait ses cheveux et un masque chirurgical cachait son nez et sa bouche. Lisa sentit qu'on lui soulevait le bras et qu'on le tournait pour lire son bracelet d'identification. L'infirmière reposa son bras et lui donna une petite tape.

« Vous êtes prête pour qu'on s'occupe de vous, Lisa Marino ? » demanda Carol en débloquant le frein du chariot avec son pied et en décollant le petit lit du mur.

« Je ne sais pas », avoua Lisa, essayant de voir le visage de l'infirmière. Carol, le dos tourné, lui dit : « Mais bien sûr, vous êtes prête », et elle poussa le chariot au-delà du bureau de Formica.

Les portes automatiques se refermèrent derrière elles tandis que commençait pour Lisa un voyage décisif dans le couloir menant à la salle d'opération n° 21. En général, on pratiquait la neurochirurgie dans l'une des quatre salles 20, 21, 22 ou 23, adaptées aux besoins spécifiques de la chirurgie du cerveau. On y trouvait des microscopes Zeiss spéciaux, des systèmes vidéo en circuit fermé avec possibilité d'enregistrement et des tables d'opération particulières. La salle d'op 21 disposait également d'une galerie permettant de suivre les opérations, et c'était la favorite du

39

docteur Curt Mannerheim, chef de service et titulaire de la chaire de Neurochirurgie à l'Ecole de Médecine.

Lisa avait espéré être endormie à ce moment-là, mais ce n'était pas le cas. En fait, elle se sentait parfaitement consciente, tous les sens en éveil. Même l'odeur chimique du stérilisant lui semblait particulièrement forte. Il était encore temps, pensa-t-elle. Elle aurait pu sauter au bas du lit et s'enfuir. Elle ne voulait pas qu'on l'opère, et surtout pas de la tête. Tout sauf la tête.

Le mouvement cessa. En se tournant, Lisa vit l'infirmière disparaître à un angle. On l'avait garée là, comme une voiture le long d'une rue particulièrement encombrée. Un groupe de gens passa près d'elle, transportant un patient pris de nausées. L'un des garçons de salle qui poussait le chariot lui maintenait le menton en arrière et sa tête était un cauchemar de pansements.

Des larmes commencèrent à couler sur les joues de Lisa. Le patient lui faisait penser à l'épreuve qui l'attendait. On allait l'ouvrir brutalement, violer la partie la plus centrale de son être. Pas simplement une partie périphérique du corps, comme une jambe ou un bras, mais la tête... là où résidaient sa personnalité, son âme. Serait-elle la même après cela ?

A l'âge de onze ans, Lisa avait fait une appendicite aiguë. A l'époque, l'opération lui avait donné le frisson, mais rien de comparable à ce qu'elle ressentait maintenant. Elle était persuadée qu'elle allait perdre son identité, et peut-être sa vie. En tout cas, on allait la charcuter et les morceaux se trouveraient là, à la disposition des gens qui les ramasseraient et les examineraient.

Carol Bigelow reparut.

« O.K. Lisa, nous sommes prêts pour vous recevoir.

— Je vous en supplie, murmura Lisa.

— Allons, Lisa, dit Carol Bigelow. Vous ne voulez pas que le docteur Mannerheim vous voit pleurer ! »

Lisa ne voulait que personne la vît pleurer. Elle secoua la tête en réponse à la question de Carol Bigelow, mais son émotion se changea en colère. Pourquoi cela lui arrivait-il à elle ? Ce n'était pas juste. Il y a à peine un an, Lisa était une étudiante normale, décidée à travailler — surtout son anglais — pour faire du droit. Elle adorait ses cours de littérature. Etudiante brillante — au moins jusqu'à ce qu'elle rencontre Jim Conway —, elle savait qu'elle avait négligé ses études, mais pendant à peine un mois. Avant de rencontrer Jim, elle avait fait l'amour en plusieurs occasions mais sans avoir été pleinement satisfaite, et elle s'était demandée pourquoi on faisait tant d'histoires à ce sujet. Mais avec Jim, cela s'était passé autrement. Elle avait su immédiatement qu'avec Jim la sexualité était ce qu'elle devait être. Elle ne croyait pas à la pilule, mais elle faisait l'effort d'utiliser un diaphragme. Elle se souvenait très bien du mal qu'elle avait eu à se rendre à sa première consultation de gynécologie, et à y retourner lorsqu'il le fallut.

Le chariot pénétra dans la salle d'opération, une salle rigoureusement carrée d'environ huit mètres de côté, aux murs carrelés de céramique grise jusqu'à la galerie vitrée au-dessus, au plafond dominé par deux gros scialytiques en forme de timbales retournées. Cela apparut à Lisa comme un accessoire particulièrement laid, pareil à un autel destiné à quelque rite païen. A une extrémité de la table, se trouvait une sorte de rembourrage avec un trou central dont Lisa sut instinctivement qu'il était destiné à recevoir sa tête. De façon totalement incongrue, les voix sirupeuses des Bee Gees s'échappèrent d'un petit transistor posé dans un coin. « Bon, dit Carol Bigelow, maintenant je voudrais que vous vous déplaciez jusqu'à la table.

— D'accord », dit Lisa. « Merci. »

Sa réponse la gêna. Pourquoi ce « merci », le dernier mot auquel elle pensait ? Néanmoins, elle souhaitait que ces gens la trouvent sympathique : après tout, son sort était entre leurs mains.

Glissant du chariot sur la table d'opération, Lisa se cramponna au drap en une vaine tentative pour conserver un minimum de dignité. Une fois sur la table, elle demeura immobile, fixant le scialytique. Juste à côté des lampes, elle eut du mal à voir à travers les vitres, puis elle distingua les visages qui la regardaient. Lisa ferma les yeux. Le spectacle, c'était elle.

Sa vie avait tourné au cauchemar. Tout avait été si merveilleux, jusqu'à cette soirée fatidique passée avec Jim à travailler ensemble. Peu à peu, elle avait pris conscience de sa difficulté à lire, notamment lorsqu'elle tombait sur des phrases bien précises commençant toutes par le mot « encore ». Elle était certaine de connaître le mot mais son esprit refusait de lui traduire. Elle avait dû demander à Jim ; obtenant un sourire pour toute réponse. Il pensait qu'elle s'amusait. Sur son insistance, il lui avait dit : « Encore. » Mais, même après cela, le mot ne signifiait toujours rien pour elle lorsqu'elle tombait sur sa forme écrite. Elle se souvint de son émotion, de son sentiment de frustration et de frayeur. Puis elle commença à sentir cette odeur étrange, une odeur nauséabonde dont, bien qu'elle l'eût déjà sentie, elle ne pouvait préciser la nature. Jim refusa d'admettre que ça sentait quoi que ce soit et ce fut la dernière chose dont Lisa se souvint. Ensuite une crise, horrible apparemment, et Jim qui la secouait lorsqu'elle reprit conscience. Elle l'avait frappé plusieurs fois et lui avait griffé le visage.

« Bonjour, Lisa », dit une agréable voix d'homme à l'accent anglais. Regardant derrière elle, Lisa croisa les yeux noirs du docteur Bal Ranade, un médecin indien qui avait fait ses études au C.H.U. « Vous vous souvenez de ce que je vous ai dit hier soir ? »

Lisa acquiesça : « Ne pas tousser, ne pas faire de mouvements brusques », dit-elle, soucieuse de plaire. Elle se souvenait de façon précise de la visite du docteur Ranade. Il était venu se présenter après le dîner : c'était l'anesthésiste qui allait s'occuper d'elle pendant l'opération. Il avait entrepris de lui poser les mêmes questions sur sa santé qu'on lui avait déjà posées de nombreuses fois. A cette différence près que les réponses ne paraissaient pas intéresser particulièrement le docteur Ranade. Son visage d'acajou ne changea pas d'expression, sauf lorsque Lisa lui décrivit son appendicectomie à l'âge de onze ans. Le docteur Ranade hocha la tête lorsque Lisa eut précisé qu'elle n'avait pas eu d'ennui avec l'anesthésie. Le seul autre renseignement qui l'intéressa fut qu'elle ne présentait pas de réactions allergiques. Là encore, il hocha la tête.

D'ordinaire, Lisa préférait avoir affaire à des gens extravertis. A l'opposé, le docteur Ranade n'exprimait aucune émotion, simplement une force tranquille. Mais, pour Lisa, étant donné les circonstances, cette affectation de froideur parut de bon augure. Enfin quelqu'un pour qui son supplice n'était que routine ! De son pur accent d'Oxford, il poursuivit :

« Je suppose que le docteur Mannerheim a discuté avec vous de la technique d'anesthésie que nous allons utiliser...

— Non, répondit Lisa.

— Bizarre », dit le docteur Ranade après un instant.

« Pourquoi ? » demanda Lisa, ennuyée. « L'idée qu'il pouvait exister une mauvaise communication l'inquiétait.

« Pourquoi est-ce bizarre ?

— Habituellement, nous pratiquons les crâniotomies sous anesthésie générale, dit le docteur Ranade. Mais le docteur Mannerheim nous a fait savoir qu'il souhaitait une anesthésie locale. »

On n'avait jamais utilisé le terme de crâniotomie pour l'opération de Lisa. Le docteur Mannerheim avait dit qu'il allait « ouvrir un volet » et pratiquer une petite fenêtre dans sa tête afin de pouvoir retirer la partie endommagée de son lobe temporal droit. Il avait dit à Lisa que, d'une façon ou d'une autre, une partie de son cerveau se trouvait endommagée et que cette partie était responsable de ses crises. Il suffisait qu'il retire la partie endommagée et les crises cesseraient. Il avait pratiqué une centaine d'opérations analogues avec d'excellents résultats. A l'époque,

Lisa s'en était émerveillée car, jusqu'à ce qu'elle voit le docteur Mannerheim, elle n'avait pu obtenir des médecins que des hochements de tête compatissants.

Et ces crises horribles ! D'ordinaire, elle prévoyait leur arrivée car elle sentait alors l'odeur étrangement familière. Mais parfois la crise survenait sans crier gare, lui tombant dessus comme une avalanche. Au cinéma, une fois, à la fin d'un long traitement de thérapie lourde — on lui avait assuré que tout allait bien —, elle avait senti l'horrible odeur. Elle s'était levée, terrorisée, et elle s'était précipitée dans le hall d'entrée en trébuchant dans l'allée. A cet instant, elle avait perdu conscience de ce qu'elle faisait. Plus tard, elle revint à elle, appuyée contre le mur du hall, près du distributeur de bonbons, la main entre les jambes. En partie dévêtue, elle était en train de se masturber comme une chatte en chaleur. Un groupe de gens la regardait comme si elle était devenue folle, y compris Jim à qui elle donnait des coups de poings et de pieds. Plus tard, elle apprit qu'elle avait agressé deux jeunes filles, en blessant une assez sérieusement pour qu'on l'hospitalise. Une fois revenue à elle, elle ne put que fermer les yeux et pleurer. Tout le monde avait peur de l'approcher. Elle se souvint du bruit de l'ambulance, au loin. Elle avait pensé qu'elle perdait la raison.

« Y a-t-il une raison pour que le docteur Mannerheim souhaite une anesthésie locale ? » demanda Lisa, dont les mains commençaient à trembler.

Le docteur Ranade pesa soigneusement sa réponse.

« Oui, dit-il enfin, il veut localiser la partie malade de votre cerveau. Il a besoin de votre aide.

— Vous voulez dire que je serai éveillée quand... »

Lisa ne termina pas sa phrase. Sa voix avait déraillé. L'idée paraissait ridicule.

« C'est exact, dit le docteur Ranade.

— Mais il sait bien où se situe la partie malade de mon cerveau ! protesta Lisa.

44

— Pas suffisamment. Mais ne vous inquiétez pas. Je serai là. Vous ne souffrirez pas. Rappelez-vous seulement de ne pas tousser et de ne pas faire de mouvements brusques. »

La rêverie de Lisa fut interrompue par une sensation de douleur dans l'avant-bras gauche. De petites bulles montaient dans un flacon placé au-dessus de sa tête : le docteur Ranade avait commencé la perfusion. Il fit de même à son avant-bras droit, glissant dans la veine un long et mince tuyau de plastique. Puis il régla la table, l'inclinant légèrement vers le bas.

« Lisa, dit Carol Bigelow, je vais vous placer un cathéter. »

Soulevant la tête, Lisa jeta un coup d'œil vers le bas. Carol était en train d'ouvrir une boîte recouverte de plastique. Nancy Donovan, une autre aide-soignante, repoussa le drap de Lisa, la dénudant à partir de la taille.

« Un cathéter ? demanda Lisa.

— Oui », répondit Carol Bigelow en enfilant des gants de caoutchouc souple. « Je vais vous placer une sonde dans la vessie. »

Lisa laissa retomber sa tête. Nancy Donovan saisit les jambes de Lisa et les plaça talons joints et les genoux largement écartés, l'exposant à la vue du monde entier.

« Je vais vous administrer du manitol », expliqua le docteur Ranade. « C'est un médicament qui va vous faire uriner énormément. »

Lisa acquiesça, comme si elle comprenait, tandis qu'elle sentait Carol Bigelow commencer à lui frotter les parties génitales.

« Bonjour Lisa, je suis le docteur George Newman. Vous vous souvenez de moi ? »

Ouvrant les yeux, Lisa tomba sur un autre visage masqué et des yeux bleus. De l'autre côté se trouvait encore un autre visage aux yeux marron.

« Je suis le chef-résident de neurochirurgie », dit le docteur Newman. Et voici le docteur Ralph Lowry, l'un de nos jeunes résidents. Nous assisterons le docteur Mannerheim, ainsi que je vous l'ai exposé hier. »

Avant que Lisa pût répondre, elle ressentit soudain une vive douleur entre les jambes, suivie d'une curieuse sensation d'avoir la vessie pleine. Elle respira profondément. Elle sentit qu'on lui collait un ruban adhésif sur la face interne de la cuisse.

« Détendez-vous maintenant », dit le docteur Newman sans attendre de réponse. « Nous allons vous arranger ça en un rien de temps. » Les deux médecins reportèrent leur attention sur une série de radios alignées sur les murs derrière elle.

On pressa l'allure dans la salle d'opération. Nancy Donovan apparut avec un plateau d'acier fumant de vapeur et rempli d'instruments. Avec un grand bruit, elle le plaça sur la table voisine. Darlene Cooper, une autre aide-soignante, déjà revêtue de sa blouse de chirurgie et gantée, farfouilla dans les instruments stériles et commença à les disposer sur un plateau. Lisa détourna la tête lorsqu'elle vit Darlene Cooper en sortir un gros trépan.

Le docteur Ranade passa le brassard d'un appareil à prendre la tension au bras droit de Lisa. Carol Bigelow lui découvrit la poitrine et y fixa les électrodes d'E.C.G. [1] Peu après, des bips pareils à ceux d'un sonar se mêlèrent à la voix de John Denver qui sortait du transistor.

Le docteur Newman positionna la tête rasée de Lisa. Il plaça ses doigts en équerre — l'auriculaire sur le nez de Lisa et le pouce au sommet du crâne — et traça une ligne à l'aide d'un marqueur. La première ligne allait d'une oreille à l'autre en passant par le sommet du crâne. Une seconde ligne la coupait, partant du milieu du front et s'étendant, derrière la tête, jusqu'à la zone occipitale.

« Maintenant, Lisa, tournez la tête vers la gauche », dit le docteur Newman.

Lisa garda les yeux fermés. Elle sentit un doigt lui

---

1. Electrocardiogramme. (N.D.T.)

palper la crête osseuse qui allait de son œil droit à son oreille droite. Puis elle sentit le marqueur tracer une courbe qui partait de sa tempe droite et grimpait vers le sommet pour revenir se terminer derrière les oreilles. La ligne définissait une zone en forme de fer à cheval ayant son oreille pour base. C'était là le volet décrit par le docteur Mannerheim.

Une somnolence inattendue s'empara du corps de Lisa. On aurait dit que l'air de la pièce devenait visqueux et que ses extrémités se changeaient en plomb. Il lui fallut un gros effort pour ouvrir les yeux. Le docteur Ranade lui sourit, le tuyau de perfusion dans une main, une seringue dans l'autre.

« De quoi vous détendre », dit-il.

Pour Lisa, le temps devint discontinu. Des sons traversaient sa conscience, puis disparaissaient. Elle voulait s'endormir mais, involontairement, son corps luttait contre l'assoupissement. Elle sentit qu'on la tournait à moitié sur le côté, l'épaule droite surélevée et posée sur un oreiller. Avec un certain détachement, elle sentit qu'on lui liait les deux poignets à une sorte de planche qui saillait à angle droit de la table d'opération. De toute façon, la lourdeur de ses bras ne lui aurait pas permis de les bouger. On lui passa une sangle de cuir autour de la taille pour lui maintenir le corps. Elle sentit qu'on lui frottait la tête et qu'on la lui badigeonnait. Plusieurs aiguilles pointues suscitèrent une douleur fugitive, puis on lui serra la tête dans un appareil. Malgré elle, Lisa s'endormit.

Une douleur intense et subite la réveilla en sursaut. Aucune idée du temps écoulé. La douleur se localisait au-dessus de l'oreille droite. Elle se reproduisit. Un cri sortit de sa bouche et elle essaya de bouger. A l'exception d'un tunnel d'étoffe situé directement face à son visage, Lisa était recouverte de plusieurs couches de champs chirurgicaux. Au bout du tunnel, elle pouvait voir le visage du docteur Ranade.

« Tout va bien, Lisa », dit-il. « Ne bougez pas maintenant. On vous injecte l'anesthésique local. Vous n'allez pas souffrir longtemps. »

La douleur revint encore et encore. Lisa avait l'impression que son cuir chevelu allait éclater. Elle essaya de lever les bras, mais ne put que sentir ses entraves de toile. « Je vous en supplie », cria-t-elle mais d'une voix faible.

« Tout va bien, Lisa. Essayez de vous détendre. »

La douleur disparut. Lisa pouvait entendre la respiration des médecins exactement au-dessus de son oreille droite.

« Bistouri », dit le docteur Newman.

Lisa eut un mouvement de recul. Elle ressentit une pression, comme un doigt qu'on appuyait sur son cuir chevelu et qui suivait la ligne tracée par le marqueur. Elle sentit un liquide tiède lui couler dans le cou à travers les champs.

« Pinces hémostatiques », dit le docteur Newman. Lisa put entendre des claquements secs.

« Pinces de Raney. Et appelez Mannerheim. Dites-lui que nous serons prêts pour son intervention dans trente minutes. »

Lisa essaya de ne pas penser à ce qui arrivait à sa tête. Elle préféra penser à sa vessie, mal à l'aise. Elle appela le docteur Ranade et lui fit part de son envie d'uriner.

« Vous avez une sonde vésicale, dit le docteur.

— Mais j'ai envie d'uriner, dit Lisa.

— Détendez-vous, tout simplement, répondit le docteur Ranade. Je vais augmenter la dose de somnifère. »

Puis Lisa prit conscience de la plainte stridente, aiguë, d'un moteur combinée à une sensation de pression et de vibration dans sa tête, un bruit effrayant car elle savait ce qu'il signifiait. On lui ouvrait le crâne avec une scie ; elle ignorait qu'on appelait cela une crâniotome. Dieu merci, cela ne faisait pas mal, encore que Lisa s'attendait à ressentir une douleur d'un instant à l'autre. Une odeur d'os roussi pénétra à travers les compresses de gaze qui lui couvraient le visage. Elle sentit la main du docteur Ranade prendre la sienne et elle lui en fut reconnaissante. Elle la serra comme si c'était là son ultime espoir de survie.

Le bruit du crâniotome cessa. Dans le silence soudain, le bip rythmé du moniteur cardiaque se fit entendre. Puis Lisa ressentit une douleur, plus proche cette fois de la gêne d'un mal de tête localisé. Le visage du docteur Ranade apparut tout au bout de son tunnel de vision. Il l'observa tandis qu'elle sentait qu'on gonflait le brassard pour lui prendre la tension.

« Pinces à os », dit le docteur Newman d'une voix neutre.

Lisa entendit et sentit l'os craquer, tout près de son oreille droite.

« Ecarteur. »

Lisa ressentit plusieurs élancements suivis de ce qui lui parut être un sourd bruit de cassure. Elle sut qu'on lui avait ouvert la tête.

« Compresse. »

Tout en continuant à se frotter les mains, le docteur Curt Mannerheim se pencha pour regarder à travers la porte de la salle d'op 21 et pour voir la pendule sur le mur en face. Presque neuf heures. A cet instant, il vit son chef-résident, le docteur Newman, se reculer de la table. Celui-ci croisa ses mains gantées sur sa poitrine et alla regarder les radios disposées sur le négatoscope. Cela ne pouvait signifier qu'une seule chose. La crâniotomie était terminée et ils attendaient le patron. Le docteur Mannerheim savait qu'il n'avait pas de temps à perdre. On attendait la Commission d'Enquête du N.I.H.[1] à midi. A la clé : une subvention de douze millions de dollars qui permettrait de

1. N.I.H. = *National Institute of Health* (Institut National de la Santé), organisme fédéral chargé du contrôle de la recherche et de la coordination des efforts scientifiques dans ce domaine. Quelque peu comparable à notre Institut national des Sciences et de la Recherche médicales (I.N.S.E.R.M.). (N.D.T.)

poursuivre les activités de recherche pendant les cinq ans à venir. Il lui fallait cette subvention. S'il n'arrivait pas à l'obtenir, il pourrait perdre tout son laboratoire de recherche animale, et, avec lui, les résultats de quatre ans de travail. Mannerheim avait la certitude qu'il se trouvait à deux doigts de découvrir la localisation exacte de la partie du cerveau responsable de l'agressivité.

Tout en rinçant la mousse du savon, Mannerheim aperçut Lori McInter, la chef-adjointe des salles d'opération. « Lori, mon chou ! J'ai ici deux médecins japonais de Tokyo. Veux-tu envoyer quelqu'un dans la salle de repos s'assurer qu'ils ont trouvé des vêtements et le reste pour la salle d'op ? »

Lori McInter acquiesça silencieusement, sans cacher que la requête ne lui faisait pas plaisir. La grosse voix de Mannerheim résonnant dans le couloir l'agaçait. Mannerheim saisit le reproche et jura contre l'infirmière à voix basse.

« Les bonnes femmes », marmotta-t-il. Pour Mannerheim, les infirmières devenaient de plus en plus des emmerdeuses.

Mannerheim pénétra en trombe dans la salle d'opération comme un taureau dans l'arène. L'atmosphère sympathique changea instantanément. Darlene Cooper lui tendit une serviette stérile. S'essuyant une main puis l'autre, puis les avant-bras, Mannerheim se pencha pour regarder l'ouverture pratiquée dans le crâne de Lisa Marino.

« Nom de Dieu, Newman, grogna Mannerheim, quand allez-vous apprendre à pratiquer une crâniotomie correctement ? Je vous ai dit mille fois de bisauter les bords davantage. Seigneur ! Quel gâchis ! »

Sous les linges, une nouvelle vague de terreur submergea Lisa. Quelque chose tournait mal dans son opération.

« J'ai..., commença Newman.

— Pas d'excuses. Ou vous le faites correctement, ou

50

vous cherchez un autre boulot. J'ai des Japs qui arrivent, qu'est-ce qu'ils vont penser en voyant ça ? »

Nancy Donovan se tenait près de lui pour récupérer la serviette, mais il préféra la jeter par terre. Il adorait semer la perturbation et, comme un gamin, il exigeait une attention totale où qu'il se trouvât. Et il l'obtenait. On le considérait, sur le plan technique, comme l'un des meilleurs neurochirurgiens du pays sinon le plus rapide. Selon sa propre expression, « une fois à l'intérieur du crâne, pas le temps de glander ». Et, grâce à sa connaissance encyclopédique de la complexité de la neuroanatomie, il faisait montre d'une merveilleuse efficacité.

Darlene Cooper maintint écartés les gants spéciaux de caoutchouc brun qu'exigeait Mannerheim. Il la regarda dans les yeux tout en enfilant ses mains dans les gants.

« Ah, ah... », roucoula-t-il, comme si le fait de glisser ses mains dans les gants déclenchait un orgasme. « Mon chou, tu es fabuleuse. »

Darlene évita de regarder les yeux bleu gris de Mannerheim tandis qu'elle lui tendait une serviette humide pour essuyer le talc de ses gants. Habituée à ses réflexions, elle savait que la meilleure défense consistait à l'ignorer.

S'installant au bout de la table, Newman à sa droite et Lowry à sa gauche, Mannerheim baissa les yeux sur la dure-mère à demi transparente qui recouvrait le cerveau de Lisa. Newman avait soigneusement placé des points à travers l'épaisseur relative de la dure-mère et les avait fixés sur le bord du champ de la crâniotomie. Ces points maintenaient la dure-mère tendue vers le haut, contre la surface intérieure du crâne.

« Bon, on y va, dit Mannerheim. Crochet dural et bistouri. »

On claqua les instruments dans la main de Mannerheim.

« Tout doux, fiston, dit Mannerheim. On n'est pas à la télé et je ne veux pas qu'on me fasse mal chaque fois que je demande un instrument. »

Il se pencha et tendit adroitement la dure-mère vers le haut à l'aide du crochet. Avec le bistouri, il pratiqua une petite incision. On put apercevoir, par l'ouverture, un petit bout de cerveau nu, d'un gris rosâtre.

Une fois lancé, Mannerheim devint totalement professionnel. Ses mains relativement petites se mouvaient avec des gestes délibérément mesurés, ses yeux proéminents ne lachant jamais son malade. Visiblement à l'aise dans son corps, il possédait une extraordinaire coordination visuelle-manuelle. Le fait d'être petit — un mètre soixante-trois — constituait pour lui une source d'irritation constante. Il pensait avoir été lésé de la douzaine de centimètres supplémentaires qui auraient permis de mettre sa taille en rapport avec son intelligence, mais il se maintenait en parfaite condition physique et faisait bien plus jeune que ses soixante et un ans.

A l'aide de petits ciseaux et de tampons d'ouate qu'il glissa entre la dure-mère et le cerveau pour le protéger, Mannerheim ouvrit l'enveloppe qui recouvrait le cerveau sur toute la longueur de la fenêtre pratiquée dans l'os. De l'index, il palpa doucement le lobe temporal. Son expérience lui permettait de déceler la moindre anomalie. Pour Mannerheim, cette interaction intime entre lui-même et un cerveau humain qui palpitait constituait le sel de son existence. Au cours de nombreuses opérations, cette seule excitation provoquait en lui une érection.

« Maintenant, passez-moi le stimulateur et les électrodes de l'E.E.G. [1] »

Le docteur Newman et le docteur Lowry se débattaient au milieu d'une foule de fils minuscules. Nancy Donovan et son assistante saisirent les électrodes utiles lorsque les médecins les leur tendirent et les branchèrent à la console électrique voisine. Le docteur Newman disposa soigneusement les électrodes en deux rangées parallèles. L'une le long de la partie centrale du lobe temporal et l'autre

1. Electroencéphalographe. (N.D.T.)

au-dessus de la veine sylvienne. Les électrodes flexibles, aux extrémités d'argent, glissèrent dans le cerveau. Nancy Donovan tourna un commutateur et l'écran de l'électroencéphalographe, voisin du moniteur cardiaque, s'anima, ses traits fluorescents traçant des courbes irrégulières.

Les docteurs Harata et Nagamoto pénétrèrent dans la salle d'opération. Mannerheim en ressentit une certaine satisfaction, moins par ce que les visiteurs pourraient apprendre que parce qu'il adorait avoir un public.

« Voyez-vous », dit Mannerheim en faisant de grands gestes, « on a écrit un tas de conneries pour savoir s'il convenait de procéder à l'ablation de la partie supérieure du lobe temporal au cours d'une lobectomie. Certains confrères craignent que cela affecte les possibilités d'expression du patient. Il n'y a qu'une réponse : il faut procéder à un test. »

Tenant un stimulateur électrique comme une baguette de chef d'orchestre, Mannerheim fit signe au docteur Ranade qui se baissa et souleva le champ. « Lisa », appela-t-il.

Lisa ouvrit des yeux qui reflétaient l'ahurissement provoqué par la conversation qu'elle venait d'entendre.

« Lisa, dit le docteur Ranade, je voudrais que vous récitiez toutes les comptines que vous connaissez. »

Lisa s'exécuta, dans l'espoir que sa bonne volonté contribuerait à mener bientôt l'affaire à son terme. Elle commença à parler mais, dans le même temps, le docteur Mannerheim toucha la surface de son cerveau à l'aide du stimulateur. Elle s'arrêta à mi-mot, sachant bien ce qu'elle voulait dire mais n'y parvenant pas. Simultanément, elle perçut l'image mentale de quelqu'un qui passait une porte.

Remarquant l'interruption de Lisa, Mannerheim dit : « Et voilà votre réponse ! On ne touche pas à la circonvolution temporale supérieure de cette malade. » Les visiteurs japonais hochèrent la tête en signe de compréhension.

« Passons maintenant à la partie la plus intéressante de cet exercice », dit Mannerheim, saisissant l'une des deux électrodes profondes empruntées au Gibson Memorial Hospital. « Au fait, que quelqu'un appelle la Radio. Je veux un cliché de ces électrodes pour que nous sachions plus tard où elles se situaient. »

Les électrodes, des aiguilles rigides, étaient des instruments destinés à la fois à l'enregistrement et à la stimulation. Avant de les faire stériliser, Mannerheim avait tracé dessus un point de repère, à quatre centimètres de la pointe de l'aiguille. A l'aide d'une petite règle métallique, il mesura quatre centimètres à partir de la partie antérieure du lobe temporal. Tenant l'électrode à angle droit par rapport à la surface du cerveau, Mannerheim l'enfonça à l'aveuglette et sans effort jusqu'à la marque indiquant les quatre centimètres. Le tissu cervical n'offrait qu'une résistance minime. Mannerheim prit la seconde électrode et l'enfonça deux centimètres derrière la première. Chaque électrode saillait de cinq centimètres environ au-dessus de la surface du cerveau.

Par bonheur, Kenneth Robbins, le chef manipulateur de neuroradiologie arriva à cet instant. S'il avait été en retard, Mannerheim aurait piqué une de ses célèbres crises. Du fait que la salle d'opération comportait tout le matériel nécessaire à la prise de radios, il ne fallut que quelques instants au chef manipulateur pour prendre les deux clichés.

« Et maintenant », dit Mannerheim, jetant un coup d'œil à la pendule au-dessus de lui et prenant conscience qu'il lui faudrait accélérer le processus, « nous allons stimuler les électrodes de profondeur et voir si nous pouvons engendrer des ondes épileptiques cervicales. D'après mon expérience, si nous y parvenons, les chances que la lobectomie fasse cesser les crises approcheront les cent pour cent. »

Les médecins se regroupèrent autour de la patiente. « Docteur Ranade, dit Mannerheim, je veux que vous demandiez à la malade de décrire ce qu'elle ressent et ce qu'elle pense après la stimulation. »

Le docteur Ranade acquiesça et disparut à l'extrémité des champs. Lorsqu'il reparut, il fit signe à Mannerheim qu'il pouvait y aller.

Pour Lisa, la stimulation fit l'effet d'une bombe, sans bruit ni souffrance. Après une période de vide d'une fraction de seconde peut-être ou peut-être d'une heure, tout un kaléidoscope d'images apparut sur le visage du docteur Ranade au bout d'un long tunnel. Elle ne reconnut pas le docteur, pas plus qu'elle ne sut où elle se trouvait. Tout ce dont elle eut conscience fut la terrible odeur annonciatrice de ses crises. Elle en fut terrorisée.

« Qu'avez-vous ressenti ? », demanda le docteur Ranade.

— Au secours ! » cria Lisa. Elle essaya de bouger mais les entraves l'en empêchèrent. Elle sentit la crise arriver. « Au secours ! »

— Lisa », dit le docteur Ranade qui commençait à s'inquiéter, « Lisa, tout se passe bien. Détendez-vous, simplement.

— Au secours ! » cria Lisa, perdant tout contrôle. La courroie qui lui serrait la tête tenait bon, comme les courroies de cuir autour de sa taille. Toute sa force se concentra dans le bras droit qu'elle banda avec une puissance prodigieuse et une incroyable soudaineté. La courroie qui maintenait le poignet lâcha et le bras de Lisa, libéré, se cambra à travers les linges.

Hypnotisé par les enregistrements anormaux de l'E.E.G., Mannerheim, lorsqu'il aperçut la main de Lisa, eût pu éviter l'incident s'il avait réagi plus promptement. En l'état des choses, sa surprise l'empêcha un instant de réagir. La main de Lisa, battant l'air sauvagement pour libérer son corps prisonnier sur la table d'opération, heurta les électrodes qui dépassaient et les enfonça profondément dans son cerveau.

Philips se trouvait au téléphone à discuter avec un pédiatre du nom de George Rees quand Robbins frappa à la porte et entra. Philips fit signe au manipulateur d'aller dans son bureau en attendant qu'il finisse sa conversation. Rees voulait des renseignements sur une radio du crâne d'un petit garçon de deux ans censé avoir fait une chute dans les escaliers. Martin expliqua au pédiatre qu'il soupçonnait des mauvais traitements du fait de traces d'anciennes fractures des côtes décelées sur la radio du thorax de l'enfant. Un problème délicat pour Philips, heureux de raccrocher.

« Qu'est-ce que vous avez là ? », demanda Philips à Robbins, en se retournant sur son siège. Chef manipulateur de radiologie recruté par Philips lui-même, Robbins entretenait avec son patron des liens privilégiés.

« Simplement les clichés de localisation que vous m'avez demandé de faire pour Mannerheim. »

Philips hocha la tête alors que Robbins fixait les clichés sur le négatoscope de Martin. En règle générale, le chef manipulateur ne quittait pas le service pour aller prendre des radios, mais Philips lui avait demandé de s'occuper personnellement de Mannerheim pour éviter tout ennui.

Les radios opératoires de Lisa Marino s'éclairèrent sur l'écran. La partie latérale du film faisait apparaître une zone claire polyhédrique là où l'on avait découpé le volet osseux. A l'intérieur de cette zone très précisément délimitée, on voyait les ombres claires des nombreuses électrodes. Les longues électrodes de profondeur, en forme d'aiguilles, apparaissaient le mieux et c'étaient ces instruments qui intéressaient Philips. Du pied, il mit en route le moteur d'une visionneuse murale appelé alternateur. Tant qu'il maintenait le pied sur la pédale, les images défilaient sur l'écran. On pouvait charger l'appareil d'autant de clichés qu'on souhaitait en lire. Philips laissa tourner l'appareil jusqu'à ce qu'apparaissent sur l'écran les précédentes radios de Lisa Marino.

En comparant les récents clichés aux anciens, Philips put déterminer la localisation exacte des électrodes profondes.

« Eh bien, dit Philips, vous en faites de belles radios ! Si je réussissais à vous cloner, la moitié de mes problèmes seraient résolus. »

Robbins haussa les épaules d'un air détaché, mais le compliment le toucha. Philips était un patron exigeant, mais il savait apprécier un bon travail.

Martin utilisa une règle finement graduée pour mesurer les distances comprises entre les minuscules vaisseaux sanguins sur les radios les plus anciennes. Grâce à sa connaissance de l'anatomie du cerveau et de l'emplacement habituel de ces vaisseaux, il pouvait se représenter une image tridimensionnelle de la zone qui l'intéressait. La traduction de ces informations sur les nouveaux clichés lui donna la position de la pointe des électrodes.

« Stupéfiant ! » dit Philips s'adossant à son fauteuil. « Des électrodes positionnées à la perfection. Fantastique, ce Mannerheim. Si seulement son jugement égalait son habileté technique !

— Voulez-vous que je rapporte ces radios en salle d'op ? demanda Robbins.

— Non, dit Philips en secouant la tête. Je vais y aller moi-même. Il faut que je parle à Mannerheim. Je vais prendre quelques-uns de ces anciens clichés par la même occasion. L'emplacement de cette artère cérébrale m'ennuie un peu. »

Philips ramassa les radios et se dirigea vers la porte.

Bien que la situation en salle d'op 21 fût apparemment revenue à la normale, Mannerheim écumait. Même la présence des visiteurs étrangers ne tempérait pas sa fureur. Newman et Lowry, surtout, étaient épuisés. On aurait pu croire que Mannerheim leur imputait un complot délibéré pour avoir provoqué l'incident.

Il avait commencé la lobectomie temporale dès que Ranade avait placé Lisa sous anesthésie endotrachéale générale. La crise de Lisa avait été suivie d'une panique immédiate, encore que chacun se fût magnifiquement comporté : Mannerheim, en saisissant la main de Lisa qui battait l'air avant qu'elle ne cause davantage de dégâts ; Ranade, par une injection immédiate d'une dose de 150 mg de thiopental IV suivie d'un curarisant, appelé d-tubocurarine. Ces drogues avaient non seulement plongé Lisa dans le sommeil mais également arrêté la crise. En quelques minutes à peine, Ranade avait placé le tube endotrachéal, commencé à insuffler le protoxyde d'azote et installé ses moniteurs de contrôle.

Pendant ce temps, Newman avait extrait les deux électrodes profondément enfoncées accidentellement, tandis que Lowry retirait les autres électrodes superficielles et plaçait du coton humide sur le cerveau exposé avant de le recouvrir d'un champ stérile. La malade recouverte, les médecins revêtus de nouvelles blouses et les mains de nouveau gantées, tout était revenu à la normale, sauf l'humeur de Mannerheim.

« Merde », dit Mannerheim, en se redressant pour soulager la tension de son dos.

« Lowry, si vous préférez faire autre chose quand vous serez grand, dites-le-moi. Sans quoi, tenez les écarteurs pour que je puisse voir. » Tel que Lowry se trouvait placé, le patron ne pouvait voir ce qu'il faisait.

La porte de la salle d'opération s'ouvrit et Philips entra, tenant les radios.

« Faites gaffe, murmura Nancy Donovan, Napoléon est d'une humeur exécrable.

— Merci de l'avertissement », répondit Philips, irrité que tout le monde tolère le comportement enfantin de Mannerheim, quelles que fussent ses indiscutables qualités de chirurgien. Cinq minutes s'écoulèrent avant que Philips réalise que Mannerheim l'ignorait délibérément.

« Docteur Mannerheim », appela Martin, couvrant le bruit du moniteur cardiaque. Tous les regards se braquèrent sur Martin tandis que Mannerheim se raidissait, tournant la tête pour que le rayon de sa lampe frontale, pareille à une lampe de mineur, tombe directement sur le visage du radiologue.

« Vous ne vous rendez peut-être pas compte qu'on fait de la chirurgie du cerveau ici et que vous ne devriez peut-être pas déranger », dit Mannerheim avec une fureur contenue.

« Vous avez demandé des radios de localisation », répondit Philips calmement, « et je crois de mon devoir de vous fournir les renseignements.

— Considérez que c'est fait », dit Mannerheim, retournant à son incision en cours.

La position des électrodes ne constituait pas le véritable souci de Philips, car il la savait parfaite. Il s'inquiétait de l'orientation de l'électrode postérieure au niveau de l'hippocampe par rapport à la formidable artère cérébrale postérieure.

« Il y a autre chose, dit Martin, je... » La tête de Mannerheim jaillit littéralement. Le faisceau de sa lampe frontale balaya le mur puis le plafond, et il dit d'une voix cinglante :

« Docteur Philips, ça ne vous ferait rien de sortir d'ici, vous et vos radios, pour qu'on puisse terminer l'opération ? Quand on aura besoin de vous, on vous le dira. »

Puis, d'une voix normale, il demanda une pince-bayonnette à l'aide-soignante et retourna à son travail.

Calmement, Martin ramassa ses radios et sortit de la salle d'opération. Remettant ses vêtements « civils » dans les vestiaires, il essaya de ne pas trop y penser ; son humeur ne s'en porterait que mieux.

« On vous attend dans la salle d'angio », dit Helen Walker, lorsqu'il arriva à son bureau. Elle se leva et le suivit dans la pièce. Helen, une Noire de trente-huit ans, très gracieuse, originaire de Queens, était la secrétaire de Philips depuis cinq ans. Ils s'entendaient à merveille. Philips se sentait pris de panique à la pensée qu'Helen pût le quitter car, comme toute bonne secrétaire, elle organisait remarquablement l'emploi du temps quotidien de Philips, lui indiquant même les vêtements qu'il devait porter. Il en serait encore à user les mêmes costumes fripés qu'il avait à la faculté si Helen ne l'avait tarabusté jusqu'à ce qu'il accepte de la retrouver chez Bloomingdale un samedi après-midi. Il en était ressorti transformé.

Philips jeta les radios de Mannerheim sur son bureau où elles se mêlèrent aux autres radios, journaux, périodiques et revues. Philips interdisait à Helen de toucher à ce coin. Peu importait à quoi ressemblait son bureau, il savait où tout se trouvait.

Helen, derrière lui, lisait un flot de messages : un appel du docteur Rees pour demander une scanographie de son malade ; on avait réparé l'appareil de la seconde salle d'angiographie qui fonctionnait maintenant normalement ; un appel des urgences pour dire qu'ils attendaient une grave blessure de la tête laquelle nécessiterait une scanographie urgente. La routine. Philips lui dit de s'occuper de tout, ce qui était bien l'intention d'Helen, et elle disparut de nouveau derrière son bureau.

Philips mit le tablier de plomb qu'il portait pour faire certaines radios afin de se protéger des radiations. La bavette du tablier se singularisait par un dessin un peu passé d'un monogramme de Superman réfractaire à toute tentative d'effaçage : une blague faite deux ans auparavant par les étudiants de radiologie.

Sur le point de quitter la pièce, Martin jeta un coup d'œil à la cassette du programme qui se trouvait sur son bureau. Il voulait s'assurer que la nouvelle annoncée par Michaels n'était pas un fantasme. Comme il ne l'apercevait pas, Martin fouilla au milieu des couches les plus récentes d'objets divers qui jonchaient son bureau. Il trouva la cassette sous les radios de Mannerheim. Martin s'apprêtait à partir quand il s'arrêta de nouveau. Il ramassa la cassette et les dernières radios latérales du crâne de Lisa Marino. Criant à Helen, par la porte ouverte, de dire à la salle d'angiographie qu'il arrivait, il se dirigea vers sa table de travail.

Il retira son tablier de plomb et l'étala sur une chaise. Il regarda le prototype d'ordinateur, se demandant s'il allait vraiment marcher. Puis il leva les radios opératoires de Lisa Marino à la lumière qui arrivait des bancs des négatoscopes. Les ombres des électrodes ne l'intéressaient pas et il les chassa de son esprit. Ce qui intéressait Philips, c'était ce que dirait l'ordinateur de la crâniotomie. Philips savait qu'ils n'avaient pas inclus cette procédure dans le programme.

D'une pichenette, il mit le contact à l'ordinateur central. Une lampe rouge s'alluma et il introduisit lentement la cassette. Il en était aux trois quarts quand la machine l'avala comme un chien affamé. Aussitôt, l'imprimante entra en action. Philips contourna l'appareil pour pouvoir lire la sortie.

Salut ! Je suis Radread Crâne 1. Entrez le nom du patient S.V.P.

Avec deux doigts Philips tapa « Lisa Marino » et entra l'information.

Merci. Entrez les symptômes présentés par le malade S.V.P.

Philips frappa : « Crise et troubles divers » et il entra également cette information.

Merci. Entrez les informations cliniques significatives S.V.P.

Philips frappa : « vingt et un ans ; sexe féminin. Passé médical : un an de troubles épileptiques du lobe temporal. »

Merci. Glissez le cliché dans le scanographe à laser S.V.P.

Philips se dirigea vers le scanner. Les rouleaux tournaient à l'intérieur des lèvres de la fente. Soigneusement, Philips plaça la radio, émulsion vers le bas. La machine s'en saisit et l'entraîna vers l'intérieur. L'imprimante de sortie s'activa. Philips s'en approcha. Il lut : *Merci. Prenez donc un café.* Philips sourit. Michaels faisait montre de son sens de l'humour quand on s'y attendait le moins.

Le scanner émit un léger « bzzz » électrique ; l'unité de sortie retomba dans le silence.

Philips saisit son tablier de plomb et quitta son bureau.

La salle d'opération retomba également dans le silence, lorsque Mannerheim saisit le lobe temporal droit de Lisa et le souleva doucement de sa base. On pouvait voir les vaisseaux reliant l'ablation du tissu aux sinuosités des veines, et Newman les cautérisa et les détacha avec soin. Enfin, la partie sectionnée se trouva libre. Mannerheim ôta le morceau de cerveau du crâne de Lisa et le laissa tomber dans une cuvette que tenait Darlene Cooper, l'aide-soignante. Mannerheim jeta un coup d'œil à la pendule. Il s'en tirait parfaitement. Au fur et à mesure de l'évolution de l'opération, l'humeur de Mannerheim s'était de nouveau transformée. C'était l'euphorie maintenant et la satisfaction de la performance, accomplie en moitié moins de temps que d'habitude. Il avait la certitude d'être à son bureau à midi.

« Nous n'avons pas tout à fait terminé », dit Mannerheim, l'aspirateur métallique dans la main gauche et une pince dans la droite. Très soigneusement, il nettoya l'endroit où s'était trouvé le lobe temporal, aspirant un peu plus de tissu cervical. Il retirait ce qu'il appelait le noyau rouge profond. C'était probablement le moment le plus dangereux de l'opération, mais aussi celui que Mannerheim préférait. Avec une suprême confiance, il guidait l'aspirateur, évitant les structures vitales.

A un moment, un gros morceau de tissu cérébral obstrua un instant la bouche de l'aspirateur. On entendit un léger sifflement avant que le morceau de tissu fût aspiré en glissant dans le tuyau. « En avant la musique », dit Mannerheim. La plaisanterie, courante en neurochirurgie, apparut plus drôle que d'habitude venant de Mannerheim, après la tension qu'il avait provoquée. Tout le monde rit, même les deux médecins japonais.

A peine Mannerheim eut-il terminé de retirer le tissu cervical que Ranade ralentit la ventilation de la patiente. Il voulait que la tension de Lisa remonte un peu tandis que Mannerheim inspectait la cavité à la recherche d'éventuelles hémorragies. Après un examen attentif, Mannerheim fut heureux de constater l'aspect sec de la zone opératoire. Saisissant un porte-aiguilles, il commença à refermer la dure-mère, la membrane dure qui recouvrait le cerveau. A cet instant, Ranade commença à alléger l'anesthésie de Lisa. Une fois l'opération terminée, il voulait pouvoir retirer le tube de la trachée sans provoquer de toux ou de contraction, ce qui exigeait une délicate orchestration de toutes les drogues utilisées. Impérativement, la tension de Lisa ne devait pas s'élever.

La fermeture de la dure-mère se poursuivit avec célérité et, d'une habile rotation du poignet, Mannerheim plaça le dernier point. De nouveau, le cerveau de Lisa se trouvait recouvert, bien que la dure-mère se fût affaissée et apparût plus sombre là où s'était trouvé le lobe temporal. Mannerheim hocha la tête, l'air admiratif, puis il se recula et retira ses gants en les faisant claquer. Le bruit se répercuta dans la salle.

« Parfait, dit Mannerheim. Refermez-la. Mais n'y passez pas la nuit. »

Faisant signe aux deux médecins japonais de le suivre, Mannerheim quitta la salle. Newman prit la place de Mannerheim à la tête de Lisa.

« O.K. Lowry », dit Newman en singeant son patron, « voyons voir si tu peux m'aider au lieu de me gêner. »

Après avoir replacé la calotte crânienne, Newman vérifia les sutures avant de les refermer. A l'aide d'une paire de pinces dentelées, il saisit fermement le bord de la plaie et la tourna légèrement. Puis il enfonça profondément l'aiguille dans la peau du crâne, s'assurant qu'il avait bien atteint le péricrâne, et fit ressortir l'aiguille dans la plaie.

Détachant le porte-aiguilles de sa position initiale sur le pied de l'aiguille, il utilisa l'instrument pour saisir la pointe de l'aiguille en faisant ressortir le point dans la plaie. Avec la même technique, il passa le fil à travers l'autre lèvre de la plaie et tira le fil de suture jusque dans la main de Lowry, qui l'attendait pour pouvoir effectuer la suture. Ils répétèrent le processus et recousirent complètement la plaie. Avec ses points noirs, la ligne de suture ressemblait à une grosse fermeture Eclair.

Pendant ce temps, le docteur Ranade ventilait toujours Lisa en comprimant une poche respiratoire. Le dernier point placé, il entreprit d'administrer à Lisa de l'oxygène à 100 pour 100 et retourna le flacon du dernier curarisant non encore métabolisé par la patiente. Dans le même temps, sa main pressait toujours la poche de ventilation mais, cette fois, ses doigts habiles sentirent un subtil changement par rapport à la compression précédente. Depuis quelques minutes, Lisa commençait à faire les premiers efforts pour respirer seule. Ces efforts avaient provoqué une certaine résistance à la ventilation, résistance qui venait de disparaître à la dernière compression. Tout en surveillant la poche de ventilation et en écoutant au stéthoscope œsophagien, Ranade put se rendre compte que, soudain, Lisa avait cessé ses efforts pour essayer de respirer. Il vérifia le stimulateur du système nerveux périphérique, lequel lui apprit que le curarisant se dissipait comme prévu. Mais alors, pourquoi ne respirait-elle pas ? Le pouls de Ranade s'accéléra. Pour lui, on pouvait comparer une anesthésie à une marche le long du bord sûr mais étroit d'un précipice.

Rapidement, Ranade prit la tension de Lisa, montée à 15-9, bien que stabilisée à 10-6 au cours de l'opération. Quelque chose clochait ! « Arrête ! » dit-il à Newman, les yeux braqués sur le moniteur cardiaque. Les pulsations apparaissaient régulières mais plus ralenties, montrant de longues pauses entre les pointes des systoles.

« Qu'est-ce qui cloche ? » demanda le docteur

Newman, percevant de l'anxiété dans la voix de Ranade.
« Je n'en sais rien. » Ranade vérifia la tension tandis qu'il
se préparait à injecter du nitroprussiate pour faire baisser la
tension. Jusque-là, Ranade pensait que les modifications
des symptômes de retour présentées par Lisa n'étaient que
la réaction au choc opératoire. Maintenant, il commençait
à craindre une hémorragie. Lisa pouvait parfaitement faire
une hémorragie et la tension qu'il percevait dans la tête
pouvait s'élever, ce qui expliquerait la séquence des
symptômes. De nouveau, il prit la tension, grimpée à 17-
10. Immédiatement, il injecta le nitroprussiate et, ce
faisant, il perçut la déplaisante sensation de creux à
l'estomac qu'il connaissait bien.

« Il se peut qu'elle fasse une hémorragie », dit-il en se
penchant pour soulever les paupières de Lisa. Ce qu'il vit
confirma ses craintes. Les pupilles se dilataient.

« Je suis sûr qu'elle fait une hémorragie », cria-t-il.

Les deux internes se regardèrent par-dessus la
patiente. Ils pensaient la même chose.

« Mannerheim va être furieux, dit Newman. Il vaut
mieux l'appeler. Allez-y, dit-il à Nancy Donovan. Dites-lui
qu'il s'agit d'une urgence. »

Nancy Donovan fonça vers l'interphone et appela le
Central.

« Faut-il la rouvrir ? demanda le docteur Lowry.

— Je n'en sais rien, répondit nerveusement Newman.
Si elle fait une hémorragie cérébrale, il vaudrait mieux faire
faire une scanographie d'urgence. Si l'hémorragie se situe
dans la zone opératoire, il faut qu'on rouvre.

— La tension grimpe toujours », dit Ranade, incrédule, en regardant son sphygmomanomètre. Il se prépara à
administrer une nouvelle dose d'hypotenseur.

Les deux internes demeuraient immobiles.

« La tension continue de s'élever, hurla Ranade.
Faites quelque chose, bon Dieu !

— Ciseaux », aboya Newman.

Il sectionna les sutures qu'il venait juste de finir de

poser. La plaie s'écarta spontanément quand il en arriva à l'extrémité de l'incision. Tandis qu'il tirait le cuir chevelu, la section de crâne découpée lors de la crâniotomie se souleva vers eux. On aurait dit qu'elle battait.

« Passez-moi les quatre unités de sang demandées », cria Ranade.

Newman fit sauter les deux points de suture qui maintenaient la calotte crânienne en place. Le morceau d'os tomba sur le côté avant que le docteur Newman puisse le saisir. La dure-mère faisait un renflement et présentait une sinistre zone d'ombre.

La porte de la salle d'opération s'ouvrit brutalement et le docteur Mannerheim entra en coup de vent, le haut de sa blouse ne tenant que par les deux premiers boutons.

« Que diable se passe-t-il ? » hurla-t-il. Puis il aperçut la dure-mère renflée qui battait. « Seigneur Dieu ! Des gants ! Qu'on me donne des gants ! »

Nancy Donovan commença à ouvrir une paire de gants neufs, mais Mannerheim les lui arracha et les enfila sans les essuyer.

Les premières sutures coupées, la dure-mère s'ouvrit d'un coup et un sang rouge vif jaillit sur la poitrine de Mannerheim et l'aspergea tandis qu'il sectionnait à l'aveuglette les sutures restantes. Il savait qu'il lui fallait trouver l'origine de l'hémorragie.

« Aspirateur », hurla-t-il. Avec un bruit sourd, l'appareil commença à aspirer le sang. Le cerveau laissa aussitôt apparaître un déplacement, ou un renflement, car Mannerheim tomba très vite sur le cerveau lui-même.

« La tension baisse », dit Ranade.

Mannerheim hurla qu'on lui passe un écarteur pour lui permettre de voir la base de la zone opératoire, mais le sang noya le tout dès qu'on eut retiré l'aspirateur.

« Tension... », dit le docteur Ranade, marquant une pause, « tension imprenable. »

Le bruit du moniteur cardiaque, demeuré parfaitement constant au cours de l'opération, baissa en une douloureuse pulsation puis s'arrêta.

« Arrêt cardiaque ! » s'écria Ranade.

Les internes balayèrent les linges chirurgicaux, exposant le corps de Lisa et lui recouvrant la tête. Newman grimpa sur le tabouret voisin de la table d'opération et entreprit un massage cardiaque en comprimant le sternum. Ranade, ayant obtenu le sang demandé, souleva le flacon. Il avait ouvert toutes les perfusions, injectant le sang dans les veines de Lisa aussi vite qu'il le put.

« Stop ! » hurla Mannerheim qui s'était reculé de la table d'opération lorsque Ranade avait signalé l'arrêt cardiaque. Avec un sentiment de totale frustration, Mannerheim jeta l'écarteur par terre.

Il demeura un instant immobile, bras ballants, les doigts dégoutant de sang et de matière cervicale. « Arrêtez ! Ça ne sert à rien, » dit-il finalement. « Apparemment, une grosse artère a cédé. Probablement quand la patiente a enfoncé les électrodes. La section transversale de l'artère a dû provoquer un spasme, camouflé par la crise. Une fois le spasme calmé, ça s'est mis à saigner. Pas moyen de ressusciter la patiente. »

Saisissant son pantalon d'opération avant qu'il ne glisse, Mannerheim allait quitter la salle. A la porte, il se tourna vers les deux internes. « Je veux que vous la refermiez comme si elle vivait encore. Compris ? »

4

« Je m'appelle Kristin Lindquist », dit la jeune fille qui attendait au service de Gynécologie de l'université. Elle essaya de sourire, mais les commissures de ses lèvres tremblaient légèrement. « J'ai rendez-vous avec le docteur John Schonfeld à onze heures et quart. » La pendule murale marquait exactement onze heures.

Ellen Cohen, la réceptionniste, leva les yeux de son livre de poche sur le joli visage qui lui souriait. Elle sut immédiatement que Kristin Lindquist représentait tout ce qu'elle ne serait jamais : une vraie blonde, aux cheveux fins comme de la soie, avec un petit nez retroussé, de grands yeux bleus profonds et de longues jambes galbées. Instantanément, Ellen détesta Kristin, la rangeant dans son esprit dans l'espèce dite « salopes californiennes ». Peu importait que Kristin Lindquist fût de Madison, Wisconsin. Elle tira une longue bouffée de sa cigarette, soufflant la fumée par le nez tandis qu'elle scrutait l'agenda des rendez-vous. Elle raya le nom de Kristin et lui dit d'aller s'asseoir, ajoutant que Kristin verrait le docteur Harper, et non le docteur Schonfeld.

« Pourquoi pas le docteur Schonfeld ? » demanda Kristin. C'était lui que l'une des filles du dortoir lui avait recommandé.

« Parce qu'il est absent. Ça vous va comme réponse ? »

Kristin hocha la tête, mais Ellen ne vit rien. Elle s'était replongée dans son roman.

C'est à ce moment-là que Kristin aurait dû partir. Personne n'aurait rien remarqué si elle était sortie par le chemin qu'elle avait emprunté en entrant. Elle n'aimait pas le cadre délabré de l'hôpital qui évoquait pour elle maladie et décrépitude. Le docteur Walter Peterson, du Wisconsin, offrait à ses malades un cabinet propre et frais. Certes, Kristin n'aimait pas passer ses examens médicaux semestriels, mais au moins n'avaient-ils pas été déprimants.

Mais elle ne partit pas. Il lui avait fallu une dose considérable de courage pour prendre un rendez-vous et elle se forçait à s'en tenir à sa décision. Aussi prit-elle place dans un des sièges d'inox et de vinyle de la salle d'attente ; elle croisa les jambes et attendit.

Une heure plus tard, Ellen Cohen appela Kristin dans l'une des salles d'examen. Le sol de linoléum lui fit froid aux pieds tandis qu'elle se déshabillait derrière un petit paravent. Elle suspendit ses vêtements à l'unique porte-manteau.

Comme on le lui avait demandé, elle passa une blouse d'hôpital qui lui descendait à mi-cuisse et se boutonnait sur le devant. Emergeant de derrière son paravent, Kristin vit l'infirmière, Mrs. Blackman, déposer des instruments sur une serviette. Elle détourna les yeux, mais non sans avoir involontairement aperçu un tas d'instruments d'acier brillant, y compris un spéculum et quelques forceps. A leur seule vue, elle se sentit faiblir.

« Ah, très bien, dit Mrs. Blackman. Vous êtes rapide et nous apprécions. Venez ! » Mrs. Blackman tapota une table d'examen. « Grimpez là-dessus. Le docteur ne va pas tarder. » Du pied, elle plaça un tabouret en position stratégique.

Agrippant à deux mains sa pauvre blouse, Kristin se rendit à la table d'examen. Avec ses étriers dépassant aux extrémités, la table évoquait quelque instrument de torture médiéval. Elle grimpa sur le tabouret et s'assit, face à l'infirmière.

Mrs. Blackman prit note de tout le passé médical de Kristin, qui fut impressionnée par le caractère exhaustif des questions. Jamais personne n'avait pris le temps de se livrer à un travail aussi complet, y compris de demander des renseignements détaillés sur ses antécédents familiaux.

Dès qu'elle avait vu Mrs. Blackman, Kristin s'était sentie mal à l'aise, craignant que l'infirmière se montre aussi froide et dure que son aspect le laissait supposer. Mais, en questionnant Kristin, Mrs. Blackman se révéla si agréable et si intéressée par ce que lui disait la jeune fille, que celle-ci commença à se détendre. Les seuls symptômes que nota Mrs. Blackman furent des leucorrhées, remarquées par Kristin au cours des derniers mois, ainsi que d'occasionnels écoulements sanguins intermenstruels qu'elle avait constatés depuis toujours.

« Parfait, préparez-vous pour le docteur », dit Mrs. Blackman en repoussant le dossier. « Maintenant, étendez-vous, les pieds dans les étriers. »

Kristin s'exécuta, tentant vainement de maintenir rapprochés les pans de sa blouse, ce qui se révéla impossible et elle commença à reperdre sa contenance. Les étriers de métal, glacés, la firent frissonner de tout son corps.

Mrs. Blackman déplia, en le secouant, un drap frais sorti de la blanchisserie et le posa sur Kristin. Soulevant une des extrémités, Mrs. Blackman regarda par-dessous. Kristin pouvait presque sentir le regard de l'infirmière sur son entrejambe totalement exposé.

« Parfait, dit Mrs. Blackman, glissez-vous à l'extrémité de la table. »

Avec un mouvement de rotation des hanches, Kristin fit glisser ses fesses vers ses pieds.

Mrs. Blackman, regardant toujours sous le drap, n'en parut pas satisfaite. « Encore un peu. »

Kristin se mut un peu plus, jusqu'à sentir ses fesses à moitié hors de la table.

« Très bien, dit Mrs. Blackman, maintenant détendez-vous en attendant l'arrivée du docteur Harper. »

Se détendre ! pensa Kristin. Comment pouvait-elle se détendre ? Elle se faisait l'impression d'un quartier de viande à l'étalage, dans l'attente d'être tripoté par les clients. Derrière elle se trouvait une fenêtre, et le fait que sa blouse n'était pas complètement fermée l'ennuyait terriblement.

La salle d'examen s'ouvrit sans qu'on eût frappé et un garçon de course de l'hôpital passa la tête. Où se trouvaient les prélèvements de sang à emmener au labo ? Mrs. Blackman dit qu'elle allait lui montrer et disparut.

Livrée à elle-même dans l'atmosphère stérile, enveloppée de l'odeur aseptique de l'alcool, Kristin ferma les yeux et respira profondément plusieurs fois. C'était l'attente qui rendait la chose si désagréable.

L'autre porte s'ouvrit. Kristin souleva la tête, s'attendant à voir arriver le docteur, mais c'est la réceptionniste qui entra pour demander où se trouvait Mrs. Blackman. Kristin se contenta de secouer la tête. Elle n'allait pas en supporter beaucoup plus.

Juste au moment où Kristin allait se lever et partir, la porte s'ouvrit et le docteur entra à grandes enjambées.

« Bonjour mon chou, je suis le docteur David Harper. Comment allez-vous aujourd'hui ?

— Bien », répondit Kristin mollement. Elle ne s'attendait pas à un tel docteur Harper. Il paraissait trop jeune pour un médecin, avec son visage aux traits épais et juvéniles qui juraient avec un crâne presque chauve. Ses sourcils étaient si drus qu'ils en paraissaient faux.

Le docteur Harper se dirigea vers le petit lavabo et se lava rapidement les mains.

« Vous êtes étudiante à l'université ? » demanda-t-il, en lisant le dossier posé sur le comptoir.

« Oui, répondit Kristin.

— A quelle fac ?

— Lettres », répondit Kristin. Elle savait parfaitement que le docteur Harper lui faisait simplement la conversation, mais peu lui importait. Cela la soulageait de parler après cette interminable attente.

« Lettres ? Magnifique ! », dit-il, parfaitement indifférent. Ses mains séchées, il déchira un paquet de gants de latex. Face à Kristin, il glissa ses mains dans les gants, faisant claquer bruyamment le caoutchouc sur ses poignets et ajustant ensuite les doigts l'un après l'autre, minutieusement, comme en un rituel. Kristin remarqua que le docteur Harper était poilu de partout sauf sur le sommet du crâne. A travers le fin latex, les poils du dos de sa main lui donnaient un air vulgaire.

S'approchant du bout de la table, il questionna Kristin sur ses leucorrhées et ses écoulements sanguins occasionnels. Il ne parut pas particulièrement impressionné par l'un ou l'autre symptôme. Sans plus attendre, il s'assit sur le petit tabouret, disparaissant de la vue de Kristin. Elle fut prise de panique quand elle sentit qu'on soulevait le bas du drap.

« Ça va », dit le docteur Harper d'un ton désinvolte. « Je voudrais que vous vous glissiez vers moi. »

Tandis que Kristin se glissait encore plus loin vers l'extrémité de la table, la porte de la salle d'examen s'ouvrit et Mrs. Blackman entra. Kristin fut heureuse de la voir. Elle sentit qu'on lui écartait les jambes, au maximum. Elle n'aurait pu se sentir plus exposée et vulnérable.

« Passez-moi le spéculum de Graves », dit le docteur Harper à Mrs. Blackman.

Kristin ne pouvait voir ce qui se passait mais elle entendit le bruit sec du métal contre du métal, ce qui provoqua chez elle une sensation de vide au creux de l'estomac.

« Bon », dit le docteur Harper. « Détendez-vous, maintenant. »

Avant que Kristin pût répondre, un doigt ganté écarta son sexe et elle serra les cuisses en un réflexe de défense. Puis elle sentit la froide pénétration du métal.

« Allons, décontractez-vous ! A quand remonte votre dernier test de Pap ? »

Il fallut à Kristin quelques instants avant de comprendre que la question s'adressait à elle. « Environ un an ». Une sensation d'envahissement la prit.

Le docteur Harper demeura silencieux. Kristin n'avait aucune idée de ce qui se passait. Avec le spéculum en elle, elle craignait de bouger un muscle. Pourquoi le laissait-il si longtemps ? Le spéculum glissa doucement et elle entendit le docteur murmurer. Est-ce que quelque chose n'allait pas ? Soulevant la tête, Kristin réussit à voir qu'il ne la regardait même pas. Penché sur la petite table, il manipulait un instrument. Mrs. Blackman hochait la tête et murmurait. Reposant la tête, Kristin souhaitait qu'il se hâte et retire le spéculum. Puis elle le sentit bouger, et une étrange sensation lui élança l'abdomen.

« Parfait », dit finalement le docteur Harper. Le spéculum sortit aussi rapidement qu'il était entré, provoquant seulement un éphémère élancement douloureux.

« Vos ovaires paraissent en bon état », dit enfin le docteur Harper en retirant ses gants souillés et en les laissant tomber dans un seau muni d'un couvercle.

« J'en suis heureuse », fit Kristin.

Après un rapide examen de la poitrine, le docteur Harper lui dit qu'elle pouvait se rhabiller. Il se montrait brusque et préoccupé. Kristin se glissa derrière le paravent, tirant le rideau. Elle se rhabilla aussi vite qu'elle le put, de crainte que le docteur se retire avant qu'elle ait l'occasion de lui parler. Lorsqu'elle sortit de la cabine, elle boutonnait encore son chemisier. A temps, car le docteur Harper finissait de remplir son dossier.

« Docteur Harper, commença Kristin, je voudrais vous parler de la contraception.

— Qu'aimeriez-vous savoir ?

— J'aimerais connaître la meilleure méthode en ce qui me concerne.

— Chaque méthode présente ses bons et ses mauvais

côtés », dit le docteur Harper en haussant les épaules. « En ce qui vous concerne, je ne vois aucune contre-indication à l'utilisation de n'importe laquelle des méthodes. Il s'agit d'un choix personnel. Parlez-en à Mrs. Blackman. »

Kristin hocha la tête. Elle aurait souhaité en savoir davantage, mais les manières bourrues du docteur Harper l'intimidaient.

« Votre examen, poursuivit Harper, ne présente rien que de normal. J'ai remarqué une petite ulcération du col de l'utérus, ce qui pourrait expliquer vos leucorrhées. Ce n'est rien. Peut-être faudra-t-il revoir ça dans deux mois environ.

— Qu'est-ce qu'une ulcération ? » demanda Kristin, pas du tout certaine de vouloir le savoir.

« Simplement une zone dépourvue des cellules épithéliales habituelles », répondit Harper. Pas d'autres questions ? »

Il laissait percer sa hâte de terminer la consultation. Kristin hésita.

« Bien. J'ai d'autres patientes à voir, dit-il. Si vous voulez d'autres renseignements sur la contraception, demandez à Mrs. Blackman, elle est d'excellent conseil. Il se peut aussi que vous saigniez un peu à la suite de l'examen, mais ne vous inquiétez pas. Je vous reverrai dans deux mois. » Avec un dernier sourire, le docteur Harper tapota la tête de Kristin et s'en fut.

Un instant plus tard, la porte s'ouvrit et Mrs. Blackman apparut, surprise du départ du docteur. « Voilà qui a été vite fait », dit-elle, ramassant le dossier. « Venez au labo qu'on en termine avec vous et qu'on vous libère. »

Kristin suivit Mrs. Blackman dans une autre salle où se trouvaient deux tables d'examen et de longs comptoirs sur lesquels trônait tout un attirail médical, y compris un microscope. Contre le mur le plus éloigné, une armoire vitrée contenait tout un assortiment d'instruments à l'aspect barbare et, près de l'armoire, un tableau de lettres destiné à tester l'acuité visuelle. Kristin remarqua qu'il s'agissait d'un de ces tableaux ne comportant que la lettre E.

« Est-ce que vous portez des lunettes ?

— Non, répondit Kristin.

— Parfait, dit Mrs. Blackman. Maintenant étendez-vous pour une prise de sang. »

Kristin fit ce qu'on lui demandait. « Je me sens un peu faible après une prise de sang.

— Tout à fait normal, dit Mrs. Blackman. C'est pourquoi on vous fait étendre. »

Kristin ferma les yeux pour ne pas voir l'aiguille. Mrs. Blackman fit très vite. Après, elle prit la tension et le pouls de Kristin. Puis elle assombrit la pièce pour un examen de la vue.

Kristin essaya d'amener Mrs. Blackman à parler contraception, mais elle ne consentit à répondre aux questions qu'après avoir terminé tout ce qui était prévu. Ensuite, elle se contenta de conseiller à Kristin de consulter le Centre de Planning familial de l'université, lui disant qu'elle ne rencontrerait aucune difficulté maintenant qu'elle avait subi son examen gynécologique. Quant à l'ulcération, Mrs. Blackman fit un petit croquis pour s'assurer que tout était parfaitement clair. Ensuite elle nota le numéro de téléphone de Kristin et l'avisa qu'on la tiendrait au courant au cas où l'on découvrirait quelque chose d'anormal dans le résultat des analyses.

Avec un grand soulagement, Kristin se dirigea en hâte vers la sortie de l'hôpital. Au moins était-ce terminé. Après toute cette tension, elle avait décidé de sécher son cours de l'après-midi. Arrivée au milieu du service de Gynécologie, Kristin se sentit un peu désorientée, ayant oublié par où elle était arrivée. Elle se retourna, en quête d'une pancarte indiquant les ascenseurs et les escaliers. Elle l'aperçut sur le mur du couloir le plus proche. Mais, lorsque l'image du mot « Escalier » se forma sur sa rétine, quelque chose de bizarre se passa dans le cerveau de Kristin. Elle fut prise d'une sensation curieuse et d'un léger vertige, suivi par une odeur infecte. Sans pouvoir déterminer exactement la nature de l'odeur, Kristin eut l'impression de quelque chose d'étrangement familier.

Avec une certaine appréhension, elle essaya d'ignorer les symptômes et poursuivit son chemin au milieu de la foule, dans le couloir. Il fallait qu'elle sorte de l'hôpital. Mais le vertige augmenta et le couloir commença à onduler. Kristin s'appuya à une porte et ferma les yeux. La sensation de vertige cessa. Elle craignit tout d'abord d'ouvrir les yeux, de peur d'un retour des symptômes et, lorsqu'elle s'y décida, elle le fit progressivement. Le vertige avait disparu.

Avant que Kristin ait pu faire un pas, une poigne solide lui saisit le bras et elle recula, effrayée, puis soulagée de voir qu'il s'agissait du docteur Harper.

« Vous vous sentez bien ? demanda-t-il.

— Ça va », dit Kristin, gênée.

« C'est sûr ? »

Kristin hocha la tête et, pour souligner son affirmation, elle libéra son bras de l'emprise du docteur Harper.

« Eh bien, excusez-moi de vous déranger, dans ce cas », dit-il tout en poursuivant son chemin dans le couloir.

Kristin le regarda se fondre dans la foule. Elle respira profondément et se dirigea vers les ascenseurs, les jambes en coton.

5

Martin quitta la salle d'angiographie dès qu'il fut certain que l'interne avait la situation bien en main et que le cathéter avait été retiré de l'artère du patient.

Arrivé près de son bureau, il se prit à espérer qu'Helen était partie déjeuner, mais elle surgit au moment où il allait passer la porte, ses éternels messages urgents à la main.

« La seconde salle d'angiographie est de nouveau en panne », dit-elle à l'instant où elle l'aperçut. « Il ne s'agit pas de l'appareil de radio proprement dit mais plutôt du système d'entraînement du film. »

Philips hocha la tête tout en suspendant son tablier de plomb. Il faisait confiance à Helen pour avoir d'ores et déjà appelé la société chargée de l'entretien. Il jeta un coup d'œil sur l'imprimante posée sur sa table de travail et aperçut une pleine page de notes générées par l'ordinateur.

« Nous avons également un problème avec Claire O'Brian et Joseph Abbodanza », dit Helen. Il s'agissait de deux manipulateurs de radiologie formés dans le service depuis des années.

« Quel problème ? demanda Philips.

— Ils ont décidé de se marier.

— Et alors ? Est-ce qu'ils se sont livrés à des actes contre-nature dans la chambre noire ? » demanda Philips en riant.

« Non ! » répliqua Helen. « Ils ont décidé de se marier

en juin et de prendre tout l'été de congé pour un voyage en Europe.

— Tout l'été ! hurla Philips. Ils ne peuvent pas faire ça ! On aura déjà assez de mal à les laisser prendre leurs deux semaines de congé simultanément. J'espère que vous le leur avez dit.

— Bien sûr que je leur ai dit », répondit Helen. « Mais ils ont répondu qu'ils s'en fichaient. Ils vont le faire, même s'ils doivent perdre leur boulot.

— Seigneur Dieu ! » dit Philips en se frappant le front. Il savait bien qu'avec leur expérience professionnelle Claire et Joseph pourraient trouver du travail dans n'importe quel centre médical important.

« A noter également, dit Helen, un appel du doyen de la fac de Médecine pour nous aviser de la décision, prise au cours d'une réunion la semaine dernière, de doubler le nombre des groupes d'étudiants qui doivent passer en neuroradiologie. Il a dit que les étudiants de l'année dernière ont déclaré, par vote, qu'il s'agissait de l'un des meilleurs cours facultatifs. »

Philips ferma les yeux et se massa les tempes. Davantage d'étudiants encore ! Seigneur ! Il avait bien besoin de cela !

« Une dernière chose », dit Helen, en se dirigeant vers la porte, « M. Michael Ferguson, des services administratifs, a appelé pour nous demander de libérer la pièce qu'on utilise pour les fournitures. Ils en ont besoin pour le service social.

— Et voulez-vous me dire, je vous prie, ce que nous sommes censés faire des fournitures ?

— J'ai posé la même question », répondit Helen. « Il m'a dit que vous aviez toujours su que ce local n'était pas destiné à la neuroradiologie et qu'il vous fallait prendre vos dispositions. Bon, je vais déjeuner en vitesse. Je reviens tout de suite.

— D'accord, dit Philips, bon appétit ! »

Philips attendit quelques minutes que sa tension

revienne à la normale. Les problèmes administratifs devenaient de plus en plus insupportables. Il se dirigea vers
l'imprimante et en retira le rapport.

Radread, Crâne 1
Marino Lisa
Renseignements d'ordre clinique :
*Sexe féminin. 21 ans. Symptômes d'épilepsie du lobe
temporal depuis un an. Une seule projection latérale
gauche émanant d'un appareil de radiographie portable.
La projection apparaît à environ huit degrés du latéral vrai.
Il existe une vaste zone claire de la région temporale
droite représentant une zone dépourvue de matière
osseuse. Les bords de cette zone apparaissent nettement
découpés, laissant présumer une origine iatrogène.
Impression confirmée par une épaisse zone tissulaire
molle au-dessous de la région osseuse ayant vraisembla-
blement pour cause une large incision du cuir chevelu.
Radio probablement effectuée à l'occasion d'une opération. On note de nombreux corps métalliques, représentant des électrodes de surface. Deux électrodes cylindri-
ques métalliques minces semblent être des électrodes de
profondeur situées dans le lobe temporal et placées
probablement dans l'amygdale et l'hippocampe. Les
densités cervicales révèlent de minces variations linéaires
des lobes latéraux occipital, médio-pariétal et temporal.
Conclusion :*
*Radio opératoire présentant de vastes lésions osseu-
ses de la région temporale droite. Plusieurs électrodes de
surface et deux électrodes de profondeur. Variations de
densité étendues de nature non programmée.*
Recommandations :
*Préconisons projections antéropostérieure et oblique
ainsi que scanographie afin d'obtenir une meilleure définition des variations de densité linéaire et des électrodes de
profondeur.*
Prescrivons des données angiographiques pour

*déterminer la relation des électrodes de profondeur avec
les gros vaisseaux. N.B. : Le programme demande
l'insertion en mémoire centrale de la signification des
variations de densité linéaire.*

Je vous remercie et vous prie de bien vouloir adresser votre chèque à :

William Michaels, Ph. D.[1] *et Martin Philips, M.D.*[2]

Philips ne parvenait pas à croire ce qu'il venait de lire. C'était bon. Mieux que bon, même : fantastique. Et la petite touche d'humour finale lui donnait un caractère irrésistible. Philips relut les diverses parties du rapport. Il avait peine à croire qu'il lisait un rapport émanant de leur machine et non d'un autre neuroradiologue. Bien que l'engin n'ait pas été programmé pour les crâniotomies, il semblait avoir été capable de raisonner sur la base des informations possédées et de fournir la réponse exacte. Et puis on y trouvait ce passage concernant les variations de densité. Philips n'avait pas la moindre idée de ce que cela représentait.

Retirant la radio de Lisa Marino du scanographe à laser, Philips la plaça sur un négatoscope. Il commença à se sentir légèrement inquiet lorsqu'il ne vit pas les variations dont faisait état le listing de l'ordinateur. Peut-être leur nouvelle méthode de traitement des densités, pierre d'achoppement au début, se révélait-elle désormais impropre, après tout. Philips mit le moteur en route et les radios défilèrent sur l'écran jusqu'à ce qu'il trouve l'angiographie de Lisa Marino. Il arrêta le moteur et retira l'un des derniers clichés latéraux du crâne. En les comparant à la radio opératoire, il chercha de nouveau les variations de densité décrites par le listing. A sa grande déception, la radio paraissait normale.

1. Philosophiae Doctor = Docteur en philosophie. (N.D.T.)
2. Medicinae Doctor = Docteur en médecine. (N.D.T.)

La porte de son bureau s'ouvrit et Denise Sanger entra. Philips lui sourit mais se replongea dans son travail. Pliant une feuille de papier en deux, il en arracha un petit fragment. Lorsqu'il ouvrit la feuille, un petit trou apparut en son centre.

« Eh bien », dit Denise en l'enlaçant, « je vois que tu t'amuses à faire des découpages.

— La science progresse par des voies bien étranges et surprenantes », répondit Philips. Il s'est passé des tas de choses depuis que je t'ai vue ce matin. Michaels a livré notre premier lecteur de radios du crâne. Tiens, voilà le premier listing. »

Tandis que Denise en prenait connaissance, Philips plaça la feuille de papier trouée contre la radio de Lisa Marino sur la visionneuse. La feuille était destinée à éliminer tous les aspects complexes du cliché, à l'exception de la seule petite partie visible au travers du trou. Martin étudia soigneusement la zone minuscule. Retirant le papier, il demanda à Denise si elle voyait quelque chose d'anormal. Elle ne vit rien. Et pas davantage lorsqu'il replaça le papier jusqu'à ce qu'il désigne quelques petites taches orientées le long d'une ligne. Otant de nouveau le papier, ils purent l'un et l'autre les voir, maintenant que leur yeux s'attendaient à les trouver.

« Qu'est-ce que c'est, d'après toi ? » demanda-t-il, tandis que Denise examinait attentivement le cliché.

— Pas la moindre idée. »

Philips se dirigea vers la console d'entrée et de sortie, et prépara le petit ordinateur pour qu'il absorbe le dernier cliché de Lisa Marino. Il espérait que le programme décèlerait la même variation de densité. Le scanographe avala le cliché avec la même délectation que la première fois. « Ça m'ennuie », ajouta Philips. Il revint à l'unité d'entrée et de sortie qui commençait son bavardage imprimé.

« Pourquoi ? », demanda Denise, le visage illuminé

par la pâle lumière émanant du négatoscope. « A mon avis, ce rapport est extraordinaire.

— Il l'est », acquiesça Philips. « Justement ! Il laisse supposer que le programme peut interpréter les radios mieux que son créateur. Je n'avais jamais remarqué ces variations de densité. Ça me rappelle les histoires de Frankenstein. »

Soudain, Martin se mit à rire.

« Qu'y a-t-il de si drôle ? demanda Denise.

— Michaels ! Apparemment on a programmé ce truc de telle sorte que, chaque fois que je lui fournis une radio, il me conseille de me détendre pendant qu'il travaille. La première fois, il m'a dit de prendre une tasse de café. Cette fois-ci, il me conseille d'aller manger un morceau.

— Ça me semble une bonne idée », dit Denise. « Et ce rendez-vous à la cafétéria que tu m'as promis ? Je n'ai pas beaucoup de temps. Il faut que je retourne au scanographe.

— Je ne peux pas partir tout de suite », dit Philips d'un ton d'excuse. Il savait qu'il lui avait proposé de déjeuner ensemble et ne voulait pas la décevoir. « Ce truc me surexcite.

— Très bien, dit Denise. Moi, je vais manger un morceau. Veux-tu que je te rapporte quelque chose ?

— Non merci », dit Philips.

Il remarqua que l'imprimante se mettait en marche.

« Je suis contente que tes recherches avancent », dit-elle depuis la porte. « Je sais combien c'est important pour toi. »

Puis elle sortit.

Dès que l'imprimante s'arrêta, Philips en sortit le listing qui, tout comme le premier, donnait un rapport très complet. A la grande joie de Philips, l'ordinateur décrivait de nouveau les variations de densité, et prescrivait de nouvelles radios sous différents angles ainsi qu'une nouvelle scanographie.

Rejetant la tête en arrière, Philips, excité, poussa un

cri de joie, tambourinant sur le comptoir comme sur un tam-tam. Quelques-unes des radios de Lisa Marino glissèrent des pinces qui les retenaient et tombèrent du négatoscope. Tandis qu'il se retournait et se baissait, il aperçut Helen Walker. Debout près de la porte, elle le regardait comme s'il était devenu fou.

« Vous vous sentez bien, docteur Philips ? demanda Helen.

— Bien sûr, dit Martin, se sentant rougir tandis qu'il récupérait les radios. Je me sens parfaitement bien. Juste un peu excité. Je pensais que vous alliez déjeuner ?

— C'est fait, dit Helen. J'ai rapporté un sandwich pour manger au bureau.

— Vous voulez m'appeler William Michaels au téléphone ? »

Helen acquiesça et disparut. Philips remit les radios en place. Observant les discrètes petites taches, il réfléchissait à leur signification. Ça ne ressemblait pas à une calcification et ne se présentait pas sous forme de réseau, comme une vascularisation. Il se demanda comment procéder pour déterminer si les modifications se situaient dans la matière grise ou dans la zone cytologique du cerveau, qu'on appelle cortex, ou encore dans la matière blanche, la couche fibreuse du cerveau.

Le téléphone sonna, Philips étendit le bras et décrocha l'appareil du poste annexe. Michaels venait aux nouvelles, et il put percevoir l'excitation de Philips qui lui décrivait l'interprétation fabuleusement fructueuse du programme. Philips précisa que le programme semblait capable de découvrir un type de variations de densité qui avait échappé à l'œil. Il parlait si vite que Michaels dut lui demander de ralentir son débit.

« Eh bien, je suis content que ça marche aussi bien qu'on l'espérait », dit Michaels lorsque Martin s'arrêta enfin.

« Aussi bien ? C'est bien plus que j'ai jamais espéré.

85

— Parfait », dit Michaels. « Combien de clichés as-tu passés ?

— Un seul, en fait », avoua Martin. « J'en ai visionné deux, mais ils concernent l'un et l'autre le même patient.

— Tu as seulement passé deux radios ? » dit Michaels, déçu. « J'espère que tu ne t'es pas tué au boulot.

— Ça va, ça va. Malheureusement, je n'ai que peu de temps à consacrer à notre projet dans la journée. »

Michaels dit qu'il comprenait, mais il supplia Philips de confronter le programme à toutes les radios du crâne prises au cours des dernières années, plutôt que de s'écarter du sujet en se lançant sur une découverte positive. Michaels insista de nouveau sur le fait qu'arrivés à ce point de leur travail, la tâche la plus importante consistait à éliminer les faux négatifs.

Martin continuait d'écouter, mais il ne pouvait s'empêcher d'observer les variations de densité en forme de toile d'araignée sur la radio de Lisa Marino. Il savait qu'il s'agissait d'une patiente sujette à des crises, et son esprit scientifique se posa très rapidement la question de savoir s'il pouvait exister une corrélation entre les crises et ces infimes indices découverts sur la radio. Peut-être représentaient-ils quelque trouble neurologique diffus...

Philips, de nouveau agité, mit fin à sa conversation avec Michaels. Il venait de se souvenir que l'un des diagnostics proposés du mal de Lisa Marino était la sclérose en plaques. Et s'il venait de tomber sur un diagnostic radiologique de la maladie ? Quelle découverte fantastique ! Voilà des années que les médecins cherchaient un diagnostic de laboratoire à la sclérose en plaques. Martin savait qu'il lui faudrait prendre de nouvelles radios et une autre scanographie de Lisa Marino. Ça n'était pas une mince affaire, car on venait juste de l'opérer : il lui faudrait l'accord de Mannerheim. Mais Mannerheim était un homme de recherche et Philips décida de l'attaquer sur-le-champ.

Il cria à Helen, à travers la porte, d'appeler le

neurochirurgien au téléphone et se replongea dans l'examen de la radio de Lisa Marino. En termes de radiologie, on qualifiait de réticulaires les variations de densité, encore que les fines lignes paraissaient davantage parallèles que réticulaires. Utilisant une loupe, Martin se demanda si l'on pouvait attribuer aux fibres nerveuses la responsabilité du système qu'il observait. L'idée ne paraissait pas rationnelle du fait de la dureté relative des rayons X utilisés pour pénétrer dans le crâne. La sonnerie du téléphone interrompit le cours de ses pensées : c'était Mannerheim.

Philips entama la conversation par une plaisanterie banale, feignant l'oubli quant à la récente histoire de la radio en salle d'opération. Mieux valait, avec Mannerheim, passer sur ce genre d'épisode. Le chirurgien paraissant particulièrement silencieux, Martin poursuivit, expliquant qu'il appelait parce qu'il avait découvert quelques densités particulières sur la radio de Lisa Marino.

« A mon avis, il faudrait explorer ces densités, et j'aimerais faire d'autres radios et une autre scano dès que la malade sera en état de le supporter. Avec votre accord, bien entendu. »

Suivit une pause assez désagréable. Philips allait reprendre lorsque Mennerheim aboya : « C'est une blague ? Si oui, je la trouve d'un goût particulièrement doûteux.

— Ce n'est pas une blague », dit Martin, surpris.

« Ecoutez », hurla Mannerheim, « il est un peu tard pour que la Radiologie se mette à interpréter des clichés en ce moment, nom de Dieu ! » Et il raccrocha.

Le comportement égocentrique de Mannerheim semblait avoir atteint de nouveaux paroxysmes. Martin raccrocha, pensif. Il savait ne pas pouvoir laisser place à ses émotions ; en outre, il existait une autre approche. Il savait que Mannerheim ne suivait pas ses opérés avec tellement d'attention. En fait, c'était Newman, le chef de service, qui prenait en charge leur surveillance quotidienne après l'opération. Martin décida de prendre contact avec

Newman et de voir si la jeune femme se trouvait toujours en salle de réveil.

« Newman ? dit le bureau de la salle d'op. Voilà un moment qu'il est parti.

— Oh ! », dit Philips. Passant le téléphone à l'autre oreille, il demanda : « Est-ce que Lisa Marino se trouve toujours en salle de réveil ?

— Non », répondit le bureau de la salle d'op. « Malheureusement, elle n'y est jamais parvenue.

— Jamais parvenue ? »

Philips comprit soudain le comportement de Mannerheim.

« Décédée sur le billard », dit l'infirmière. « Une tragédie, surtout que c'est la première fois pour Mannerheim. »

Philips retourna à son négatoscope. Au lieu de la radio de Lisa Marino, c'était son visage qu'il voyait, tel qu'il l'avait vu ce matin dans l'aire de stationnement des malades, avant de pénétrer en chirurgie. Il se souvint de son air d'oiseau déplumé. Ces pensées troublaient Philips et il s'efforça de ramener son attention sur la radio. Il se demanda ce qu'on aurait pu apprendre ; il voulait voir le dossier de Lisa Marino et, impulsivement, il quitta son tabouret. Il voulait voir si l'on pouvait associer le réseau aperçu sur le cliché à quelques signes et symptômes cliniques de sclérose en plaques dans le bilan neurologique de Lisa Marino. Cela ne remplacerait pas de nouvelles radios, mais ce serait toujours ça.

Passant devant Helen, qui mangeait un sandwich à son bureau, il lui demanda d'appeler la salle d'angiographie et de dire aux internes de commencer sans lui, qu'il arriverait bientôt. Helen demanda ce qu'elle devrait dire à Michael Ferguson à propos de la salle des fournitures quand il appellerait. Philips feignit de ne pas avoir entendu. Qu'il aille se faire foutre, Ferguson ! se dit-il en empruntant le couloir principal menant à la chirurgie. Il avait appris à mépriser les administrateurs de l'hôpital.

Quelques patients attendaient encore dans l'aire de stationnement lorsque Philips arriva en Chirurgie, mais l'aspect général paraissait beaucoup moins chaotique qu'au début de la matinée. Philips reconnut Nancy Donovan qui sortait juste des salles d'opération. Il se dirigea vers elle et elle lui sourit.

« Des ennuis avec le cas Marino ? » demanda Philips.

Le sourire de Nancy Donovan s'effaça. « Affreux, absolument affreux. Une fille si jeune. Je suis vraiment désolée pour le docteur Mannerheim. »

Philips hocha la tête, encore qu'il lui parût surprenant que Nancy pût éprouver de la sympathie pour un salopard comme Mannerheim.

« Qu'est-ce qui s'est passé ? demanda-t-il.

— Rupture d'une grosse artère à la fin de l'opération. »

Philips secoua la tête en signe de compréhension et de consternation. Il se souvint de la proximité de l'électrode par rapport à l'artère cérébrale postérieure.

« Où se trouve le dossier ? demanda Philips.

— Je ne sais pas », avoua Nancy Donovan. « Attendez, je vais demander au bureau. »

Philips attendit Nancy partie interroger les trois infirmières du bureau des salles d'opération. Quand elle revint, elle lui dit : « Elles pensent qu'il se trouve toujours en anesthésie, à côté de la salle 22. »

De retour dans le vestiaire de chirurgie, maintenant grouillant de monde, Philips passa des vêtements de chirurgie puis retourna vers l'antichambre des salles d'opération.

Le couloir principal, conduisant au milieu des deux salles d'opération, portait les traces des batailles du matin. Autour de chaque lavabo s'étalaient des flaques d'eau dont la surface luisait sous une pellicule de savon. Des éponges et des brosses de récurage traînaient sur les bords des lavabos et quelques-unes jonchaient le sol. Sur un chariot,

89

poussé contre le mur du couloir, dormait un chirurgien. Il avait probablement passé la nuit à opérer et, une fois son travail terminé, il avait dû avoir envie de souffler un moment sur le chariot. Mais maintenant il dormait profondément et personne ne le dérangeait.

Philips arriva dans la salle d'anesthésie jouxtant la salle d'op 21 et il essaya d'ouvrir la porte. Fermée. Se reculant, il regarda par la petite fenêtre de la salle d'opération. Bien qu'éteinte, elle s'ouvrit lorsqu'il poussa la porte. Il manœuvra un commutateur et l'un des énormes scyalitiques s'alluma avec un faible bourdonnement électrique. Le scyalitique projetait un faisceau de lumière concentré sur la table d'opération, laissant le reste de la pièce dans une semi-obscurité. Philips, stupéfait, vit qu'on n'avait pas nettoyé la salle 21 depuis la catastrophe Marino. La table d'opération, vide, présentait un aspect particulièrement affligeant. Par terre, autour de l'extrémité de la table, on voyait des flaques de sang séché. Des traces de pas sanglants partaient dans toutes les directions.

La scène donna la nausée à Martin. Cela lui rappelait des épisodes particulièrement désagréables de ses années à l'Ecole de Médecine. Il frissonna et la sensation de nausée disparut. Evitant délibérément le sang, il fit le tour de la table et passa les portes à battants, pénétrant dans la salle d'anesthésie. Du pied, il maintint la porte entrebâillée afin de pouvoir repérer les commutateurs et allumer. Mais la salle ne parut pas aussi sombre qu'il s'y attendait. La porte du couloir bâillait d'une vingtaine de centimètres, laissant pénétrer la lumière. Surpris, Philips alluma les tubes fluorescents du plafond.

Au milieu de la salle, moitié moins grande que la salle d'opération, se trouvait un chariot sur lequel reposait un corps recouvert. A l'exception des orteils, dépassant d'une manière obscène, le cadavre était recouvert d'un drap blanc. Philips se serait senti tout à fait à l'aise sans ces orteils. Ils témoignaient que la forme recouverte était bien

90

un corps humain. Sur le corps, posé avec désinvolture, le dossier médical.

Osant à peine respirer, comme si la présence de la mort pouvait être contagieuse, Philips contourna le chariot et ouvrit toute grande la porte du couloir. Il aperçut le chirurgien qui dormait et plusieurs aides-soignantes. Il jeta un coup d'œil à droite et à gauche, se demandant s'il n'avait pas tenté d'ouvrir la mauvaise porte quelques instants plus tôt. Incapable de faire la différence, il décida de négliger la question et revint au dossier.

Sur le point de l'ouvrir, il décida soudain, impulsivement, de soulever le linceul. Il savait qu'il ne voulait pas voir le corps et cependant sa main saisit le drap ; il le retira doucement en fermant les yeux. Lorsqu'il les ouvrit, il se trouva face au visage de porcelaine, inanimé, de Lisa Marino. Un œil à moitié ouvert laissait voir une pupille vitreuse et figée. L'autre œil était fermé. Sur le côté droit du crâne rasé, une incision en forme de fer à cheval, soigneusement suturée. On avait procédé à une toilette postopératoire, faisant disparaître toute trace de sang. Philips se demanda si Mannerheim avait pris cette décision afin de pouvoir prétendre que le décès était survenu après et non pendant l'opération. Il recouvrit vivement la tête rasée et emporta le dossier jusqu'au tabouret de l'anesthésiste. Comme la plupart des malades d'un C.H.U., Lisa possédait déjà un dossier fourni bien qu'elle n'eût été hospitalisée que depuis deux jours. On y trouvait de longs rapports établis, à divers échelons, par les médecins et autres internes. Philips tomba sur des considérations verbeuses des services de Neurologie et d'Ophtalmologie. Il découvrit même une note de Mannerheim, rédigée d'une écriture totalement illisible. Ce que voulait Martin, c'était le récapitulatif final du chef de service, le docteur Newman.

« En résumé, la malade, une femme blanche de vingt et un ans, qui présentait depuis un an des symptômes d'épilepsie progressive du lobe temporal, a été hospitalisée pour une lobectomie sous anesthésie générale. Les troubles consécutifs aux crises n'ont pas cédé sous thérapie lourde. Les crises, de plus en plus fréquentes et généralement annoncées par une sensation d'odeur nauséabonde, se caractérisent par une agressivité croissante et des comportements sexuels exhibitionnistes. L'E.E.G. situe la localisation des crises dans les deux lobes temporaux mais plus particulièrement dans le lobe droit.

« Aucune séquelle de traumatisme ou de lésion connue du cerveau. La patiente jouissait d'une excellente santé jusqu'à la maladie en cours, encore qu'on puisse noter plusieurs tests de Pap atypiques.

« L'examen neurologique complet n'a rien révélé d'anormal à l'exception des tracés précipités de l'E.E.G.

« tous les examens de laboratoire, y compris une angiographie cérébrale et une scanographie, se sont révélés normaux.

« La malade a signalé des troubles subjectifs de perception visuelle non confirmés par les examens neurologiques ou ophtalmologiques. La patiente a également présenté des paresthésies et faiblesses musculaires fugitives et répétées, mais sans qu'on puisse établir de liens pathologiques avec le cas. Le diagnostic a été posé mais non confirmé d'une sclérose en plaques génératrice de crises. Il ressort de l'opinion combinée du collège de Neurologie-Neurochirurgie que la malade se présente comme un bon sujet pour une lobectomie temporale droite. »

George Newman

Philips replaça délicatement le dossier sur le corps de Lisa Marino, comme si elle pouvait encore percevoir des sensations. Puis il retourna en hâte au vestiaire pour enfiler ses vêtements de ville. Il lui fallut bien admettre que le dossier s'était révélé moins intéressant que prévu. Faisant mention d'une sclérose en plaques, comme s'en souvenait Philips, le dossier ne fournissait aucun renseignement susceptible de remplacer des radios complémentaires et une autre scanographie. Tout en finissant de se rhabiller, Philips gardait présent à l'esprit le pâle masque mortuaire de Lisa. Comme elle était morte en cours d'opération, on allait propablement l'autopsier. Par le téléphone mural, il appela le docteur Jeffrey Reynolds, en Pathologie, un ami et condisciple de Philips à qui il parla de l'affaire.

« Je n'en ai pas encore entendu parler, dit Reynolds.

— Elle est décédée en salle d'op vers midi », dit Philips. « Encore qu'ils aient pris le temps de la recoudre.

— Rien d'extraordinaire », dit Reynolds. « Parfois, ils les emmènent en vitesse en salle de réveil où l'on constate la mort, simplement pour ne pas perturber leurs statistiques.

— Tu vas autopsier ? demanda Philips.

— Peux pas dire », répondit Reynolds. « Ça dépendra du confrère chargé de l'examen.

— Si tu autopsies, poursuivit Philips, ce sera quand ?

— Nous sommes vraiment surchargés en ce moment. Probablement en début de soirée.

— Je m'intéresse beaucoup à ce cas », dit Philips. « Ecoute, je vais rester à l'hôpital jusqu'à ce que tu aies terminé l'autopsie. Peux-tu demander qu'on me fasse appeler quand ils en seront au cerveau ?

— Bien sûr », dit Reynolds. « On va arranger ça et se faire une belle petite réunion. Et si on ne pratique pas l'autopsie, je te préviens. »

Fourrant toutes ses affaires dans son armoire, Philips sortit en hâte du vestiaire. Depuis ses années de lycée, il se sentait toujours exagérément angoissé chaque fois qu'il prenait du retard dans son travail. Tout en traversant en vitesse l'hôpital en pleine effervescence, il ressentit cette vieille sensation désagréable. Il se savait très en retard à la salle d'angiographie où les internes devaient l'attendre ; il savait bien qu'il fallait rappeler Ferguson, alors qu'il aurait préféré l'ignorer ; il savait qu'il lui faudrait parler à Robbins des deux manipulateurs qui voulaient se tirer pendant tout l'été ; et il savait qu'Helen l'attendait dans son bureau avec une douzaine d'autres affaires urgentes.

En passant devant le scanographe, Philips décida d'y faire un petit saut rapide. Après tout, que représentaient deux minutes de plus sur son retard déjà important ?

Denise et les quatre étudiants se trouvaient rassemblés autour de l'écran cathodique, complètement absorbés, avec, derrière eux, George Newman. Philips s'approcha du groupe, sans qu'on le remarque, et regarda l'écran. Sanger faisait la description d'un gros hématome subdural gauche et montrait aux étudiants comment le caillot de sang avait repoussé le cerveau sur la droite. Newman l'interrompit pour suggérer qu'il pouvait s'agir d'un caillot intracérébral. Il pensait, disait-il, que le caillot se trouvait à l'intérieur du cerveau et pas en surface.

« Non ! Le docteur Sanger a raison », dit Philips. Tout le monde se retourna, surpris de voir Philips dans la salle. Il se pencha et, du doigt, décrivit les caractéristiques radiologiques classiques d'un hématome subdural. Aucun doute, Denise avait raison.

« Eh bien, voilà qui règle le problème », dit Newman, accomodant. « Il serait préférable que j'envoie ce gars en chirurgie.

— Le plus tôt sera le mieux », approuva Philips. Il émit également une suggestion quant à l'endroit où Newman devrait percer le crâne pour faciliter l'ablation du caillot. Il allait poser quelques questions au chef de service sur Lisa Marino, mais jugea préférable de n'en rien faire et laissa partir le chirurgien.

Avant de filer lui-même, Martin prit Denise à part.

« Dis-moi, pour me faire pardonner de t'avoir laissée

94

tomber au déjeuner, que dirais-tu d'un dîner roman-
tique ? »

Sanger secoua la tête et sourit. « Tu as quelque chose
à faire. Tu sais que je suis de garde à l'hôpital ce soir.

— Je le sais », avoua Martin. « Je pensais à la
cafétéria de l'hôpital.

— Merveilleux », dit Denise d'un ton ironique. « Et
ta partie de tennis ?

— Annulée, dit Philips.

— Alors, tu es vraiment sur un coup. »

Martin se mit à rire. Il était exact qu'il n'annulait ses
parties de tennis qu'en cas d'extrême urgence. Philips
demanda à Denise de le retrouver à son bureau pour passer
les radios de la journée, quand elle en aurait terminé avec
la scanographie. Elle pourrait amener les étudiants s'ils
souhaitaient venir. De retour dans le couloir, ils se dirent
un rapide au revoir et Philips disparut.

6

Lynn Anne Lucas se demanda si elle n'avait pas fait une bêtise en se rendant aux Urgences. Plus tôt dans l'après-midi, elle avait appelé le service médical universitaire dans l'espoir qu'on l'examinerait au campus. On lui avait répondu que le médecin était parti à trois heures et que le seul endroit où l'on pourrait lui dispenser des soins immédiatement, c'étaient les Urgences, à l'hôpital. Lynn Anne s'était bien demandée s'il ne convenait pas d'attendre le lendemain. Mais il lui avait suffi de prendre un livre et d'essayer de lire pour se convaincre d'y aller sur-le-champ.

Lynn Anne avait peur.

La salle des urgences était bondée, et la queue qui menait au guichet d'inscriptions avançait à une allure d'escargot. On aurait dit que tout New York se trouvait là. Derrière Lynn Anne, un ivrogne dégageait des odeurs de vieille urine et de vin. Chaque fois que la queue progressait, il butait contre la jeune fille, s'accrochant à elle pour éviter de tomber. Devant Lynn Anne, une énorme femme portait un enfant emmitouflé dans une couverture sale. La femme et l'enfant gardaient le silence, attendant leur tour.

De larges portes s'ouvrirent toutes grandes sur la gauche de Lynn Anne, et la queue dut céder le passage à un essaim de chariots transportant les résultats d'un accident de la circulation survenu quelques minutes plus tôt. On poussa rapidement les blessés et les morts à travers la salle d'attente pour les transporter dans la salle des urgences proprement dite. Ceux qui attendaient devinèrent que leur attente serait prolongée d'autant avant qu'on les appelle. Dans un coin, une famille de Portoricains assise en rond mangeait du poulet frit. Ils paraissaient détachés de ce qui se passait dans la salle des urgences et n'avaient pas même remarqué l'arrivée des victimes de l'accident.

Finalement, il ne resta plus devant Lynn Anne que l'énorme femme avec son bébé. « Le bébé elle plus pleurer plus du tout », dit-elle à l'employé. Celui-ci lui fit observer que d'ordinaire on se plaignait du contraire, mais la femme ne saisit pas. L'employé demanda à voir l'enfant. La femme souleva un coin de la couverture : le visage du bébé était bleu-gris foncé, et l'enfant était mort depuis si longtemps qu'il paraissait rigide comme une planche.

Quand arriva son tour, Lynn Anne choquée, ne put dire un mot. L'employé, compatissant, lui dit qu'ils devaient s'attendre à tout et à n'importe quoi. Dégageant de son front ses cheveux auburn, Lynn Anne déclina son identité, son numéro de carte d'étudiante et énonça ses symptômes. L'employé lui demanda de s'asseoir, annonçant qu'il lui faudrait attendre. Il l'assura qu'on allait l'examiner aussitôt que possible.

Après une nouvelle attente de près de deux heures, on conduisit Lynn Anne Lucas dans un hall en pleine effervescence et on la plaça dans un box, séparé d'une salle plus vaste par des rideaux de nylon maculés.

Une infirmière praticienne, très efficace, prit sa température orale et sa tension, et disparut. Lynn Anne, assise au bord d'une vieille table d'examen, écoutait les bruits qui lui parvenaient, les mains moites d'anxiété.

Une demi-heure plus tard apparut un médecin résident à l'air juvénile, le docteur Huggens. Originaire de West Palm Beach, il semblait heureux que Lynn Anne fût de Coral Gabbles et évoqua la Floride tout en examinant son dossier. Manifestement, il paraissait ravi d'avoir affaire à une jolie fille, ce qui n'avait pas été le cas depuis mille patients ! Il lui demanda même son numéro de téléphone.

« Qu'est-ce qui vous amène aux urgences ? » demanda-t-il en attaquant son questionnaire médical.

« Difficile à expliquer, dit Lynn Anne. J'ai des troubles de la vision. Cela a commencé il y a environ une semaine, alors que je lisais. Tout à coup, j'ai commencé à rencontrer des difficultés avec certains mots. Je les voyais bien, mais je n'étais pas sûre de leur sens. Dans le même temps, je souffrais de terribles maux de tête. Là. » Lynn Anne posa sa main derrière sa tête et la passa sur tout le côté du crâne jusqu'à un point situé au-dessus de l'oreille. « Une douleur sourde qui arrive puis disparaît. »

Le docteur Huggens hocha la tête.

« Et je sens une odeur, dit Lynn Anne.

— Quelle odeur ?

— Je ne sais pas », dit Lynn Anne, l'air un peu gênée. « Ça sent mauvais et, bien que je ne sache pas l'identifier, elle me paraît familière. »

Le docteur Huggens hocha de nouveau la tête mais, à l'évidence, les symptômes présentés par Lynn Anne n'étaient pas banaux. « Quoi d'autre ?

— Des vertiges, les jambes lourdes et cela devient de plus en plus fréquent maintenant, presque chaque fois que j'essaie de lire. »

Le docteur Huggens posa le dossier et examina Lynn Anne : les yeux, les oreilles, la bouche. Il lui ausculta le cœur et les poumons, éprouva ses réflexes, lui fit toucher divers objets, la fit marcher le long d'une ligne droite et réciter des suites de chiffres.

« Pour moi, vous me paraissez tout à fait normale », dit-il. « Je crois que vous devriez avaler deux docteurs et revenir consulter une aspirine. » Il rit de sa plaisanterie. Pas Lynn Anne. On ne se débarrasserait pas d'elle aussi facilement, décida-t-elle, surtout après une si longue attente. Le docteur Huggens remarqua qu'elle ne réagissait pas à son humour. « Sérieusement, je crois que vous devriez prendre de l'aspirine pour soulager vos symptômes et revenir demain à la consultation de neurologie. Peut-être découvriront-ils quelque chose.

— Je veux passer en neurologie tout de suite, dit Lynn Anne.

— Nous sommes dans une salle d'urgences, pas en clinique », dit le docteur Huggens d'un ton ferme.

« Je m'en fiche », répondit-elle, cachant son émotion sous un air de défi.

« D'accord, d'accord ! » dit le docteur Huggens. « Je vais voir la Neurologie. Et l'Ophtalmologie aussi, en fait. Mais il se peut que vous attendiez. »

Lynn Anne hocha la tête. En cet instant, elle ne voulait pas parler, de crainte que son attitude défensive s'effondre dans les larmes.

Effectivement, il fallut attendre. Il était plus de six heures quand on tira de nouveau les rideaux. Lynn Anne leva les yeux sur le visage barbu du docteur Wayne Thomas. Le docteur Thomas, un Noir de Baltimore, surprit Lynn Anne qui n'avait jamais été traitée par un médecin noir. Mais elle oublia rapidement sa réaction première et répondit aux questions précises du médecin.

Le docteur Thomas put découvrir plusieurs autres symptômes qu'il jugea importants. Environ trois jours plus tôt, Lynn Anne avait fait une de ses « crises », comme elle les appelait, et avait aussitôt sauté au bas de son lit où elle se trouvait en train de lire. La seule chose dont elle se souvint après cela fut qu'elle « revint à elle » sur le sol, où elle avait perdu connaissance. Apparemment, elle s'était cognée, d'après la grosse bosse sur le côté droit de sa tête. Le docteur Thomas apprit aussi que Lynn Anne avait présenté deux tests de Pap atypiques et qu'elle était inscrite pour un rendez-vous en gynécologie dans une semaine. A noter également une récente infection des voies urinaires, traitée avec succès par les sulfamides.

Tout cela consigné, le docteur Thomas appela une infirmière et procéda à l'examen physique le plus complet subi par Lynn Anne : tout ce qu'avait fait le docteur

Huggens et bien d'autres choses encore. La plupart des examens échappaient complètement à Lynn Anne, mais la minutie du médecin la réconfortait. Le seul examen qui lui déplut fut la ponction lombaire. Couchée en boule sur le côté, les genoux remontés sous le menton, elle sentit une aiguille lui percer la peau du bas du dos mais cela ne fit mal qu'un instant.

Son examen terminé, le docteur dit à Lynn Anne qu'il souhaitait faire quelques radios pour s'assurer qu'il n'existait aucune fracture du crâne consécutive à sa chute. Juste avant de partir, il lui dit que certaines parties de son corps semblaient avoir perdu toute sensibilité. Il ne savait pas encore s'il s'agissait là de quelque chose de significatif.

De nouveau, Lynn Anne attendit.

« Tu imagines ? » demanda Philips, tout en enfournant une grosse bouchée de rôti de dinde. « Le premier décès sur le billard pour Mannerheim et il faut que ça tombe sur une malade dont je voulais prendre d'autres radios.

— Et elle avait à peine vingt et un ans, non ? demanda Denise.

— Exact. » Martin saupoudra son assiette de sel et de poivre. « Une tragédie. Une double tragédie, en fait, puisque je ne peux pas faire ces clichés. »

« Pourquoi l'opération ? » demanda Denise en piquant dans sa " salade du chef. "

— Crises de vertige. Mais le plus intéressant c'est qu'elle faisait peut-être une sclérose en plaques. Après ton départ, cet après-midi, il m'est venu à l'idée que les variations de densité remarquées sur la radio représentent une espèce d'affection neurologique diffuse. J'ai vérifié son dossier. On a pensé à la sclérose en plaques.

— Est-ce que tu as passé des clichés de malades atteints de sclérose en plaques reconnue ? demanda Denise.

— Je commence ce soir », répondit Philips. « Pour

contrôler le programme de Michaels, il faut que je passe autant de radios du crâne que possible. Il serait très intéressant que je tombe sur d'autres cas présentant la même image radio.

— On dirait que ton projet de recherche vient vraiment de décoller.

— Je l'espère », dit Martin. Il prit une bouchée d'asperges et renonça à en avaler davantage. « J'essaie de ne pas me monter la tête, mais bon sang, ça paraît bon. C'est pour ça que cette affaire Marino m'excite. Ça promettait quelque chose d'immédiatement tangible. En fait, il reste encore une chance. On l'autopsie ce soir et je vais essayer d'établir une corrélation entre le cliché radio et ce qu'ils trouveront en ana-path[1]. S'il s'agit de sclérose en plaques, c'est reparti. Tu sais quoi ? Je ne peux pas continuer ce boulot de rat d'hôpital. Je vais lever le pied, ne serait-ce que deux jours par semaine. »

Denise posa sa fourchette et fixa les yeux bleus sans cesse en mouvement de Martin. « Quitter l'hôpital ? Tu ne peux pas faire ça. Tu es l'un des meilleurs neuroradiologues. Et tes malades ? Si tu laisses tomber la radiologie hospitalière, ce sera une véritable tragédie. »

Martin posa sa fourchette et lui prit la main. Pour la première fois, il se fichait bien que quelqu'un de l'hôpital pût le voir. « Denise », dit-il d'une voix douce, « en ce moment, dans ma vie, il n'y a que deux choses qui comptent vraiment pour moi : toi et ma recherche. Et si je pouvais gagner ma vie en la passant avec toi, il se pourrait même que j'oublie ma recherche. »

Denise regarda Martin, ne sachant pas si elle devait se sentir flattée ou circonspecte. Elle était sûre de son affection, mais elle ne pensait pas qu'il eût seulement la possibilité de se lier. Dès le début, elle avait été impressionnée par sa réputation et sa connaissance apparemment encyclopédique de la radiologie. Philips était à la fois son

---

1. Anatomie pathologique. (N.D.T.)

amant et son modèle, mais jamais elle n'avait osé envisager un avenir à leur liaison.

« Ecoute », poursuivit Martin, « ce n'est ni le moment ni le lieu pour ce genre de conversation. » Il repoussa son plat d'asperges, comme pour ponctuer son affirmation. « Mais il faut que tu saches où j'en suis. Toi, tu en es au début de ton stage pratique. Tu passes tout ton temps à apprendre ton métier avec des malades. Malheureusement, moi j'y consacre la plus petite partie de mon temps. Ma principale occupation consiste à résoudre des casse-têtes bureaucratiques et à me sortir des emmerdements administratifs. J'en ai jusque-là. »

Denise lui embrassa furtivement la main avant de le regarder par-dessous ses cils bruns, délibérément provocante, sachant pertinemment que ce geste apaiserait sa soudaine colère. Cela marcha, comme d'habitude, et Martin se mit à rire. Il lui pressa la main avant de la lâcher puis regarda autour de lui pour voir si quelqu'un avait remarqué le manège.

Le « bip » de son bruiteur les fit sursauter l'un et l'autre. Martin se leva immédiatement et se dirigea à grandes enjambées vers le téléphone. De loin, Denise l'observa tandis qu'il répondait brièvement aux questions de son interlocuteur, et un flot de tendresse l'envahit.

« Ce n'est pas mon jour », dit Martin en revenant s'asseoir en face d'elle. « C'était le docteur Reynolds. On n'autopsie pas Marino.

— Je pensais que c'était obligatoire », dit Denise, surprise et essayant de ramener son esprit à la médecine.

« Exact. Il s'agit bien d'un cas exigeant un examen post mortem mais, par égard pour Mannerheim, le médecin chargé de l'examen a laissé le corps à notre service d'ana-path, lequel a pris contact avec la famille pour obtenir l'autorisation et la famille a refusé. Apparemment, ils sont en pleine hystérie.

— Ça se comprend, dit Sanger.

103

— Effectivement », dit Philips abattu. « Nom de Dieu... de bon Dieu !

— Tu pourrais passer des radios de patients atteints de sclérose en plaques reconnue et voir si tu peux trouver des modifications identiques ?

— Ouais », soupira Philips.

« Et si tu pensais un peu plus à la malade, et moins à ta déception ? »

Martin fixa Denise plusieurs minutes, lui donnant le sentiment qu'elle venait de dépasser une limite tacite. Elle n'avait pas eu l'intention de jouer les moralistes. Puis l'expression de son visage changea et il sourit.

« Tu as raison, dit-il. En fait, tu viens de me donner une idée fabuleuse. »

Juste en face du bureau des urgences se trouvait une porte grise dont la plaque indiquait PERSONNEL DES URGENCES. Il s'agissait d'une salle de repos pour les médecins et les internes, encore qu'elle servît rarement à leur détente. Au fond, les médecins disposaient d'un cabinet de toilette avec une douche pour les hommes, les femmes devant se rendre au premier étage, dans la salle de repos des infirmières. Sur le côté, trois petites pièces comportant chacune deux lits de camp qu'on n'utilisait pas, sauf pour de brefs sommes réparateurs.

Le docteur Wayne Thomas avait emporté dans la salle de repos le seul fauteuil confortable : un vieux monstre de cuir décousu dont le rembourrage sortait comme d'une blessure béante.

« Je crois que Lynn Anne Lucas est malade », dit-il avec conviction.

Autour de lui, appuyés au bureau ou assis sur les chaises de bois, se trouvaient les docteurs Huggens, Carolo Langone, médecin-résident de médecine générale ; Ralph Lowry, résident en Neurochirurgie ; David Harper, résident en Gynécologie ; et Sean Farnsworth, résident en

Ophtalmologie. A l'écart du groupe, sur une table, deux autres médecins interprétaient des E.C.G.

« Elle t'excite », dit le docteur Lowry avec un sourire cynique. « C'est la souris la mieux roulée de la journée et tu essaies de trouver une excuse pour la faire admettre dans ton service. »

Tout le monde rit sauf Thomas, qui ne broncha pas. Il tourna son regard vers le docteur Langone.

« Ralph a raison », reconnut Langone. « Pas de température, réflexes normaux, urine normale et liquide cérébro-spinal normal.

— Et radio du crâne normale, ajouta le docteur Lowry.

— Eh bien », dit le docteur Harper en se levant de sa chaise, « que ce soit ce qu'on voudra, ça n'a rien à voir avec la gynéco. Il y a bien une paire de tests de Pap atypiques, mais on suit ça dans le service. Alors, je vous laisse résoudre le problème sans moi. A vrai dire, je crois qu'elle est un peu hystérique.

— Je suis d'accord, dit le docteur Farnsworth. Elle prétend avoir des troubles de la vision, mais elle présente un examen ophtalmo normal et elle arrive à lire facilement les plus petites lettres sur le tableau de test.

— Et son champ visuel ? » demanda le docteur Thomas.

Farnsworth se leva, s'apprêtant à partir. « Il me paraît normal. On lui fera un champ de Goldmann demain, mais on ne pratique pas ça en urgence.

— Et les rétines ? demanda le docteur Thomas.

— Normales », répondit Farnsworth. « Merci pour la consultation, c'était chouette. »

Ramassant sa trousse à instruments, l'ophtalmologiste quitta la salle.

« Chouette ! Eh ben merde ! dit le docteur Thomas. Si j'entends encore un seul de ces crétins d'ophtalmo me dire qu'on ne fait pas le Goldmann ce soir, je le vire à coups de pied dans le cul.

— Ferme-la, Ralph, dit le docteur Thomas. Tu commences à parler comme un chirurgien. »

Le docteur Langone se leva et s'étira. « Il faut que j'y aille, moi aussi. Dis-moi, Thomas, qu'est-ce qui te fait penser que cette fille est malade : simplement ses sensations de faiblesses ? Je veux dire que c'est tout à fait subjectif.

— Un pressentiment. Elle a peur, mais je suis sûr que ce n'est pas de l'hystérie. En plus, ses troubles sensoriels anormaux ont un caractère répété. Elle ne joue pas la comédie. Il y a quelque chose qui cloche dans son cerveau. Ça saute aux yeux. »

Le docteur Lowry se mit à rire.

« A propos de sauter, avoue que tu te la serais faite si tu l'avais rencontrée ailleurs que dans un couloir d'hôpital. Allez, Thomas, avoue. Si c'était une mocheté, tu lui aurais dit de repasser dans l'après-midi. »

Toute la salle éclata de rire. Le docteur Thomas leur fit signe de s'en aller tout en s'extrayant de son confortable fauteuil.

« Je ne veux plus de vous, bande de clowns. Je m'en occuperai moi-même.

— N'oublie pas de lui demander son numéro de téléphone », dit Lowry tandis que Thomas quittait la salle. Le docteur Huggens rit, il avait déjà pensé, lui, que ce n'était pas une mauvaise idée.

De retour en salle d'examen, Thomas parcourut la pièce du regard. On observait un répit relatif entre dix-neuf heures et vingt et une heures, comme si les gens prenaient sur leur temps de misère, de souffrance et de maladie pour manger. Vers vingt-deux heures commenceraient à arriver les ivrognes, les accidents de la circulation, les victimes des voleurs et des psychopathes ; à onze heures, les crimes passionnels. Ainsi, Thomas disposait d'un peu de temps pour penser à Lynn Anne Lucas. Quelque chose, dans ce cas, le travaillait ; le sentiment de passer à côté d'un indice important.

S'arrêtant au bureau principal, il demanda à l'un des employés des Urgences si on avait apporté des archives le dossier médical de Lynn Anne Lucas. L'employé vérifia, répondit par la négative puis l'assura qu'il allait rappeler. Le docteur Thomas hocha la tête, l'air absent, se demandant si Lynn Anne s'adonnait à quelque drogue exotique. Tournant dans le couloir principal, il retourna vers la salle principale où se trouvait la jeune fille.

Denise, quant à elle, n'imaginait rien de l' « idée fabuleuse » de Martin. Il lui avait demandé de repasser à son bureau vers vingt et une heures. Il était près de vingt et une heures quinze, lorsqu'elle put s'accorder un moment pour souffler après avoir interprété des clichés de traumatismes en salle des urgences. Passant par les escaliers situés en face de la boutique, fermée, de l'hôpital, elle arriva à l'étage de la Radiologie. Le couloir paraissait tout différent de celui, agité et chaotique, de la journée. Tout au bout du couloir, l'une des femmes de service passait une cireuse sur le sol de vinyle.

La porte du bureau de Philips étant ouverte, Denise pouvait l'entendre dicter d'une voix monotone. Lorsqu'elle entra, elle le trouva en train de terminer les angiographies cérébrales de la journée. En face de lui, sur son alternateur, se trouvaient une série d'études d'angiographie.

A l'intérieur de chaque radio du crâne, les milliers de vaisseaux apparaissaient comme les fils blancs du système radiculaire retourné d'un arbre. Tout en parlant, il montra du doigt, à l'intention de Denise, les signes pathologiques. Elle regarda et hocha la tête, encore qu'elle ne comprît pas comment il arrivait à connaître les noms, la taille normale et la position de chaque vaisseau.

« Conclusion, dit Philips, l'angiographie cérébrale révèle une large malformation vasculaire des ganglions de la base droite chez cet homme de dix-neuf ans. Point. Cette malformation vasculaire trouve son origine dans l'artère médio-cérébrale droite par l'intermédiaire des branches

107

lenticulostriales, ainsi que dans l'artère cérébrale postérieure par l'intermédiaire des branches thalamoperforante
et thalamogéniculaire. Point. Fin du rapport. Copie à
adresser aux docteurs Mannerheim, Prince et Clauson.
Merci. »

Le magnétophone s'arrêta avec un bruit sec et Martin
pivota dans son fauteuil. Il arborait un sourire malicieux et
se frottait les mains.

« Minutage parfait, dit-il.

— Qu'est-ce que tu as derrière la tête ?

— Viens », dit Philips en l'entraînant à l'extérieur.
Contre le mur se trouvait un chariot complet, avec les
flacons de perfusion, les linges et les oreillers. Souriant
devant sa surprise, Martin commença à pousser le chariot
dans le couloir. Denise le rattrapa à l'ascenseur réservé aux
malades.

« *Moi*, je t'ai donné cette idée fabuleuse ? » demanda-
t-elle en l'aidant à entrer le chariot dans l'ascenseur.

— Exact », dit Philips.

Il pressa le bouton du sous-sol et les portes se
refermèrent.

Ils émergèrent dans les entrailles de l'hôpital, au
milieu d'un enchevêtrement de tuyaux qui, comme de gros
vaisseaux, se divisaient de part et d'autre, s'entrelaçant et
s'entrecroisant dans toutes les directions. La peinture grise
ou noire, qui recouvrait tout, éliminait toute impression de
couleur. Une lumière rare tombait des tubes fluorescents
protégés par des treillis métalliques disposés de place en
place, créant par contraste des flaques d'un blanc éblouis-
sant séparées par des intervalles d'ombre. En face de
l'ascenseur, une pancarte indiquait : MORGUE : SUIVRE LA-
LIGNE ROUGE.

Telle une traînée de sang, la ligne courait au milieu du
couloir. Elle suivait une route compliquée à travers les
passages obscurs, tournant à angle droit lorsque le couloir
se divisait. Enfin, elle descendit une pente douce qui
arracha presque le chariot des mains de Martin.

« Pour l'amour de Dieu, qu'est-ce qu'on fait ici ? » demanda Denise, sa voix faisant écho au bruit de leurs pas.

« Tu vas voir », dit Philips, son sourire évanoui, la voix tendue. Son enjouement du début avait disparu pour faire place à l'inquiétude.

Le couloir déboucha brusquement sur une immense caverne souterraine. L'éclairage, à cet endroit, se révélait aussi parcimonieux que dans le couloir et le plafond, haut de deux étages, se perdait dans l'ombre. Sur le mur de gauche, la porte fermée de l'incinérateur laissait échapper le sifflement des flammes. En face, les deux portes à battants conduisant à la morgue et, devant eux, la ligne rouge qui se terminait brutalement. Philips abandonna le chariot et avança vers l'entrée. Il ouvrit la porte, la poussa sur la droite et jeta un coup d'œil à l'intérieur. « On a de la veine », dit-il en revenant au chariot, « l'endroit est à nous ».

Denise suivit avec réticence.

La morgue était une vaste salle laissée à l'abandon, dans une décrépitude telle qu'on aurait dit un de ces portiques mis au jour à Pompéi. Une multitude de douilles à abat-jour pendaient du plafond, au bout de fils nus, mais seules quelques-unes étaient pourvues d'ampoules. Un sol de mosaïque maculé, des murs de céramique fendue et ébréchée et, au centre de la pièce, une sorte de fosse contenant une vieille table de dissection en marbre. Inutilisée depuis les années 20 et placée là, au milieu de ce délabrement, on aurait dit un antique autel païen. D'ordinaire, on pratiquait les autopsies au service de Pathologie, au quatrième étage, dans un environnement moderne d'acier inoxydable.

Plusieurs portes s'alignaient sur les murs de la salle, dont l'une, de bois massif, ressemblait à une porte de chambre froide de boucherie. Sur le mur le plus éloigné, un couloir en pente menait, à travers une obscurité totale, à une porte s'ouvrant sur une allée derrière le complexe hospitalier. Un silence de mort. A part celui de leurs pas, le seul bruit, à intervalles espacés, émanait d'un lavabo dans lequel tombait une goutte d'eau.

Martin rangea le chariot et suspendit la bouteille de perfusion.

« Tiens », dit-il à Denise en lui tendant un coin de drap propre et en lui faisant signe d'en recouvrir le chariot.

Il se dirigea vers la grosse porte de bois, retira la broche du loquet et, avec un effort, l'ouvrit. Un léger brouillard glacé s'échappa, formant une mince pellicule en retombant sur le sol de céramique.

Après avoir trouvé le commutateur, Martin alluma. Denise n'avait pas bougé.

« Allons, viens ! Et amène le chariot.

— Je ne bougerai pas avant que tu m'aies dit ce qui se passe, répondit-elle.

— Faisons comme si on était au Moyen Age.

— Qu'est-ce que tu racontes ?

— Nous allons voler un cadavre pour l'amour de la science.

— Lisa Marino ? » demanda Denise, incrédule.

« Exactement.

— Eh bien, moi je ne veux pas me mêler de ça. » Elle recula comme si elle allait s'enfuir.

« Denise, ne fais pas l'idiote. Je veux simplement faire la scano et les radios dont j'ai besoin. Et puis on remet le macchabée à sa place. Tu ne crois pas que je vais le garder, non ?

— Je ne sais plus quoi penser.

— Quelle imagination », dit Philips en saisissant l'extrémité du chariot et en le tirant à l'intérieur de l'antique chambre froide. Le flacon de perfusion heurta sa potence métallique. Denise suivit, explorant rapidement du regard l'intérieur entièrement carrelé : murs, plafond et sol. Le carrelage, jadis blanc, avait viré à un gris indéfinissable dans cette chambre froide de dix mètres sur sept. Alignés de chaque côté, se trouvaient de vieux chariots de bois avec

110

des roues de la taille de roues de bicyclette. Sur chaque chariot, un corps recouvert d'un linceul.

Philips avança lentement dans l'allée centrale, promenant son regard de droite à gauche. Arrivé au bout de la pièce, il se retourna et commença à soulever le coin de chaque drap. Denise frissonna dans le froid humide. Elle essayait de ne pas regarder les corps les plus proches d'elle, résultats sanglants d'un accident de la circulation à une heure de pointe. Un pied, encore chaussé, saillait en un angle insolite, révélant une fracture de la jambe à mi-mollet. Quelque part, invisible, un compresseur se mit en route.

« Ah, la voilà ! », dit Philips, jetant un coup d'œil sous l'un des draps. Au grand soulagement de Denise, il laissa le linceul en place et lui fit signe d'amener le chariot, ce qu'elle fit comme un automate.

« Aide-moi à la soulever », demanda Philips.

Denise saisit les chevilles de Lisa Marino à travers le drap pour éviter de toucher le cadavre. Philips souleva le torse. Ils comptèrent jusqu'à trois et enlevèrent le corps, remarquant qu'il était déjà rigide. Puis ils guidèrent le chariot vers la sortie de la chambre froide. Philips referma et boucla la porte.

« A quoi sert la perfusion ? demanda Sanger.

— Je ne veux pas qu'on s'imagine que nous trimballons un cadavre, dit Philips, et, pour ce faire, la perfusion apporte la touche du maître. » Il tira le drap, découvrant le visage exsangue de Lisa Marino. Denise détourna les yeux tandis que Martin soulevait la tête et glissait le coussin dessous. Puis il passa le cathéter de perfusion, non branché, sous le drap. Il se recula pour juger de l'effet. « Parfait. » Il tapota le bras du cadavre : « Vous êtes bien comme ça ?

— Martin, pour l'amour de Dieu, il faut absolument que tu te conduises de cette façon révoltante ?

— Eh bien, si tu veux la vérité, c'est un réflexe de

111

défense. Je ne suis pas convaincu que c'est bien ce qu'il convient de faire.

— Tu parles! » gémit Denise tout en poussant le chariot à travers les portes à battants.

Ils refirent le chemin inverse à travers le labyrinthe souterrain et pénétrèrent dans l'ascenseur réservé aux malades. Consternés, ils le virent s'arrêter au rez-de-chaussée. Deux garçons de salle attendaient un malade dans un fauteuil roulant. Martin et Denise se regardèrent un instant, angoissés. Puis Denise détourna son regard, s'en voulant de s'être laissée entraîner dans cette escapade ridicule. Les garçons de salle roulèrent le malade dans l'ascenseur, face vers le fond, ce qu'ils ne devaient pas faire, en principe. Lancés dans une conversation sur la prochaine saison de base-ball, ils ne dirent rien de l'aspect de Lisa Marino, si toutefois ils l'avaient remarqué. Mais ce ne fut pas le cas du malade. Il regarda et vit l'énorme incision suturée en forme de fer à cheval sur le côté du crâne de Lisa Marino.

« On l'a opérée? demanda-t-il.

— Ouais, répondit Martin.

— Ça va aller?

— Elle est un peu fatiguée, répondit Philips, il lui faut du repos. »

Le malade hocha la tête comme s'il comprenait. Puis les portes du premier étage s'ouvrirent et Philips et Sanger descendirent. Les garçons de salle aidèrent même à sortir le chariot.

« C'est ridicule », dit Sanger, tandis qu'ils remontaient le couloir désert. « Je me fais l'effet d'une criminelle. »

Ils pénétrèrent dans la salle de scanographie. Le manipulateur rouquin les aperçut par la fenêtre recouverte de plomb depuis sa salle de contrôle et vint les aider. Philips lui dit qu'il s'agissait juste d'une scanographie d'urgence. Après avoir réglé la table, le manipulateur se plaça derrière la tête de Lisa Marino et glissa les mains sous les épaules du cadavre, se préparant à le soulever. En

112

ressentant le froid glacial et la chair sans vie, il fit un bond en arrière.

« Elle est morte ! » dit-il, choqué.

Denise se couvrit les yeux.

« Disons qu'elle a eu une rude journée », dit Philips. Et vous, pas un mot de ce petit exercice.

— Vous voulez toujours une scanographie ? demanda le manipulateur incrédule.

« Absolument », répondit Philips.

Se reprenant, le manipulateur aida Martin à soulever Lisa et à la poser sur la table. Les sangles d'immobilisation étant inutiles, il mit immédiatement la table en route et la tête de Lisa glissa dans la machine. Après avoir vérifié la position, il conduisit Philips et Sanger dans la salle de contrôle.

« Elle est pâlotte, dit le manipulateur, mais elle a l'air mieux que certains des patients qui nous arrivent de neurochirurgie. » Il pressa le bouton pour déclencher le balayage du scanner ; l'énorme machine démarra et commença sa rotation autour de la tête de Lisa.

Regroupés en face de l'écran de contrôle, ils attendirent. Une ligne horizontale s'alluma en haut de l'écran puis descendit, annonçant apparemment la première image. La masse osseuse du crâne apparut, mais sans qu'on puisse distinguer la moindre définition à l'intérieur. L'intérieur du crâne apparaissait sombre et homogène.

« Que diable... ? » dit Martin.

Le manipulateur alla à sa console de contrôle et vérifia ses réglages. Il revint en secouant la tête. Ils attendirent l'image suivante. A nouveau, le contour du crâne, mais un intérieur uniformément vide.

« La machine a bien fonctionné ce soir ? demanda Philips.

— Parfaitement », répondit le manipulateur.

Philips se pencha et procéda au contrôle du réglage, affina le réglage en hauteur puis le réglage latéral. « Mon

Dieu », dit-il après un instant. « Vous savez ce qu'on voit ? Du vent ! Plus de cerveau. Disparu ! »

Ils se regardèrent avec un sentiment partagé de surprise et d'incrédulité. Brusquement, Martin tourna les talons et fila dans la salle de scanographie. Denise et le manipulateur suivirent. Martin saisit la tête de Lisa à deux mains et la souleva. Du fait de la rigidité, tout le torse décolla de la table. Le manipulateur l'aida, permettant à Philips de regarder derrière la tête de Lisa. Il dut regarder attentivement la peau livide, mais il trouva ce qu'il cherchait : une mince incision en U tout autour de la base du crâne, refermée par des points sous-cutanés ne laissant apparaître aucune suture.

« Je crois qu'il vaudrait mieux ramener ce corps à la morgue », dit Martin, mal à l'aise. Le voyage de retour s'effectua rapidement et presque sans un mot. Denise ne voulait pas y aller, mais elle savait que Martin aurait besoin d'aide pour soulever Lisa du chariot.

Arrivés à l'incinérateur, Martin s'assura de nouveau que personne ne se trouvait dans la morgue. Tenant les portes ouvertes, il fit signe à Denise d'entrer, l'aidant à pousser le chariot jusqu'à la chambre froide. Il ouvrit rapidement la massive porte de bois. Denise regardait sa respiration s'exhaler en brèves bouffées dans l'air froid tandis qu'il reculait dans l'allée, tirant le chariot. Ils le placèrent à hauteur du vieux chariot de bois et s'apprêtaient à soulever le corps quand un bruit affreux se répercuta dans l'air glacé.

Denise et Martin sentirent leur cœur cogner et il leur fallut plusieurs secondes pour réaliser qu'il s'agissait du bruiteur de Denise. Elle coupa le contact, hâtivement, se sentant gênée comme si la responsabilité de l'intrusion lui incombait. Elle saisit les chevilles de Lisa Marino et aida Martin à la replacer sur le chariot.

« Il y a un téléphone mural dans la morgue », dit Martin en soulevant le linceul. « Réponds à ton appel pendant que je m'assure que le corps est bien tel que nous l'avons trouvé. »

Sans avoir besoin d'autre encouragement, Denise se hâta de sortir. Totalement prise au dépourvu, elle percuta de plein fouet un homme qui s'approchait silencieusement de la chambre froide. Elle laissa échapper un gémissement involontaire et dut lever les mains pour amortir le choc.

« Qu'est-ce que vous faites là ? » demanda brusquement l'homme. C'était Werner, le gardien et le laborantin de la morgue de l'hôpital. Levant la main, il saisit Denise par l'un des poignets.

Martin, alerté, apparut sur le seuil de la chambre froide. « Je suis le docteur Martin Philips, et voici le docteur Denise Sanger. » Sa voix, qu'il voulait ferme, sonna caverneuse et faible.

Werner lâcha le poignet de Denise. Décharné, les pommettes hautes, la visage bossué, on ne distinguait pas ses yeux, profondément enfoncés, à la faible lueur de la salle. Ses orbites blanches faisaient penser à des trous de brûlure dans un masque. Le nez mince et pointu comme une lame de couteau, Werner portait un pull à col roulé sur lequel pendait un tablier de caoutchouc noir.

« Qu'est-ce que vous faites avec mes macchabées ? » demanda Werner en s'avançant au-delà des médecins et du chariot. Une fois dans la chambre froide, il compta les cadavres. Désignant celui de Marino, il demanda : « Vous avez sorti celui-ci ? »

Remis de son choc initial, Philips s'émerveilla du sens de la propriété que manifestait le gardien à l'égard des morts. « Je ne suis pas certain qu'il convienne de dire " mes macchabées ", monsieur...

— Werner », dit le gardien, revenant vers Philips et brandissant sous son nez un énorme index. « Tant que quelqu'un ne m'a pas signé de décharge pour ces cadavres, ils sont à moi. C'est moi le responsable. »

Philips jugea préférable de ne pas discuter. La bouche aux lèvres minces de Werner se figea en un trait ferme, inflexible. Philips commença à dire quelque chose mais sa voix ne donna qu'un jappement aigu, gêné. S'éclaircissant la gorge, il tenta un nouvel essai. « Nous voulons vous parler de l'un des corps. Nous pensons qu'il a été utilisé. »

Pour la seconde fois, le bruiteur de Sanger se fit entendre. Tout en s'excusant, elle se hâta vers le téléphone mural et répondit à l'appel.

« De quel corps parlez-vous ? » demanda vivement Werner. Il ne quittait pas Martin du regard.

« Lisa Marino », dit Martin en montrant le cadavre à demi découvert. « Que savez-vous de cette femme ?

— Pas grand-chose », répondit Werner en se tournant vers Lisa et en se détendant quelque peu. « Ramassée en chirurgie. Je crois qu'elle sort plus tard dans la soirée ou demain matin.

— Et le corps lui-même ? » Martin remarqua que le gardien portait les cheveux courts, bien taillés sur les côtés.

« Très joli », dit Werner, regardant toujours Lisa.

« Qu'entendez-vous par très joli ?

— La plus jolie fille que j'aie eue depuis pas mal de temps », dit Werner.

Tandis qu'il se tournait de nouveau vers Martin, sa bouche s'étira en un sourire obscène.

Momentanément désarmé, Martin déglutit. La bouche sèche, il fut content de voir revenir Denise, qui dit : « Il faut que je parte. On me demande aux urgences pour voir une radio du crâne.

— D'accord », dit Martin, essayant de retrouver ses esprits. « Rejoignez-moi dans mon bureau dès que vous aurez terminé. »

Denise acquiesça et quitta les lieux avec un sentiment de soulagement.

Martin, nettement mal à l'aise en tête-à-tête avec Werner dans la morgue, se força à marcher vers le corps de Lisa Marino. Retirant le drap, il tourna le corps en le tirant par l'épaule. Tout en montrant du doigt l'incision soigneusement suturée, Philips demanda :

« Que savez-vous de ceci ?

— Je n'en sais rien du tout », répondit vivement Werner.

Philips n'était même pas sûr que le gardien ait vu ce qu'il désignait. Laissant retomber le corps sur le chariot, il examina l'homme attentivement. Avec son expression figée, il ressemblait à un Nazi dans un film des années 40.

« Dites-moi, demanda Philips, vous n'avez pas vu un des gars de Mannerheim par ici aujourd'hui ?

— Je ne sais pas », répondit Werner. « On m'a dit qu'on ne pratiquerait pas l'autopsie.

— D'accord, mais ceci n'est pas une incision d'autopsie », dit Philips. Saisissant l'extrémité du drap, il en recouvrit Lisa Marino. « Il se passe des choses bizarres. Vous êtes bien sûr de ne rien savoir à ce sujet ? »

Werner secoua négativement la tête.

« Nous verrons », dit Philips. Il sortit de la chambre froide, abandonnant le chariot aux soins de Werner. Le gardien attendit d'entendre les portes extérieures se refermer. Puis il empoigna le chariot et lui imprima une violente poussée. Le chariot s'éjecta de la chambre froide, traversa la moitié de la morgue à toute vitesse et s'écrasa contre le coin de la table d'autopsie en marbre, basculant dans un fracas épouvantable. Le flacon de perfusion éclata en morceaux.

Le docteur Wayne Thomas se tenait appuyé contre le mur, les bras croisés sur la poitrine, face à Lynn Anne Lucas assise sur la vieille table d'examen. Lynn Anne avait l'air épuisée.

« Et cette récente infection des voies urinaires ? » demanda-t-il. « Elle a cédé sous sulfamides, semble-t-il. Autre chose à propos de cette affection que vous auriez omis de signaler ?

— Non », répondit Lynn Anne lentement, sauf qu'on m'a envoyée consulter un urologue. Il m'a dit que j'avais un problème de rétention d'urine dans la vessie après être allée aux toilettes. Il m'a conseillé de voir un neurologue.

— L'avez-vous fait ?

— Non. Ça s'est arrangé tout seul et j'ai pensé que ça n'avait pas d'importance. »

Le rideau s'écarta pour laisser passer la tête du docteur Denise Sanger. « Excusez-moi. On m'a appelée pour une consultation à propos d'une radio du crâne. »

Thomas se décolla du mur et dit qu'il n'en avait que pour une minute. Tout en retournant vers la salle de repos, il donna à Denise un rapide aperçu du cas de Lynn Anne. Selon lui, la radio paraissait normale, mais il souhaitait une confirmation quant à la zone pituitaire.

« Le diagnostic ? demanda Denise.

— C'est là le problème », répondit Thomas en ouvrant la porte de la salle de repos. « Il y a cinq heures que la pauvre fille se trouve ici et je n'arrive pas à y voir clair. J'ai pensé qu'il s'agissait peut-être d'une camée, mais ce n'est pas le cas. Elle ne fume même pas d'herbe. »

Thomas fixa le film sur le négatoscope. Denise l'examina attentivement et méthodiquement, en commençant par les os.

« Les autres gars de l'équipe des urgences m'ont charrié », dit Thomas. « Ils croient que je m'intéresse à elle parce que j'ai envie de la sauter. »

Le regard de Denise lâcha la radio pour fixer durement Thomas.

« Mais ce n'est pas ça du tout. Il y a quelque chose qui cloche avec le cerveau de cette fille. Je ne sais pas ce que c'est mais c'est sûrement sérieux. »

Sanger reporta son attention sur le cliché : structure osseuse normale, y compris la zone pituitaire. Elle regarda les ombres vagues à l'intérieur du crâne. Afin de tenter d'orienter ses recherches, elle essaya de découvrir une éventuelle calcification de la glande pinéale. Rien. Sur le point de déclarer le cliché normal, elle perçut une très légère variation de texture. Formant, de ses deux mains, un petit entonnoir, elle étudia la région particulière du cliché. Elle baissa les mains, convaincue. Elle venait de découvrir un nouveau cas de variation de densité analogue à celui décelé par Martin sur le cliché de Lisa Marino.

« Je voudrais soumettre ce cliché à quelqu'un d'autre », dit Denise, retirant la radio de la visionneuse.

« Vous avez trouvé quelque chose ? » demanda Thomas, ragaillardi.

« Je crois. Gardez la patiente en observation jusqu'à ce que je revienne. »

Avant que Thomas pût répondre, Denise avait disparu.

Deux minutes plus tard, elle se trouvait dans le bureau de Martin.

« Tu es sûre ? lui demanda-t-il.

— Tout à fait sûre. » Elle lui tendit le cliché.

Martin saisit la radio mais ne la mit pas immédiatement en place. Il la tripota, craignant une nouvelle déception.

« Allez, vas-y », dit Denise, impatiente de voir ses soupçons confirmés.

La radio glissa sous les pinces. La lumière du négatoscope clignota puis s'alluma. L'œil exercé de Philips se promena sur la zone intéressée. « Je crois que tu as raison », dit-il. A l'aide d'un morceau de papier percé d'un trou, il examina plus attentivement la radio. Aucun doute : ce cliché présentait le même système de densité anormale que celui de Lisa Marino. Seule différence : le système paraissait moins prononcé et moins étendu sur le nouveau cliché.

Essayant de maîtriser son excitation, Martin mit en marche l'ordinateur de Michaels. Il entra le nom. Se tournant vers Denise, il lui demanda de quoi souffrait la patiente. Difficulté à lire liée à des problèmes d'appréhension orthographique, dit Denise. Philips entra l'information puis alla se placer près du lecteur à laser. Lorsque la petite lumière rouge s'alluma, il introduisit l'extrémité du cliché. L'imprimante de sortie entra en action. *Merci, écrivit-elle. Piquez donc un petit roupillon !*

Tandis qu'ils attendaient, Denise exposa à Martin ce qu'elle avait appris d'autre concernant Lynn Anne Lucas, mais il se montra davantage intéressé par le fait qu'il s'agissait d'une malade bien vivante et en salle des urgences.

Dès que l'imprimante eut cessé son staccato, Philips arracha le morceau de listing. Il le lut, Denise penchée sur son épaule.

« Ahurissant ! » dit Philips, sa lecture terminée. « L'ordinateur confirme tout à fait ton impression. Il s'est souvenu avoir vu le même phénomène de densité sur la radio de Lisa Marino, et en plus il me demande de lui dire ce que signifie cette variation de densité. Ce machin est stupéfiant ! Si humain qu'il m'effraie. Le prochain truc qu'il va me demander, j'en suis sûr, c'est d'épouser l'ordinateur du scanographe et de prendre tout l'été de congé.

— Epouser l'ordinateur ? » demanda Denise en riant.

« Des soucis administratifs », dit Martin, lui faisant signe de laisser tomber. « Ne me branche pas là-dessus ! Il faut qu'on amène cette Lynn Anne Lucas ici et qu'on fasse la scano et les radios que nous n'avons pas pu pratiquer sur Marino.

— Tu sais qu'il se fait un peu tard ? Le manipulateur du scanographe boucle la bécane à dix heures et s'en va. Il faudrait le faire revenir. Tu es sûr de vouloir faire tout cela ce soir ? »

Philips jeta un coup d'œil sur sa montre. Vingt-deux heures trente. « Tu as raison. Mais je ne veux pas perdre cette malade. Je vais veiller à ce qu'on l'admette au moins pour la nuit. »

Denise retourna avec Martin aux urgences, le menant directement dans l'une des salles de soins. Elle tourna à droite avec lui et tira un rideau qui fermait un petit box d'examen. Lynn Anne Lucas leva sur lui des yeux injectés de sang. Assise à côté de la table, elle s'y était accoudée, la tête dans les bras.

Avant que Denise pût présenter Philips, son bruiteur se fit entendre. Elle sortit et laissa Martin entamer seul la conversation avec Lynn Anne. Il lui apparut immédiatement évident que la jeune femme était épuisée. Avec un sourire chaleureux, il lui demanda si elle voulait bien passer la nuit à l'hôpital pour qu'ils puissent faire des radios spéciales dès le matin. Lynn Anne lui répondit que cela lui était égal du moment qu'on la sorte de la salle des urgences et qu'elle puisse dormir. Philips lui pressa gentiment le bras et lui dit qu'il allait s'en occuper.

Au bureau principal, Philips dut se conduire comme dans un grand magasin un jour de soldes, poussant, hurlant et frappant sur le comptoir pour appeler l'attention de l'un des employés. Il demanda des renseignements sur Lynn Anne Lucas et le nom du médecin qui s'en occupait. L'employé consulta le registre principal et informa Philips qu'il s'agissait du docteur Wayne Thomas, qui se trouvait pour l'instant en salle 7 avec un malade terrassé par une crise.

Lorsque Philips pénétra dans la salle, il tomba sur un arrêt cardiaque. Le malade, un homme obèse, se trouvait étalé sur la table d'examen comme une énorme crêpe. Un Noir barbu, dont Philips apprit qu'il s'agissait de Wayne Thomas, debout sur une chaise, pratiquait un massage cardiaque sur le patient.

A chaque compression, les mains de Thomas disparaissaient dans les plis d'un amas de chair. De l'autre côté du malade, un interne tenait les cuillères d'un défibrillateur, tout en surveillant le tracé sur l'écran du moniteur cardiaque. A la tête du patient, un anesthésiste le ventilait à l'aide d'un appareil portatif d'ambulance, coordonnant ses efforts avec ceux de Thomas.

« Stop », dit l'interne qui tenait le défibrillateur.

Tous se reculèrent, tandis qu'il plaçait les cuillères sur la pommade conductrice enduisant par endroits le thorax

121

du patient. Lorsqu'il pressa le bouton de l'électrode supérieure, une décharge de courant parcourut la poitrine du patient, étendant sa secousse électrique à travers tout le corps. Les extrémités du malade battirent, comme celles d'un poulet trop gros essayant de s'envoler.

L'anesthésiste reprit aussitôt son assistance respiratoire. Le moniteur se remit en route et un tracé lent mais régulier apparut sur l'écran.

« J'ai un bon pouls carotide », dit l'anesthésiste, une main pressant le côté du cou du patient.

« Parfait », dit l'interne au défibrillateur. Il n'avait pas quitté le moniteur des yeux et quand apparut la pointe de la première systole ventriculaire, il ordonna : « Soixante-quinze milligrammes de Lidocaïne. »

Philips se dirigea vers Thomas et appela son attention en lui tapotant la jambe. Le résident descendit de sa chaise et se recula, sans quitter la table du regard.

« Votre malade, Lynn Anne Luca... », dit Philips, « elle présente des symptômes intéressants découverts à la radio dans la zone occipitale avec extension antérieure.

— Content que vous ayez trouvé quelque chose. Mon intuition me disait que quelque chose ne tournait pas rond chez cette fille mais je n'arrivais pas à préciser quoi.

— Pour le moment, je ne peux pas vous aider à poser le diagnostic », dit Philips. « Ce que je souhaiterais faire, c'est prendre d'autres clichés demain. Vous voulez l'admettre pour la nuit ?

— Bien sûr, dit Thomas, mais je vais me faire assassiner si je ne fournis pas un diagnostic, même provisoire.

— Que diriez-vous d'une sclérose en plaques ?

— Une sclérose en plaques ? » dit Thomas en se caressant la barbe. « Vous jetez le bouchon un peu loin.

— Existe-t-il une raison pour que ça ne puisse pas être une sclérose en plaques ?

— Non », répondit Thomas. « Mais pas davantage de raisons en faveur d'un tel diagnostic.

— Au début de sa phase primaire ? Qu'en pensez-vous ?

— Possible, mais d'ordinaire on diagnostique la sclérose en plaques lorsque ses manifestations caractéristiques deviennent patentes.

— C'est toute la question. Nous proposons le diagnostic plus tôt au lieu de le proposer plus tard.

— D'accord, dit Thomas, mais je vais bien préciser, dans ma note d'admission, que la Radiologie se trouve à l'origine du diagnostic.

— C'est ma tournée », dit Philips. « Mettez bien sur la fiche d'admission qu'on doit pratiquer demain une scano et une polytomographie. Je me charge d'en faire prendre note en Radiologie. »

De retour au bureau, Philips patienta suffisamment longtemps dans la foule pour obtenir le dossier de Lynn Anne Lucas établi par les urgences ainsi que son dossier hospitalier. Il les emporta l'un et l'autre dans la salle de repos et s'assit.

Il prit tout d'abord connaissance des rapports des docteurs Huggens et Thomas. Rien de passionnant. Puis il consultat le dossier. Au code-couleur marquant le coin des pages, il remarqua qu'il existait un rapport de radiologie. Il ouvrit le dossier à cette page, laquelle donnait le rapport d'une radio du crâne pratiquée sur la malade à l'âge de onze ans consécutivement à un accident de patins à roulettes, radio interprétée par un résident connu de Philips, qui se trouvait maintenant à Houston. Il concluait à une radio normale.

En remontant dans le dossier, Philips prit connaissance des rapports concernant les dernières années, relatifs à des infections des voies respiratoires supérieures traitées au dispensaire du campus. Il jeta également un coup d'œil sur une série de rapports de consultations gynécologiques où l'on avait noté des colorations de Pap atypiques. Philips dut admettre que les renseignements ne lui paraissaient pas aussi révélateurs qu'on aurait pu l'espérer, étant donné tout ce qu'il avait oublié en matière de médecine générale depuis l'époque où il faisait partie de l'équipe des généralistes. Le dossier ne présentait aucun rapport pour la période 1969-1970.

Philips rapporta le dossier au bureau des urgences avant de retourner à son propre bureau. Il grimpa les escaliers quatre à quatre, aiguillonné par l'excitation de la recherche. Après la déception de Marino, la découverte de Lucas apparaissait bien plus que simplement émoustillante. De retour dans son bureau, il descendit les manuels poussiéreux de médecine générale et chercha la sclérose en plaques.

Ainsi qu'il s'en souvenait, le diagnostic de la maladie tenait aux circonstances, sans aide significative à attendre des examens de laboratoire à l'exception de l'autopsie. Philips fut de nouveau frappé par l'immense et évidente valeur que présenterait un diagnostic radiologique. Il poursuivit sa lecture, observant qu'on trouvait dans les symptômes classiques de la maladie des anomalies de la vision ainsi que des disfonctionnements vésicaux. Après lecture des deux premières phrases du paragraphe suivant, Philips s'arrêta. Il y revint et les lut à haute voix.

> Le diagnostic peut apparaître incertain au cours des premières années de la maladie. De longues périodes de latence suivant un symptôme initial, lesquelles peuvent même échapper à la surveillance médicale, ainsi que l'évolution subséquente d'autres symptômes plus caractéristiques, sont susceptibles de retarder le diagnostic définitif.

Philips saisit le téléphone et composa le numéro du domicile de Michaels. On pouvait éviter le retard du diagnostic définitif si l'on obtenait un diagnostic radiologique significatif.

Le téléphone avait déjà commencé à sonner quand Martin consulta sa montre, surpris de constater qu'il était plus de onze heures. A cet instant, la femme de Michaels, Eleanor, que Philips ne connaissait pas, répondit. Philips se lança immédiatement dans une longue série d'excuses pour son appel à une heure si tardive, encore qu'on pouvait penser, à la voix d'Eleanor, qu'elle ne dormait pas. Elle l'assura qu'ils ne se couchaient jamais avant minuit et elle lui passa son mari.

Michaels se moqua de ce qu'il qualifia d'enthousiasme juvénile quand il apprit que Martin se trouvait toujours au bureau.

« J'ai été très occupé », expliqua Philips. « J'ai pris un café, mangé un morceau et piqué un petit roupillon. »

— Ne laisse pas traîner ces listings sous les yeux de n'importe qui », dit Michaels en riant de nouveau. « J'ai également programmé quelques suggestions assez obscènes. »

Philips poursuivit, racontant à Michaels d'une voix excitée qu'il venait de découvrir une autre malade en salle des urgences, présentant le même symptôme de densité anormale que Lisa Marino. Il expliqua à Michaels comment il n'avait pu poursuivre ses recherches sur Lisa Marino, mais qu'il allait prendre des clichés définitifs le lendemain matin. Il ajouta que l'ordinateur lui avait réellement demandé de lui dire de quelles densités anormales il s'agissait. « Ce sacré truc veut en savoir plus !

— Souviens-toi, dit Michaels, que le programme approche la radiologie exactement comme tu le fais toi-même. C'est la technique qu'il utilise.

— Ouais, mais il est déjà meilleur que moi. Il a repéré cette variation de densité alors que je ne l'avais pas vue. S'il utilise ma technique, comment expliques-tu cela ?

— Facile. Souviens-toi, l'ordinateur codifie l'image en une grille de 256 points sur 256 avec des valeurs de gris étalées de 0 à 200. Quand on t'a soumis aux tests, tu n'as réussi à différencier des valeurs de gris n'allant que de 0 à 50. Bien évidemment, la machine offre une sensibilité plus grande.

— Excuse-moi d'avoir posé la question, dit Philips.

— As-tu confronté le programme à d'autres anciennes radios du crâne ?

— Non », reconnut Philips. « Je suis sur le point de commencer.

— Bon, tu n'es quand même pas obligé de tout faire en une nuit. Même Einstein ne l'a pas fait. Pourquoi ne pas attendre demain ?

— Oh, ça va », dit Philips d'un ton accommodant. Et il raccrocha.

Grâce au numéro de dossier hospitalier de Lynn Anne, Philips retrouva le dossier des radios assez facilement. Il ne contenait que deux radios récentes des poumons et la série des radios du crâne prises après l'accident de patins à roulettes à l'âge de onze ans.

Il plaça l'une des anciennes radios latérales du crâne sur le négatoscope près du cliché pris l'après-midi même. En les comparant, Philips acquit la certitude que l'anomalie de densité était apparue après l'âge de onze ans. Pour en être tout à fait sûr, il glissa en ordinateur l'un des clichés les plus anciens. Cela coïncidait.

Philips reprit les anciennes radios dans l'enveloppe et plaça les plus récentes dessus. Puis il posa le paquet sur son bureau, où il savait qu'Helen ne les toucherait pas. Jusqu'à ce que l'on prenne de nouvelles radios de Lynn Anne, il n'y avait rien d'autre à faire la concernant.

Martin hésitait. Malgré l'heure tardive, il se savait trop excité pour dormir et, en outre, il voulait attendre Denise. Il espérait qu'elle passerait à son bureau une fois terminé son travail en cours, quel qu'il fût. Il pensa la faire appeler par l'intermédiaire de son bruiteur mais y renonça.

Il décida de tuer le temps en sortant d'anciennes radios du crâne des archives, et se dit qu'il pouvait tout aussi bien commencer la vérification du programme de l'ordinateur. Pour le cas où Denise passerait entre-temps, il lui laissa un mot sur la porte : « Je suis en Radiologie centrale. »

A l'un des terminaux de l'ordinateur central de

126

l'hôpital, il tapa laborieusement ce qu'il voulait : une sortie des noms et matricules de tous les malades ayant passé une radio du crâne au cours des dix dernières années. Lorsqu'il eut terminé, il enfonça la touche « entrée » et pivota sur sa chaise pour faire face à l'imprimante de sortie. Une courte pause, puis la machine se mit à vomir du papier à une cadence inquiétante. Quand elle s'arrêta enfin, Philips se retrouva avec une liste comportant des milliers de noms dont la seule vue le déprima.

Inébranlable, il partit à la recherche de Randy Jacobs, l'un des employés de nuit du service dont le travail consistait à classer les clichés de la journée et à mettre les films en place pour le lendemain. Etudiant en pharmacie de son état, c'était également un flûtiste de talent et un homosexuel notoire et sans complexe. Martin lui trouvait l'esprit vif, exubérant, et le considérait comme un professionnel remarquable.

Pour commencer, Martin demanda à Randy de sortir les radios de la première page des listings, ce qui représentait environ une soixantaine de patients. Avec son efficacité coutumière, Randy plaça vingt radios latérales du crâne sur l'alternateur de Philips en vingt minutes. Mais Philips ne passa pas les radios en ordinateur comme Michaels le lui avait demandé. Il préféra les examiner attentivement, incapable de résister à la tentation de rechercher d'autres densités anormales de même type que celles découvertes sur les radios de Lisa Marino et Lucas.

Utilisant son papier percé comme écran, il commença à passer d'un cliché à l'autre, les faisant défiler sur le négatoscope quand c'était nécessaire, appuyant de son pied sur la commande électrique. Il en était à la moitié des radios quand Denise arriva.

« Tout ce baratin sur ton désir d'abandonner la radiologie clinique, et je te trouve à examiner des clichés alors qu'il n'est pas loin de minuit !

— C'est un peu idiot », dit Martin, s'adossant à son siège et se frottant les yeux avec ses poings, « mais j'ai fait sortir ces clichés et j'ai voulu les examiner pour voir si je trouvais un autre cas analogue à celui de Lucas ou de Marino. »

Denise passa derrière lui et lui massa la nuque. Il avait le visage fatigué.

« Et tu en as trouvé ? demanda-t-elle.

— Non, dit Philips. Mais je n'en ai examiné qu'une douzaine environ.

— Tu as réduit le champ de tes recherches ?

— C'est-à-dire ?

— Eh bien, tu as constaté deux cas. L'un et l'autre récents, l'un et l'autre concernant des femmes, l'une et l'autre âgées de vingt ans. »

Philips regarda la rangée de clichés en face de lui et grogna. Sa manière à lui de décerner un bon point à Denise sans le lui avouer. Il se demanda pourquoi il n'y avait pas songé lui-même.

Elle le suivit dans la salle de l'ordinateur central tout en commentant le travail de la soirée en salle des urgences. Philips écoutait d'une oreille distraite en entrant dans la salle. Il demanda les noms et numéros des malades de sexe féminin, entre quinze et vingt-cinq ans, dont on avait pris des radios crâniennes au cours des dix dernières années. Quand l'imprimante se mit en marche, elle ne tapa qu'une seule ligne. L'information indiquait qu'aucun programme ne permettait de différencier, dans la banque des données, les radios du crâne selon le sexe. Philips rectifia sa demande et la tapa sur le clavier. Lorsque l'imprimante se remit en marche, elle tapa à une cadence haineuse mais pendant un bref instant seulement. La liste ne comprenait que 103 patients. Un examen rapide révéla que moins de la moitié environ était du sexe féminin.

Randy apprécia davantage la nouvelle liste, disant que la première le démoralisait. Tandis qu'ils attendaient, il sortit sept enveloppes, leur précisant qu'ils pouvaient déjà commencer pendant qu'il rechercherait les autres.

De retour dans son bureau, Martin s'avoua qu'il était

128

claqué et que la fatigue commençait à miner son enthousiasme. Il laissa tomber les clichés en face de son alternateur et enlaça Denise, la serrant contre lui, sa tête sur son épaule. Elle l'étreignit elle aussi, ses mains passées aux creux des aisselles de Martin. Ils demeurèrent un instant ainsi, sans un mot, serrés l'un contre l'autre.

Denise repoussa ses cheveux blonds de son front. Martin fermait les yeux.

« Et si on fermait la boutique ?

— Bonne idée », dit Philips. « Pourquoi ne pas aller chez moi ? Je suis énervé. J'ai besoin de parler.

— De parler ? demanda Denise.

— Si tu veux bien.

— Malheureusement, je suis sûre d'être rappelée à l'hôpital. »

Philips habitait un immeuble appelé Les Tours, construit près du Centre médical, à côté de l'hôpital. Bien que conçu sans grande imagination, c'était un immeuble neuf bâti au bord du fleuve, sur lequel donnait l'appartement de Martin. Denise, de son côté, habitait un vieil immeuble, donnant sur une rue très passante, dans un appartement au deuxième étage dont les fenêtres s'ouvraient sur une cour étroite, éternellement sombre.

Martin fit observer que son appartement se trouvait aussi proche de l'hôpital que la salle de garde du quartier des infirmières dont disposait Denise, et trois fois plus près que son appartement à elle. « Si ont t'appelle, on t'appelle », dit-il.

Elle hésitait. Passer un moment ensemble, alors qu'elle était de garde à l'hôpital, était une situation nouvelle dans l'histoire de leurs relations, et Denise craignait que cette escalade force un peu la décision.

« Peut-être, dit-elle. Mais laisse-moi d'abord jeter un coup d'œil aux urgences pour vérifier que tout va bien. »

En l'attendant, il commença à placer quelques-unes des nouvelles radios sur le négatoscope. Il était arrivé à la troisième, quand son regard fut de nouveau attiré par la première. Bondissant de son siège, il colla son nez au cliché. Un autre cas ! Les mêmes mouchetures commençant tout à fait en arrière du cerveau et s'étendant en avant. Philips regarda l'enveloppe : Katherine Collins, vingt et un ans. Le rapport de radio collé sur l'enveloppe indiquait cette information clinique : « Séries de crises. »

Il posa la radio de Katherine Collins sur le petit ordinateur, il la glissa dans le scanner. Puis il saisit les quatre autres enveloppes et sortit de chacune une radio du crâne. Il commença à les disposer sur le négatoscope mais, avant même que sa main eût saisi le bord du premier cliché, il sut qu'il venait encore de découvrir un nouveau cas. Désormais, ses yeux se trouvaient sensibilisés aux subtiles variations. « Ellen McCarthy, vingt-deux ans, renseignements cliniques : maux de tête, troubles de la vision et faiblesse des extrémités droites. » Les autres clichés apparurent normaux.

Utilisant une paire de clichés crâniens latéraux identiques, extraits de l'enveloppe d'Ellen McCarthy et pris sous des angles légèrement différents, Philips alluma la lampe de son négatoscope stéréoscopique.

Mais, il eut le plus grand mal à percevoir la moindre moucheture. Ce qu'il réussissait à voir paraissait superficiel, situé plutôt dans le cortex cérébral que dans les fibres nerveuses ou la matière blanche. C'était déroutant. Les lésions de la sclérose en plaques se situaient en général dans la matière blanche du cerveau. Arrachant le listing de l'ordinateur, Philips lut le rapport. En haut de la page se trouvait un MERCI se rapportant au moment où Philips avait glissé le cliché. Suivait le nom d'une fille et un numéro de téléphone fictif...

Quant au rapport lui-même, c'était exactement ce qu'attendait Philips. Il décrivait les densités et, comme dans le cas de Lynn Anne Lucas, l'ordinateur demandait qu'on le tienne informé en ce qui concernait la signification des anomalies non programmées.

Presque dans le même temps, Denise revint de la salle

130

des urgences et Randy apparut, porteur de quinze autres enveloppes. Philips donna à Denise un baiser sonore. Il lui annonça que, grâce à sa suggestion, il venait de découvrir deux nouveaux cas, tous deux concernant de jeunes femmes. Il prit les nouveaux clichés des mains de Randy et s'apprêtait à travailler dessus quand Denise lui posa la main sur l'épaule.

« Maintenant, c'est calme, aux Urgences. Qui sait ce qui se passera dans une heure ? »

Philips soupira. Il se faisait l'effet d'un gamin avec un nouveau jouet qu'on lui demande d'abandonner pour la nuit. A regret, il reposa les enveloppes, et dit à Randy de tirer les clichés de la seconde liste et de les poser sur son bureau. Ensuite, s'il avait le temps, il pourrait commencer à sortir les clichés de la liste principale et les empiler contre le mur du fond, derrière la table de travail. Puis, comme mû par une arrière-pensée, Martin pria Randy d'appeler les Archives médicales et de leur demander de faire envoyer à son bureau les dossiers médicaux de Katherine Collins et Ellen McCarthy.

Jetant un coup d'œil autour de lui, Martin ajouta : « Je me demande si je n'oublie rien.

— Toi-même », dit Denise exaspérée. « Ça fait dix-huit heures que tu es ici. Bon sang, on s'en va ! »

Les Tours faisaient partie intégrante du Centre médical, reliées à l'hôpital par un couloir en sous-sol, bien éclairé et peint de couleurs gaies. Les câbles électriques et les tuyaux de chauffage empruntaient la même voie, dissimulés dans le plafond du couloir, derrière des carreaux d'insonorisation. La main dans la main, Martin et Denise passèrent sous l'ancienne Ecole de Médecine, puis sous la nouvelle. Puis loin, ils dépassèrent un couloir qui se divisait en deux branches, l'une conduisant à l'hôpital Brenner pour enfants, l'autre à l'Institut psychiatrique Goldmann. Les Tours, situées tout au bout du sous-sol, représentaient la limite admise à la prolifération cancéreuse du Centre

131

médical sur le voisinage. Un escalier conduisait directement dans le hall inférieur des appartements. Un gardien, installé derrière une vitre blindée, reconnut Philips et actionna l'ouverture électrique de la porte.

Les Tours étaient un ensemble résidentiel habité par une majorité de médecins et d'employés du Centre médical. Un petit nombre de professeurs d'autres facultés de l'université y résidaient également ; ils occupaient, en général, les appartements aux loyers les plus élevés. La plupart des médecins étaient divorcés, mais depuis quelque temps on notait l'arrivée en masse d'un nouveau contingent de jeunes loups, accompagnés d'épouses impitoyablement dévouées au succès de leurs maris. Les enfants étaient rares, sauf le dimanche, jour de visite pour les papas. Martin savait qu'il y avait aussi pas mal de psychiatres, et que les homosexuels étaient bien représentés.

Martin avait rejoint le club des divorcés depuis quatre ans, après six ans de banlieue et de galère conjugale. Comme la plupart de ses confrères, il s'était marié pendant son internat, en réaction contre une vie universitaire exigeante. Sa femme s'appelait Shirley, et il l'adorait — ou du moins le pensait-il, car il accusa le choc lorsqu'elle le quitta. Ils n'avaient pas d'enfant. Pour lutter contre la déprime, il s'abrutit de travail et refit surface. Avec le temps, il avait fini par comprendre : Shirley en avait eu assez de ne voir son mari qu'à ses moments perdus, quand ses soixante-dix heures de travail hebdomadaires lui en laissaient le loisir.

« Tu as du nouveau sur la disparition du cerveau de Marino ? » demanda Denise, ramenant Martin au présent.

« Non », répondit-il. « Mais il y a du Mannerheim là-dessous. »

Ils attendaient l'ascenseur sous un énorme lustre criard. Le sol était tapissé d'une moquette orange sur laquelle s'entrecroisaient des cercles dorés.

« Tu vas faire quelque chose ?

— Je ne vois pas ce que je peux faire. Mais j'aimerais

bien savoir pourquoi on a amputé cette pauvre fille de son cerveau. »

La vue était le principal agrément de l'appartement de Philips, une vue sur le fleuve et l'arche gracieuse du pont. Cela mis à part, il ne présentait rien de remarquable. Brusquement décidé à déménager, il avait loué l'appartement par téléphone et les meubles à une maison spécialisée. On lui avait fourni un canapé, deux guéridons, une table basse, deux chaises pour la salle de séjour, de la vaisselle, un lit et une table de nuit. C'était provisoire, mais suffisant. Il ne venait pas à l'esprit de Martin que ce provisoire durait déjà depuis quatre ans.

Martin ne buvait pas mais, ce soir, il voulait se détendre et il se servait du scotch avec des glaçons. Par politesse, il leva la bouteille à l'intention de Denise mais elle secoua la tête, comme prévu. Elle ne buvait que du vin et, à l'occasion, un gin-tonic mais certainement pas les jours de garde. Elle préféra se servir un grand verre de jus d'orange pris dans le réfrigérateur.

Dans la salle de séjour, Denise écoutait Martin bavarder, espérant que son excitation retomberait rapidement d'elle-même. Elle n'avait pas envie de parler de sa recherche, encore moins de cette horrible histoire de cerveau manquant.

« La vie est incroyable », disait Martin. « En une seule journée, tout peu changer.

— De quoi veux-tu parler ? » demanda Denise, espérant qu'il allait parler de leurs rapports.

« Hier, je ne me doutais pas un seul instant que nous étions à deux doigts de sortir le programme de lecture des radios. Si les choses... »

Exaspérée, elle se leva, le mit debout et commença à lui retirer sa chemise, en le suppliant de se détendre et d'oublier l'hôpital.

Philips acquiesça et dit qu'il se sentirait mieux après une douche rapide. Ce n'était pas tout à fait ce qu'elle avait en tête, mais il l'invita à venir lui tenir compagnie dans la salle de bains. Elle l'observa à travers la vitre dépolie de la douche. L'image du corps nu de Philips apparaissait estompée et adoucie, curieusement érotique sous le jet d'eau qui l'enveloppait.

Martin arrêta l'eau et, saisissant une serviette, émergea de la douche. Comme il commençait une phrase, elle lui arracha la serviette d'un geste vif et se mit à lui sécher le dos. Quand elle eut terminé, elle le retourna.

« Sois gentil, dit-elle feignant l'irritation, tais-toi. »

Puis elle lui prit la main et l'entraîna hors de la salle de bains.

Philips se laissa conduire dans l'obscurité de la chambre. Il fut surpris lorsqu'il sentit les bras de la jeune femme se nouer autour de son cou et qu'elle l'embrassa passionnément.

Martin répondit à son baiser. Au même instant, le bruiteur de Denise fit entendre un « bip » insistant et incongru qui résonna dans toute la pièce. Ils restèrent enlacés, serrés l'un contre l'autre sans dire un mot. Ils savaient qu'ils se retrouveraient plus tard, et que quelque chose, entre eux, avait changé.

A 2 h 40 du matin, une ambulance municipale arriva sur l'aire de stationnement du Centre médical. Deux ambulances identiques s'y trouvaient déjà garées, et la nouvelle venue se glissa entre elles jusqu'à ce que son pare-chocs heurte la protection de caoutchouc. Le moteur, coupé, s'arrêta avant que le chauffeur et le passager descendent de la voiture. La tête baissée sous la pluie constante d'avril, ils firent le tour et sautèrent sur la plate-forme. Le plus mince des deux hommes ouvrit en grand la porte arrière de l'ambulance. L'autre plus musclé, grimpa à l'intérieur et en ressortit une civière vide. A la différence des autres ambulances, celle-ci n'amenait pas une urgence mais venait chercher un patient, ce qui n'était pas tellement rare.

Les hommes soulevèrent les extrémités de la civière et,

comme celles d'une planche à repasser, les roulettes s'abaissèrent. Instantanément, la civière se trouva transformée en un chariot étroit mais fonctionnel. Ensemble, les deux hommes passèrent les portes automatiques coulissantes de la salle des urgences et, sans un regard à droite ni à gauche, enfilèrent le couloir principal et prirent un ascenseur jusqu'à l'aile ouest de Neurologie, au quatorzième étage.

Deux infirmières et cinq aides-soignantes composaient l'équipe de roulement de l'étage, mais l'une des infirmières et trois aides-soignantes faisaient la pause, de sorte qu'une certaine Claudine Arnette se trouvait diriger le service. Le plus mince des deux hommes lui présenta les documents de transfert. On emmenait la patiente en chambre privée au Centre médical de New York où son médecin disposait de chambres réservées à sa clientèle personnelle.

Mrs. Arnette vérifia les documents, jura en sourdine car elle venait juste d'en terminer avec la paperasserie administrative et signa le formulaire. Elle demanda à Maria Gonzales d'accompagner les hommes à la chambre 1420, puis retourna à son travail avant de faire la pause à son tour. Malgré la lumière relativement faible, elle avait remarqué les yeux étonnamment verts du chauffeur.

Maria Gonzales ouvrit la porte de la chambre 1420 et essaya de réveiller Lynn Anne, ce qui se révéla difficile. Elle expliqua aux ambulanciers qu'elles avaient reçu, par téléphone, l'ordre de doubler la dose de somnifères et de phénobarbital pour prévenir une crise éventuelle. Sans importance, dirent les deux hommes à Maria. Ils mirent la civière en place et arrangèrent les couvertures. Avec des gestes doux de professionnels, ils soulevèrent la malade et l'installèrent dans les couvertures. Lynn Anne Lucas ne se réveilla même pas.

Les hommes remercièrent Maria, qui commençait déjà à défaire le lit, puis ils roulèrent Lynn Anne jusque dans le couloir. Mrs. Arnette ne leva pas la tête lorsqu'ils passèrent

135

devant le box des infirmières et se dirigèrent vers l'ascenseur. Une heure plus tard, l'ambulance quittait le Centre médical. Pas de sirène ni de phare gyroscopique, l'ambulance était vide.

7

Quelques instants avant la sonnerie du réveil, Martin appuya sur le bouton d'arrêt et demeura étendu à regarder le plafond. Son corps était tellement habitué à s'éveiller à 5 h 25 que cela se faisait tout seul, quelle que fût l'heure à laquelle il s'était couché. Rassemblant ses forces, il se leva rapidement et enfila un survêtement.

Dans l'air saturé d'humidité par la pluie de la nuit, des volutes de brouillard s'étendaient au-dessus du fleuve, donnant l'illusion que les piles du pont reposaient sur des nuages vaporeux. L'humidité assourdissait les bruits à un point tel que la circulation du petit matin ne gênait pas le cours de ses pensées.

Lorsqu'il atteignit la marque indiquant quatre kilomètres, Philips se retourna et se mit à courir. Un plus grand nombre de joggers se trouvaient maintenant sur les lieux, dont certains qu'il reconnut ; mais il jugea préférable de les ignorer. Son souffle se fit un peu plus court ; il continua cependant à maintenir une allure assez vive mais souple jusqu'à son appartement.

A 7 h 15, douché et rasé, il se trouvait à la porte de son bureau. Lorsqu'il y pénétra, il s'arrêta, surpris. Pendant la nuit, la pièce paraissait s'être transformée en un dépotoir de vieilles radios. Randy Jacobs, avec son efficacité coutumière, avait sorti une grande partie des clichés demandés. Les enveloppes de la liste principale se trouvaient entassées en piles précaires derrière la table de travail. Celles de la seconde liste, moins importante, étaient empilées à côté du négatoscope de Philips. On avait sorti de chaque enveloppe du second groupe et monté sur le négatoscope des clichés latéraux du crâne. Philips se sentit submergé par une nouvelle vague d'enthousiasme et s'assit en face de l'alternateur. Immédiatement, il se mit à scruter les clichés à la recherche d'anomalies analogues à celles découvertes chez Marino, Lucas, Collins et McCarthy. Il était environ à la moitié de son travail quand Denise entra.

Elle paraissait exténuée. Ses cheveux, habituellement brillants, semblaient poisseux, son visage pâle et ses yeux cernés. Elle l'embrassa et s'assit. Voyant son teint blafard, il lui suggéra de faire un somme. Il la verrait en salle d'angiographie lorsqu'elle se sentirait assez bien pour revenir. Ce qui signifiait, bien entendu, qu'il commencerait à s'occuper du cas.

« Arrête, dit Denise. Pas de faveurs particulières pour la maîtresse du patron. C'est mon tour en salle d'angiographie cérébrale et j'y serai, sommeil ou pas. »

Martin comprit son erreur. Denise, dans son travail, ne se conduirait jamais qu'en professionnelle. Il sourit et lui tapota la main, lui disant sa satisfaction de la voir dans de telles dispositions.

Quelque peu apaisée, elle dit : « Je cours prendre une douche et je reviens dans une demi-heure. »

Philips regarda Denise s'éloigner, puis il retourna à son négatoscope. Ce faisant, ses yeux balayèrent son bureau et il remarqua quelque chose de nouveau dans le désordre. Faisant le tour de la table, il découvrit deux dossiers médicaux et un mot de Randy. Le mot indiquait simplement que le reliquat des radios serait sorti le lendemain soir. Les dossiers concernaient Katherine Collins et Ellen McCarthy.

Philips les emporta et s'assit, face au négatoscope. Il consulta d'abord celui de Collins et il ne lui fallut que quelques minutes pour glaner les renseignements essentiels : Katherine Collins, vingt et un ans, sexe féminin, race blanche, symptômes neurologiques diffus, étudiés à fond en neurologie sans diagnostic confirmé. Parmi les différents diagnostics possibles, on avait envisagé la sclérose en plaques. Philips lut soigneusement le dossier dans son intégralité. Arrivé à la fin, il remarqua que les visites de Collins s'arrêtaient brutalement environ un mois plus tôt. Jusqu'à cette époque, on notait des observations de plus en plus fréquentes, et certaines des notes les plus récentes indiquaient que la patiente devait revenir pour être suivie. Apparemment, elle n'était jamais revenue.

Prenant l'autre dossier, considérablement plus mince, Philips étudia le cas d'Ellen McCarthy. Vingt et un ans, de sexe féminin et un dossier neurologique faisant état de deux crises. Sur le point d'être admise pour des examens plus approfondis, les notes la concernant s'arrêtaient brusquement. Cela se situait deux mois plus tôt. Philips découvrit même une note indiquant un rendez-vous donné à la malade la semaine suivante pour un nouvel E.E.G. sous narcose et jamais pratiqué. On n'avait rien fait et le dossier ne faisait mention d'aucun diagnostic différentiel.

Helen arriva et entra avec son habituelle brassée de problèmes, mais avant de prononcer un mot elle tendit à Martin une tasse de café frais et un beignet. Puis elle se mit au travail : un nouvel appel de Ferguson disant que la pièce devait être vidée de ses fournitures à midi, faute de quoi on jetterait celles-ci à la rue. Helen attendit la réponse.

Martin n'avait pas la moindre idée de ce qu'il convenait de faire de ses fournitures. Le service se trouvait déjà à l'étroit dans des locaux beaucoup trop petits. Simplement pour se débarrasser du problème, ne fut-ce que provisoirement, il dit à Helen qu'on apporte le tout dans son bureau et qu'on l'empile contre le mur. Il envisagerait une solution vers la fin de la semaine.

Satisfaite, elle enchaîna sur le problème des manipulateurs qui voulaient se marier. Philips lui répondit de laisser Robbins régler la question. Patiemment, Helen expliqua que c'était précisément Robbins qui lui avait présenté le problème afin que Philips y apporte une solution.

« Bon sang », dit Martin. Il n'y avait vraiment pas de solution : trop tard pour former de nouveaux manipulateurs avant leur départ. S'il les licenciait, ils trouveraient facilement un nouvel emploi tandis que Philips aurait beaucoup de mal à recruter des remplaçants. « Voyez combien de temps exactement ils ont l'intention de s'absenter », dit-il, essayant de réprimer son exaspération. Lui n'avait pas pris de vacances depuis deux ans.

Consultant la page suivante de son bloc, Helen dit à Philips que Cornelia Rogers, de la dactylographie, venait à nouveau de se faire porter malade, ce qui lui faisait neuf jours d'absence dans le mois. Depuis cinq mois qu'elle travaillait à la Radiologie, elle s'arrangeait pour être malade au moins cinq jours par mois. Helen demanda à Philips ce qu'il comptait faire.

Philips répondit qu'il fallait l'assommer, l'écarteler et disperser ses restes dans l'East River.

« Qu'en pensez-vous, demanda-t-il en se contrôlant.

— Je crois qu'il faudrait lui donner un avertissement.

— Bien. Occupez-vous-en. »

Restait à Helen un dernier point à préciser avant de passer la porte : Philips devait donner, à treize heures, un cours sur le scanographe au dernier groupe d'étudiants. Philips arrêta Helen alors qu'elle s'apprêtait à sortir. « Ecoutez, rendez-moi un service. On a hospitalisé une patiente du nom de Lynn Anne Lucas. Veillez à ce qu'on l'inscrive ce matin pour une scano et une polytomographie. En cas de difficulté, précisez simplement qu'il s'agit d'une demande personnelle de ma part. Et dites aux manipulateurs de me passer un coup de fil avant de commencer. »

Helen prit note du message et sortit. Martin retourna à ses deux dossiers. Pour lui, il était encourageant que les deux jeunes femmes présentent des symptômes neurologiques, et particulièrement qu'on ait envisagé une sclérose en plaques dans le cas de Katherine Collins. Dans le cas

140

d'Ellen McCarthy, Philips rechercha dans quelle mesure les crises apparaissaient comme des manifestations cliniques de sclérose en plaques. Dans moins de dix pour cent des cas, certes, mais cela arrivait. Mais pour quelles raisons n'avait-on soudain plus suivi les deux filles et perdu leur trace ? Martin ne pouvait s'empêcher de s'inquiéter : et si on avait transféré les deux malades dans un autre hôpital, voire même dans une autre ville ?

A cet instant, Helen l'appela à l'interphone : l'interne l'attendait en salle d'angiographie cérébrale. Philips mit son tablier de plomb, ramassa les dossiers Collins et McCarthy et sortit de son bureau. S'arrêtant au bureau d'Helen, il lui demanda de retrouver les deux malades et de les persuader de venir passer, à titre gratuit, quelques radios de diagnostic. Il souhaitait qu'Helen n'effraie pas les deux jeunes femmes, mais qu'elle s'assure néanmoins qu'elles comprenaient bien toute l'importance de la chose.

A l'étage au-dessous, il trouva Denise qui l'attendait. Douchée, changée, les cheveux lavés, sa transformation en trente minutes tenait du miracle. Elle ne présentait plus aucune trace de fatigue et ses yeux marron clair étincelaient au-dessus de son masque de chirurgie. Philips aurait bien aimé la toucher, mais il se contenta de laisser son regard s'attarder sur elle encore une seconde.

Connaissant la grande pratique de Denise en matière d'angiogrammes, il se contenta de lui servir d'assistant. Ils n'échangèrent pas un mot tandis qu'elle manipulait adroitement le cathéter, l'introduisant dans l'artère du patient. Philips observait avec attention, prêt à émettre ses suggestions en cas de besoin. Inutile. La veille, on avait déjà scanographié le patient, Harold Schiller. Comme prévu par Philips, Mannerheim avait ordonné une angiographie cérébrale, probablement en vue d'une opération, bien que de toute évidence le cas parût inopérable.

Une heure plus tard, on était encore loin d'en avoir terminé.

« Crois-moi, murmura Martin, tu t'en tires mieux que

moi et ça ne fait que quelques semaines que tu pratiques. »
Denise rougit, mais Martin savait que le compliment lui
faisait plaisir. La laissant terminer, il lui dit de l'appeler
quand elle serait prête pour le cas suivant. Il voulait finir
d'examiner les clichés du crâne sur son négatoscope, puis
commencer à passer les anciennes radios dans l'ordinateur
de Michaels. Il calcula que s'il parvenait à en passer une
centaine par jour, il pourrait épuiser la liste principale en
un mois et demi. Il pensa aussi à indiquer les variantes à
Michaels au fur et à mesure de leur apparition ; ainsi, avant
qu'il ait épuisé la liste, Michaels aurait le temps de
« désosser » le programme. Dans cette hypothèse, ils
auraient quelque chose à présenter, vers le mois de juillet,
au monde médical qui ne se doutait de rien.

Philips allait pénétrer dans son bureau, lorsque Helen
se précipita vers lui avec des nouvelles décevantes : impossible de scanographier ou de radiographier Lynn Anne
Lucas, transférée pendant la nuit au Centre médical de
New York ; en ce qui concernait Katherine Collins et Ellen
McCarthy, elle avait remonté leur piste jusqu'à l'université, où elles étaient étudiantes l'une et l'autre. Toutefois,
on ne pouvait joindre Collins, prétendument partie un mois
plus tôt et considérée comme disparue. Ellen McCarthy,
quant à elle, était décédée au cours d'un accident survenu
sur l'autoroute du West Side deux mois plus tôt.

« Seigneur ! dit Philips. Dites-moi que c'est une
blague.

— Désolée, dit Helen. Je n'ai pas pu faire mieux ! »

Philips secoua la tête, incrédule, persuadé qu'elle
aurait pu, pour le moins, mettre la main sur l'une des trois.

Il pénétra dans son bureau et fixa d'un air absent le
mur du fond. Sa forte personnalité ne l'avait guère
accoutumé à de tels revers.

Il frappa du poing, sa main ouverte, le coup se
répercutant en écho dans la pièce. Puis il se mit à arpenter
la salle, essayant de réfléchir. Collins : disparue. Si la
police n'arrivait pas à la retrouver, comment le pourrait-il,

lui ? En cas de mort violente, on l'aurait transportée dans un hôpital, mais lequel ? Et Lucas... du moins l'avait-on transportée au Centre médical de New York où se trouvait un de ses bons amis, et non à Bellevue où il aurait été contraint de renoncer.

Philips demanda à Helen d'essayer de découvrir pour quelle raison on avait transféré Lynn Anne ; puis il lui demanda de passer un coup de fil au docteur Donald Travis, au Centre médical de New York. Il lui demanda également de voir si la police savait où l'on avait emmené Ellen McCarthy après son accident.

L'esprit toujours ailleurs, Philips tenta de se concentrer sur les radios du crâne posées en face de lui. Toutes paraissaient normales quant à leur texture. Quand il se rendit dans le bureau d'Helen, elle n'avait guère de bonnes nouvelles à lui annoncer. Le docteur Travis, occupé, rappellerait. Impossible de retrouver Lucas, car l'infirmière de service était rentrée chez elle à sept heures et on ne pouvait la joindre. Seul renseignement positif, on avait ramené Ellen McCarthy au Centre médical après son accident.

Avant que Philips pût lui demander de suivre cette piste, un employé chargé de l'entretien apparut avec un énorme chariot plein de boîtes, de papiers et autres détritus. Sans un mot, il poussa le diable dans le bureau de Philips et commença à décharger le matériel.

« Qu'est-ce que c'est ? demanda Philips.

— Les fournitures du débarras. Vous avez dit de les déposer là, expliqua Helen.

— Merde », dit Philips tandis que l'employé empilait les fournitures le long du mur. Philips fut saisi du sentiment désagréable que les événements lui échappaient.

Assis au milieu de tout ce chaos, Philips appela les Admissions au téléphone. Il sentit son humeur se détériorer davantage encore en entendant le téléphone sonner interminablement au bout de la ligne.

« Tu as un instant ? », demanda William Michaels.

143

Penché par la porte ouverte de Philips, il arborait un sourire joyeux, offrant un contraste saisissant avec l'air maussade de Philips. Puis, ses yeux firent le tour de la pièce, exprimant une totale incrédulité.

« Ne dis rien, dit Philips qui s'attendait à quelque commentaire ironique.

— Mon Dieu, dit Michaels. Quand tu travailles, tu ne mégotes pas. »

A cet instant, quelqu'un, aux Admissions, répondit enfin au téléphone, mais il s'agissait d'une réceptionniste remplaçante qui passa Martin à quelqu'un d'autre. Ce quelqu'un ne s'occupait que des admissions, pas des sorties ni des transferts, aussi passa-t-on Philips à une troisième personne. Enfin, il apprit que l'employée à laquelle il convenait de s'adresser faisait sa pause-café. Il raccrocha, furieux : « Pourquoi ne me suis-je pas fait plombier ? » maugréa-t-il.

Michaels se mit à rire, puis demanda à Philips comment il s'en tirait avec leur projet. Philips répondit qu'il avait fait sortir la plupart des radios, montrant la pile de la main. Il pensait, dit-il à Michaels, pouvoir les passer toutes en un mois et demi.

« Parfait, dit Michaels. Le plus tôt sera le mieux car la nouvelle mémoire et le système d'association sur lequel nous avons travaillé se révèlent encore supérieurs à ce qu'on avait rêvé. Le temps que tu termines le dépouillement, nous disposerons d'un nouvel ordinateur central pour le traitement du programme. Tu n'as pas idée de ce que ça va donner.

— Bien au contraire, dit Philips en se levant de son bureau. J'en ai une bonne petite idée. Laisse-moi te montrer ce que le programme a découvert. »

Martin débarrassa un négatoscope et y accrocha les clichés de Marino, Lucas, Collins et McCarthy. A l'aide de son index, puis de la feuille de papier percée d'un trou, Philips essaya de montrer les densités anormales sur chacun des clichés.

« Pour moi, ils se ressemblent tous, reconnut Michaels.

— C'est toute la question, dit Philips. Ça montre la perfection du système. »

Le simple fait de bavarder avec Michaels raviva l'enthousiasme de Martin.

Juste à cet instant, le téléphone sonna et Philips décrocha. C'était le docteur Donald Travis, du Centre médical de New York. Martin lui exposa son problème concernant Lynn Anne Lucas, mais tut délibérément l'anomalie radiologique. Puis il demanda à Travis s'il voulait bien faire passer une scanographie et quelques radios à la patiente. Travis acquiesça et raccrocha. Aussitôt le téléphone se mit à sonner et Helen lui dit que Denise se trouvait prête pour l'angiogramme suivant.

« Il fallait que je te quitte de toute façon, dit Michaels. Bonne chance avec les clichés. Et souviens-toi, c'est à toi de jouer maintenant. »

Philips décrocha son tablier de plomb et suivit Michaels qui sortait de son bureau.

8

Kristin Lindquist était assise juste au-dessous d'un tube au néon qui fonctionnait mal et clignotait sans arrêt, émettant un bourdonnement constant. Elle tenta, non sans mal, de ne pas y prêter attention. Elle ne se sentait pas très bien depuis qu'elle s'était levée ce matin avec un léger mal de tête, et la lumière tremblante accroissait son malaise, une douleur sourde et permanente. Kristin remarqua que son mal de tête n'empirait pas avec l'effort physique, contrairement à l'habitude.

Elle regarda l'homme nu qui posait sur l'estrade, puis examina son travail. Son dessin paraissait plat, sans relief, dépourvu de sensibilité. En temps normal, elle aimait bien les cours de dessin. Mais ce matin, elle n'y trouvait aucun plaisir et son travail s'en ressentait.

Si seulement la lumière s'arrêtait de trembloter ! Ça la rendait folle. De sa main gauche, elle se protégea les yeux. Un léger mieux. Prenant un morceau de fusain neuf, elle entreprit de dessiner un socle destiné à recevoir son modèle. Elle commença par une ligne perpendiculaire, descendant jusqu'au bas de la feuille. Lorsqu'elle leva la main, elle constata avec surprise qu'aucune trace n'apparaissait. En examinant l'extrémité du fusain, elle vit qu'elle était tout aplatie à l'endroit du frottement contre le papier. Peut-être la mine était-elle défectueuse ? Kristin tourna légèrement la tête pour griffonner dans l'angle du papier ; elle remarqua alors que la ligne perpendiculaire qu'elle venait juste de dessiner apparaissait maintenant dans son champ de vision latéral. Elle regarda de nouveau, et la ligne disparut. Un léger mouvement de la tête la fit reparaître. Kristin répéta le manège plusieurs fois pour s'assurer qu'il ne s'agissait pas d'une hallucination. Son œil ne pouvait percevoir la ligne perpendiculaire lorsqu'il se trouvait dans l'alignement de son regard. Lorsqu'elle bougeait la tête à droite ou à gauche, la ligne apparaissait. Bizarre !

Kristin avait entendu parler de migraines sérieuses et, bien qu'elle n'en eût jamais souffert, elle devina que c'était ce qui lui arrivait. Elle reposa le fusain, ramassa son matériel, le rangea dans son armoire et expliqua au professeur qu'elle ne se sentait pas bien. Puis elle regagna son appartement.

En traversant le campus, elle ressentit la même sensation de vertige qu'en se rendant au cours. Il lui sembla que le monde entier basculait brutalement d'une fraction de degré, donnant l'impression à Kristin que son pas la déséquilibrait légèrement, le tout accompagné d'une odeur désagréable bien que vaguement familière et d'un léger bourdonnement d'oreilles.

Situé à un pâté de maisons du campus, l'appartement de Kristin, qu'elle partageait avec une camarade, Carol Danforth, se trouvait au deuxième sans ascenseur. En montant l'escalier, Kristin avait les jambes lourdes, et elle se demanda si elle ne couvait pas une grippe.

Elle trouva l'appartement désert. Sans doute Carol assistait-elle à un cours. Ce n'était pas plus mal en un sens, car Kristin avait besoin de se reposer, mais elle aurait apprécié la présence de Carol. Elle avala deux aspirines, se dévêtit, grimpa dans son lit et se mit une compresse froide sur le front. Presque immédiatement, elle se sentit mieux. Le changement se révéla si subit qu'elle demeura étendue, là, craignant que les étranges symptômes se reproduisent si elle bougeait.

Lorsque le téléphone sonna, à la tête de son lit, elle en

fut heureuse car elle avait envie de parler à quelqu'un. Mais il ne s'agissait pas de l'une de ses amies. Le service de Gynécologie appelait pour lui signaler qu'elle présentait un test de Pap anormal.

Kristin écouta, tentant de rester calme. On lui conseilla de ne pas se faire de souci, car un test de Pap anormal n'avait rien de particulièrement rare, surtout s'il était associé à une légère ulcération du col de l'utérus. Mais pour plus de sûreté, ils souhaitaient qu'elle revienne cet après-midi dans le service pour procéder à un autre test.

Kristin essaya de protester, arguant de sa migraine, mais on lui rappela avec insistance que le plus tôt serait le mieux. Le service avait un creux cet après-midi, et Kristin ne ferait qu'entrer et sortir.

A regret, Kristin accepta. Quelque chose ne tournait peut-être pas rond chez elle et, dans ce cas, elle devait faire face à la réalité. Mais elle craignait de s'y rendre seule. Elle essaya d'appeler son ami, Thomas ; il était absent. Kristin considérait cette idée comme tout à fait irrationnelle, mais elle ne pouvait s'empêcher de penser qu'il planait quelque chose de maléfique sur le Centre médical.

Martin respira profondément avant de pénétrer dans le service de Pathologie. A l'époque de ses études, ce service avait été sa *bête noire,* et sa première autopsie un supplice auquel il n'avait pas été préparé. Il avait supposé que cela allait se passer comme à un cours d'anatomie de première année, où le cadavre ressemblait autant à un être humain qu'à une statue de bois. Certes, l'odeur était désagréable mais au moins était-ce une odeur chimique. En outre, le laboratoire d'anatomie se caractérisait par ses farces et ses blagues, qui soulageaient toute tension. Rien de tel en pathologie. On avait pratiqué l'autopsie d'un garçon de dix ans, mort de leucémie. Le corps, pâle mais souple, paraissait trop vivant. Le cadavre, ouvert sans ménagement, avait été vidé comme un poisson. Martin, les jambes en coton, avait senti son déjeuner lui remonter dans la gorge, et il lui avait fallu détourner les yeux pour ne pas vomir. Le professeur avait poursuivi son commentaire d'une voix monotone ; Philips était resté là sans rien entendre, souffrant en silence, la cœur brisé par la vision du garçonnet sans vie.

Philips poussa la porte du service de Pathologie. Le milieu ne présentait plus rien de commun avec celui de l'époque de ses études. Transféré dans le bâtiment de la nouvelle Ecole de Médecine, le service se trouvait installé dans un environnement ultra-moderne. Au lieu de ces espaces étriqués et sombres, au plafond haut et au sol de marbre où chaque pas résonnait d'une manière irréelle, le nouveau service de Pathologie apparaissait ouvert et clair Parmi les matériaux dominaient le Formica blanc et l'acier inox. Les petites salles individuelles avaient cédé la place à des aires délimitées par des cloisons s'arrêtant à hauteur d'épaule. On avait tapissé les murs de copies de toiles impressionnistes, notamment des Monet.

La réceptionniste conduisit Martin à l'amphi d'autopsie où le docteur Jeffrey Reynolds assistait les internes Martin avait espéré saisir Reynolds dans son bureau, mais la réceptionniste avait insisté pour que Philips se rende dans l'amphi, le docteur Reynolds se souciant peu d'être interrompu. Ce n'était pas de Reynolds que se souciait Philips, mais de lui-même. Il suivit néanmoins la direction indiquée par l'index de la réceptionniste.

Il aurait dû se méfier. En face de lui, sur la table d'acier inox, semblable à un quartier de bœuf, se trouvait un cadavre. On venait juste de commencer l'autopsie par une incision en Y qui barrait la poitrine et descendait jusqu'au pubis. La peau et les tissus sous-jacents rabattus, on pouvait voir la cage thoracique et les organes abdominaux. Au moment où Philips entra, l'un des internes taillait bruyamment dans les côtes.

Reynolds aperçut Philips et vint à sa rencontre, tenant dans sa main un gros scalpel d'autopsie semblable à un couteau de boucher. Martin regarda la salle alentour pour

150

éviter le spectacle de ce qui se déroulait en face de lui. On aurait dit une salle d'opération, neuve, moderne et entièrement carrelée pour permettre un nettoyage facile. On y trouvait cinq tables d'acier inoxydable et, sur le mur du fond, une série de portes carrées de réfrigérateurs.

« Salut, Martin, dit Reynolds en s'essuyant les mains à son tablier. Je suis désolé pour l'histoire Marino. J'aurais bien voulu te rendre service.

— Je comprends. Merci d'avoir essayé. Etant donné qu'on n'allait pas autopsier, j'ai essayé de faire une scanographie du corps et, surprise, sais-tu ce que j'ai découvert ? »

Reynolds secoua la tête.

« Plus de cerveau, dit Philips. Quelqu'un a retiré le cerveau et recousu le crâne, si bien qu'on n'y voyait que du feu.

— Non !

— Ouais, dit Philips.

— Seigneur ! Tu imagines le scandale si la presse était au courant ? Sans parler de la famille ! Elle avait bien insisté : pas d'autopsie.

— C'est de cela que je voulais te parler », dit Philips. Un silence.

« Attends un peu, dit Reynolds. Tu ne crois pas que la Pathologie est dans le coup ?

— Je n'en sais rien », reconnut Philips.

Le visage de Reynolds vira au rouge, les veines saillant sur son front.

« Eh bien, je peux t'affirmer que le corps n'est jamais arrivé ici. Il est allé directement à la morgue.

— Et la Neurochirurgie ? demanda Philips.

— Ecoute, les gars de Mannerheim sont dingues, mais pas à ce point ! »

Martin haussa les épaules, puis il dit à Reynolds que la véritable raison de sa visite était qu'il voulait se renseigner sur une malade du nom d'Ellen McCarthy, arrivée morte

151

aux Urgences environ deux mois plus tôt. Philips voulait savoir si on l'avait autopsiée.

Reynolds retira vivement ses gants et sortit de la salle d'autopsie. Utilisant le terminal du service de Pathologie, relié à l'ordinateur central, il tapa le nom et le numéro d'Ellen McCarthy. Son nom apparut immédiatement sur l'écran, suivi par la date et le numéro de l'autopsie ainsi que la cause du décès : traumatisme crânien ayant entraîné une forte hémorragie interne et une lésion du cervelet. Reynolds mit rapidement la main sur une copie du rapport d'autopsie qu'il tendit à Philips.

« Vous avez fait le cerveau ?

— Bien sûr qu'on a fait le cerveau ! », dit Reynolds. Il reprit le rapport. « Tu crois qu'on n'aurait pas fait le cerveau dans un cas de traumatisme crânien ? » Il parcourut rapidement le rapport des yeux.

Philipps l'observait. Reynolds avait pris près de 25 kilos depuis l'époque où ils faisaient équipe au labo de l'Ecole de Médecine, et son col disparaissait dans les replis de sa nuque. Sous la peau des joues bien pleines, apparaissait un fin réseau de minuscules vaisseaux.

« Il est possible qu'elle ait fait une attaque avant l'accident de voiture, dit Reynolds, continuant de lire.

— Comment peut-on le déterminer ?

— La langue portait des traces de morsures multiples. Aucune certitude, simple présomption... »

Philips fut impressionné. Il savait que seuls des ténors de la Pathologie arrivaient à découvrir des détails aussi infimes.

« Voilà la partie cerveau, dit Reynolds. Hémorragie massive. Il y a quand même quelque chose d'intéressant. Une partie du cortex du lobe temporal faisait apparaître une nécrose de cellules nerveuses isolées. Très peu de réaction gliale. Pas de diagnostic.

— Et la zone occipitale ? demanda Philips. J'y ai découvert des anomalies radiologiques.

— On a effectué un prélèvement. Normal.

152

— Un seul prélèvement ! Bon Dieu, j'en aurais espéré davantage.

— Il se peut que tu aies de la veine. Il est précisé qu'on a conservé le cerveau. Une minute. »

Reynolds se rendit à un fichier et en sortit le tiroir des « M ». Philips se sentait un peu plus réconforté.

« Eh bien, le cerveau a été effectivement conservé, mais on ne l'a pas ici. La Neurochirurgie a voulu le récupérer et je pense qu'il se trouve dans leur labo. »

Philips s'arrêta un instant pour regarder Denise exécuter avec dextérité un angiogramme impeccable de vaisseau unique, puis il poursuivit sa route jusqu'en Chirurgie. Louvoyant parmi les patients qui déambulaient dans l'antichambre, il se rendit au bureau des salles d'opération.

« Je cherche Mannerheim, dit Philips à l'infirmière blonde. Vous avez une idée de l'heure à laquelle il sortira de là ?

— On le sait avec précision.

— Et ce sera à quelle heure ?

— Il y a vingt minutes. » Rires des deux autres infirmières. A voir leur bonne humeur, tout se passait bien en salle d'op. « Ses internes sont en train de boucler. Mannerheim se trouve en salle de repos. »

Philips trouva Mannerheim entouré par sa cour, flanqué des deux médecins japonais en visite qui souriaient et s'inclinaient à intervalles réguliers. Cinq autres chirurgiens composaient le groupe, chacun buvant du café. Mannerheim tenait sa cigarette et sa tasse de café dans la même main. Il ne fumait plus depuis un an, ce qui signifiait qu'il n'achetait plus de cigarettes, mais qu'il tapait tout le monde.

« Et vous savez ce que j'ai dit à ce petit con d'avocat ? » demanda Mannerheim avec de grands gestes dramatiques de sa main libre. « Bien sûr que je me prends pour Dieu le Père. A qui croyez-vous que mes patients veulent avoir affaire pour leur tripoter le cerveau, à un éboueur ? »

Le groupe tout entier rugit son approbation, puis commença à se disperser. Martin s'approcha de Mannerheim et dut baisser la tête pour le regarder.

« Tiens, tiens, notre obligeant radiologue.

— On essaie de se rendre agréable, dit Martin sur le ton de la plaisanterie.

— Eh bien je peux vous dire que je n'ai pas du tout apprécié votre petite blague au téléphone, hier.

— Je n'avais nullement l'intention de plaisanter, dit Philips. Je regrette que mes propos aient pu paraître déplacés. J'ignorais que Marino était décédée et j'avais remarqué de très légères anomalies sur son cliché.

— Vous êtes censé examiner les radios avant la mort des patients, dit Mannerheim d'un ton hargneux.

— Ecoutez, ce qui m'intéresse c'est de discuter de l'ablation du cerveau sur le cadavre de Marino. »

Les yeux de Mannerheim lui sortirent de la tête et son visage devint écarlate. Saisissant Philips par le bras, il l'entraîna à l'écart des deux médecins japonais.

« Je vais vous dire une bonne chose, grogna-t-il. Il se trouve que je sais que vous avez emporté et radiographié le corps de Marino la nuit dernière, sans autorisation. Et je puis vous dire encore ceci : je n'aime pas qu'on vienne foutre le bordel chez mes patients. Surtout quand il y a des complications.

— Ecoutez, dit Martin en secouant son bras pour se libérer de l'étreinte de Mannerheim, tout ce qui m'intéresse ce sont de curieuses anomalies radiographiques qui risquent de déboucher sur une importante découverte. Je ne m'intéresse pas à vos complications.

— Ça vaut mieux pour vous. Si on s'est livré à quelque chose d'irrégulier sur le corps de Marino, c'est pour vos pieds. A ma connaissance, vous êtes le seul à avoir sorti le corps de la morgue. Rappelez-vous bien ça. » Mannerheim brandissait un doigt menaçant sous le nez de Philips.

Un brusque sentiment de vulnérabilité professionnelle fit hésiter Martin. Bien que Philips répugnât à le reconnaî-

154

tre, Mannerheim le tenait. Si l'on apprenait l'ablation du cerveau de Marino, c'est à lui qu'il appartiendrait de prouver qu'il n'y était pour rien. Il n'avait que Denise pour témoin, Denise avec laquelle il entretenait une liaison.

« C'est bon, oublions Marino, dit-il. J'ai découvert une autre malade présentant la même image radio. Une certaine Ellen McCarthy. Malheureusement, elle a été tuée dans un accident d'auto. Toutefois, on l'a amenée ici au Centre médical où on a conservé son cerveau qui a été remis ensuite à la Neurochirurgie. J'aimerais jeter un coup d'œil sur ce cerveau.

— Et moi j'aimerais que vous ne vous foutiez pas dans mes pattes. Je suis un homme occupé. Je m'occupe de vrais malades, je ne reste pas le cul posé sur une chaise à regarder des photos toute la journée. »

Mannerheim tourna les talons et s'apprêta à se retirer. Philips sentit la colère monter en lui. Il avait envie de lui crier : « Espèce de sale provincial arrogant. » Mais il se retint. C'était là ce qu'attendait Mannerheim, peut-être même ce qu'il souhaitait. Martin jugea préférable d'attaquer le chirurgien à son talon d'Achille. D'une voix calme et compatissante, Martin dit : « Docteur Mannerheim, vous devriez voir un psychiatre. »

Mannerheim se retourna brusquement, prêt au combat, mais Philips avait déjà passé la porte. Pour Mannerheim, la psychiatrie représentait l'antithèse absolue de tous ses principes. A ses yeux, la psychiatrie n'était qu'un galimatias sophistiqué, et lui dire qu'il avait besoin d'un psychiatre constituait la pire injure qu'il puisse supporter. Dans un accès de colère aveugle, il pénétra dans les vestiaires, bousculant les portes au passage, arracha ses bottes d'opération tachées de sang et les jeta à l'autre bout de la pièce où elles heurtèrent un casier et glissèrent sous les lavabos. Ensuite, il empoigna le téléphone mural et passa deux coups de fil rageurs. Il appela d'abord le directeur de l'hôpital, Stanley Drake, puis le chef du service de Radiologie, le docteur Harold Goldblatt, précisant à chacun avec insistance qu'il exigeait qu'on fasse quelque chose en ce qui concernait Martin Philips. Les deux hommes écoutèrent en silence : Mannerheim était puissant dans la communauté hospitalière.

Philips n'était pas le genre d'homme à se mettre souvent en colère, mais le temps d'arriver à son bureau, il écumait.

Helen leva les yeux quand il apparut : « Souvenez-vous que vous avez un cours à faire aux étudiants dans un quart d'heure. »

Philips grommela dans sa barbe en passant près d'elle. A sa grande surprise, Denise, assise devant son négatoscope, étudiait les dossiers McCarthy et Collins. « Si on allait manger un morceau, mon petit vieux ? dit-elle en l'apercevant.

— Je n'ai pas le temps de déjeuner, répliqua sèchement Philips, en se laissant tomber sur une chaise.

— Tu es d'une humeur charmante. »

Les coudes sur le bureau, le visage dans les mains, il demeura un moment silencieux. Denise posa les dossiers et se leva.

« Excuse-moi, dit Martin à travers ses doigts. J'ai eu une matinée éprouvante. Cet hôpital arrive à dresser des barrières incroyables à n'importe quelle demande sensée. Je suis peut-être tombé sur une découverte radiologique importante, mais l'hôpital paraît déterminé à me décourager d'aller plus avant.

— Hegel a écrit "Rien de grand au monde n'a été accompli sans passion " » dit Denise avec un clin d'œil.

Enfin, Philips sortit le visage de ses mains et sourit.

« J'aurais pu faire montre d'un peu plus de passion la nuit dernière.

— Je te laisse la responsabilité de l'interprétation du mot dans ce contexte. Ce n'est pas tout à fait ce que voulait dire Hegel. Quoi qu'il en soit, je vais déjeuner. Tu es sûr de ne pas vouloir venir avec moi ?

— Pas question, j'ai un cours avec les étudiants. »

Denise se dirigea vers la porte. « Au fait, en parcourant ces dossiers Collins et McCarthy, j'ai remarqué que chacune présentait des tests de Pap atypiques.

— Je croyais que leurs examens gynécologiques étaient normaux, dit Philips.

— Tout, sauf les tests de Pap pratiqués sur les deux patientes. Atypiques pour les deux, c'est-à-dire pas franchement pathologiques, mais pas parfaitement normaux non plus.

— C'est insolite ?

— Non, mais on est censé suivre ça jusqu'à ce que le test tourne à la normale. Je n'ai pas vu de rapport de test normal. Bon, c'est probablement sans importance. Je pensais seulement qu'il fallait que je te le signale. Salut ! »

Philips lui adressa un signe de la main, essayant de se souvenir du dossier Marino. Il lui sembla se rappeler qu'on y mentionnait également le test de Pap. Passant la tête dans le couloir, Philips fit signe à Helen.

« Rappelez-moi de descendre en Gynéco, cet après-midi. »

A 13 h 05, armé d'un paquet de diapositives et d'un projecteur, Philips pénétra dans la salle de conférences Walowski. Jurant avec le reste du service de Radiologie, purement fonctionnel et entassé dans des locaux insuffisants, la salle de conférences apparaissait d'une somptuosité insolite, évoquant davantage Hollywood que la salle de conférences d'un centre hospitalier universitaire. Les sièges, recouverts de velours moelleux, étaient disposés en amphithéâtre, offrant à chacun une vue dégagée sur l'écran. Lorsque Philips entra, la salle était déjà pleine.

Il plaça le « Carrousel » sur le projecteur et monta sur l'estrade. Les étudiants s'installèrent rapidement, attentifs. Philips baissa la lumière et passa la première image.

Le cours parfaitement au point — Philips l'ayant dispensé de nombreuses fois — débutait par la conception du scanographe par Godfrey Hounsfield, en Angleterre, et

157

se poursuivait par un récit chronologique de son évolution. Philips mettait soigneusement l'accent sur le fait que, bien qu'on utilisât un tube à rayons X, l'image obtenue était en fait une reconstruction mathématique fournie par un ordinateur après analyse de l'information.

Martin parlait mais son esprit commença à divaguer, ce qui n'avait pas grande importance étant donné qu'il connaissait parfaitement son sujet. A son admiration pour les inventeurs du scanographe se mêlait un peu de jalousie. Puis il songea que si sa propre recherche faisait ses preuves, il se trouverait propulsé lui aussi sous les feux de la rampe. Peut-être même son œuvre produirait-elle un impact plus révolutionnaire encore dans le domaine du radiodiagnostic. Certainement, cela ferait de lui un candidat au prix Nobel.

Alors que Philips en était au milieu d'une phrase décrivant la capacité du scanographe à détecter les tumeurs, son bruiteur se fit entendre. Rallumant la salle, il s'excusa et courut au téléphone. Philips savait qu'Helen ne l'appellerait pas, sauf cas d'urgence. Mais la standardiste lui précisa que l'appel émanait de l'extérieur et, avant qu'il pût protester, on lui passa le docteur Donald Travis.

« Donald, dit Martin plaçant sa main en cornet autour du récepteur, je suis en plein cours. Tu peux me rappeler ?

— Bon Dieu, non ! hurla Travis. J'ai perdu une bonne partie de ma matinée à rechercher ton transfert mythique au milieu de la nuit.

— Tu ne peux pas trouver Lynn Anne Lucas ?

— Non, en fait nous n'avons pas eu un seul sacré transfert du C.H.U. au cours de la semaine écoulée.

— Bizarre. On m'a bien précisé le Centre médical de New York. Ecoute, je vais en parler aux Admissions, mais je t'en prie, vérifie encore, c'est important. »

Philips raccrocha, mais garda un instant sa main sur le récepteur. Traiter avec la bureaucratie se révélait presque aussi désagréable qu'une confrontation avec Mannerheim et ses semblables. Regagnant l'estrade, il essaya de retrouver le fil de son cours, mais il se sentait complètement décontenancé. Pour la première fois depuis qu'il enseignait, il prétexta une fausse urgence et remit le cours.

De retour à son bureau, Helen s'excusa de l'avoir dérangé, invoquant l'insistance du docteur Travis. Sans importance, lui dit Philips, et il la suivit dans son bureau tandis qu'elle entamait la litanie de ses messages. Le directeur de l'hôpital, Stanley Drake, avait appelé deux fois, dit-elle, et souhaitait qu'on le rappelle dès que possible. A signaler également un appel du docteur Robert McNeally, de Houston, demandant si Philips accepterait de présider la commission Neuroradiologie du Congrès annuel de Radiologie à la Nouvelle-Orléans. Il souhaitait une réponse dans la semaine. Elle commençait à passer au sujet suivant quand Philips leva soudain la main.

« Ça va comme ça, dit Philips.

— Mais, il y en a d'autres...

— Je sais qu'il y en a d'autres. Il y en a toujours d'autres.

— Vous allez appeler M. Drake ? demanda Helen, déconcertée.

— Non, c'est vous qui allez l'appeler et lui dire que je suis trop occupé pour l'appeler aujourd'hui et que je lui parlerai demain. »

Helen possédait assez de jugeotte pour savoir quand il convenait de laisser son patron tranquille.

Du seuil de son bureau, Philips promena son regard sur la pièce. On avait retiré tout le fouillis des piles de radios du crâne et mis à la place les angiogrammes de la matinée. Au moins son chef-manipulateur, Kenneth Robbins, gardait-il le contrôle des événements.

Il s'assit, prit le micro et commença à dicter. Arrivé au dernier angiogramme, il sentit que quelqu'un était entré dans son bureau et se tenait derrière lui. Attendant Denise, Philips fut surpris de trouver en face de lui le visage souriant de Stanley Drake, le directeur de l'hôpital.

Pour Philips, Drake avait tout du politicien mielleux et stylé. Toujours très chic dans son costume trois-pièces bleu

159

marine à fines rayures barré par une chaîne de montre en or, il portait ses cravates de soie avec une barrette de col, de telle sorte qu'elles jaillissaient à l'horizontale de sa chemise blanche amidonnée. C'était la seule personne, à la connaissance de Philips, à porter encore de gros boutons de manchettes à la française. Il s'arrangeait toujours pour avoir l'air bronzé, même par un mois d'avril pluvieux à New York.

Philips retourna à son angiogramme et continua de dicter : « En conclusion, le patient présente une vaste malformation artério-veineuse de la base ganglionnaire gauche, alimentée par les artères coroïdes médio-cérébrale gauche et postéro-cérébrale gauche. Point. Fin de l'enregistrement. Merci. »

Reposant le micro, Martin se retourna pour faire face au directeur. Il se sentait irrité par l'absence totale d'intimité de cet hôpital, qui permettait à Drake de trouver tout à fait naturelle son intrusion dans le bureau de Martin.

« Docteur Philips, très heureux de vous voir, dit Drake en souriant. Comment va votre femme ? »

Philips le regarda un instant, se demandant s'il devait en rire ou se fâcher. Finalement, il opta pour l'intermédiaire et dit d'un ton égal : « Voilà quatre ans que je suis divorcé. »

Drake déglutit, son sourire s'estompant un instant. Il changea de sujet, et expliqua combien le conseil d'administration était satisfait du bon fonctionnement du service de Neuroradiologie depuis la nomination de Philips. Une pause. Philips se contenta d'attendre. Il connaissait la raison de la présence de Drake et il n'entendait pas lui faciliter la tâche.

« Eh bien, dit l'administrateur en adoptant un ton plus sérieux, sa petite bouche pincée. Je suis ici pour parler de cette malheureuse affaire Marino.

— De quoi s'agit-il ? demanda Philips.

— Du fait qu'on a irrévérencieusement manipulé et

passé à la radio le cadavre de cette pauvre fille sans autorisation d'autopsie.

— Et qu'on a procédé à l'ablation du cerveau, dit Philips. Il existe une différence entre pratiquer une radio et procéder à l'ablation du cerveau.

— Certes, certes. En fait, votre éventuelle participation à cette ablation ne constitue pas l'aspect le plus important de la question. L'essentiel...

— Un instant ! » Philips bondit dans son siège. « J'entends que ceci soit bien clair. J'ai radiographié le corps, c'est exact. Je n'ai pas procédé à l'ablation du cerveau.

— Docteur Philips, peu m'importe qui a procédé à l'ablation du cerveau. Ce qui m'intéresse c'est *qu'on ait* pratiqué une telle ablation. A cet égard, je suis responsable de la protection de l'hôpital et de son personnel en ce qui concerne toute publicité fâcheuse et les problèmes financiers.

— Et bien, moi, ça m'intéresse de savoir qui a procédé à l'ablation du cerveau, et tout particulièrement si l'on pense que ce peut être moi.

— Docteur Philips, vous n'avez aucune crainte à avoir. L'hôpital a déjà pris contact avec l'entreprise de pompes funèbres. La famille ne saura rien de cette malheureuse affaire. Mais je me dois de vous rappeler la précarité de votre position dans cette histoire. C'est aussi simple que cela.

— Est-ce Mannerheim qui vous a chargé de l'enquête ? demanda Philips qui commençait à perdre son sang-froid.

— Docteur Philips, je vous prie de comprendre ma position, dit Drake. Je suis avec vous. J'essaie d'étouffer un tout petit feu avant qu'il ne dégénère en incendie et cause des dégâts. Pour le bien de chacun. Je vous demande seulement de vous montrer raisonnable.

— Je vous remercie, dit Philips. Merci de votre visite. Je vous suis reconnaissant de vos conseils, et je vais

d'ailleurs leur accorder toute l'attention souhaitable. »
Philips poussa Drake hors de son bureau et ferma la porte.

En repassant la conversation dans son esprit, il eut du
mal à croire à sa réalité. A travers la porte, il entendit
Drake parler à Helen ; il n'avait donc pas rêvé. Mais,
surtout, cela le renforça dans sa détermination de se libérer
des intrigues du service. Plus que jamais, il sut que sa
recherche devait se traduire par un succès.

Avec un regain d'énergie, Philips ramassa la liste
principale des radios crâniennes prises au cours des dix
dernières années. En comparant les numéros d'ordre à
ceux de la pile des clichés, il détermina rapidement l'ordre
dans lequel on les avait classés. Il prit la dernière enveloppe, raya le nom de la liste, puis sortit les radios. Il prit
deux clichés crâniens latéraux comparables, replaçant les
autres dans l'enveloppe. Après avoir fourni les renseignements à l'ordinateur, il glissa l'un des clichés dans le
scanner à laser et plaça l'autre sur le négatoscope. Il plaça
le vieux compte rendu de radiologie près de la console de
l'imprimante.

Comme la plupart des gens très occupés, Martin
prenait beaucoup de notes. Il avait noté les noms de
Marino, Lucas, Collins et McCarthy quand le téléphone
sonna. Denise, au bout du fil, l'avisa que le premier
angiogramme de l'après-midi était prêt. Philips réfléchit un
instant, puis répondit qu'il ne jugeait pas sa présence
indispensable et suggéra à Denise de faire l'étude d'angiographie tant qu'il n'y avait pas de problème. Comme il s'y
attendait, elle fut ravie de cette preuve de confiance.

Revenant à sa liste, Philips raya Collins. A côté de
Marino, il écrivit : « morgue, voir Werner », convaincu
que le gardien de la morgue savait ce qu'il était arrivé au
corps de Marino. A côté de McCarthy, Philips écrivit :
« labo de neurochirurgie. » Restait Lucas. Il était persuadé, d'après sa conversation avec Travis, qu'elle ne se
trouvait pas au Centre médical de New York, à moins d'y
avoir été admise sous un autre nom, ce qui n'avait pas

beaucoup de sens; aussi écrivit-il : « infirmière de nuit Neuro 14 Ouest » à la suite du nom de Lucas.

Puis il décrocha le téléphone et appela les Admissions. Il lui fallut laisser sonner indéfiniment pour que quelqu'un réponde. A nouveau, on ne pouvait joindre la personne à laquelle il devait s'adresser. Philips laissa son nom et demanda qu'on le rappelle.

Entre-temps, l'ordinateur avait terminé. Philips, tout excité, prit connaissance du rapport, se livrant à une comparaison avec le rapport précédent, puis le vérifiant sur le cliché lui-même. Non seulement l'ordinateur avait découvert tout ce qu'on trouvait dans le rapport, mais encore avait-il trouvé un léger épaississement de la paroi osseuse et une opacité du sinus frontal dont le premier rapport ne faisait pas état. En regardant le cliché, Philips dut convenir que l'ordinateur avait raison. Fabuleux.

Il répétait la procédure avec le cliché suivant, lorsqu'Helen passa la tête à la porte, l'avisant d'un ton d'excuse que le « grand patron » voulait le voir dès que possible.

Le bureau du docteur Harold Goldblatt se trouvait tout au bout du service, dans une aile du bâtiment qui saillait au-dessus de la cour centrale comme une petite tumeur rectangulaire. A la moquette sur le sol et aux murs qui se changeaient en lambris d'acajou, chacun savait qu'il pénétrait dans le domaine du « grand patron ». Cela rappelait à Philips une de ces boîtes de contentieux, en ville, dont la raison sociale comportait autant de noms que l'annuaire du téléphone.

Il frappa à la lourde porte de bois. Goldblatt était assis derrière son bureau d'acajou massif. La pièce possédait des fenêtres sur trois expositions, et le bureau faisait face à la porte. Il y avait là plus qu'une similitude fortuite avec le Bureau Ovale[1].

1. Bureau du président des Etats-Unis, à la Maison Blanche. (N.D.T)

Goldblatt adorait les atours du pouvoir et, après toute une vie de manœuvres florentines, il était devenu une figure internationale dans le monde de la radiologie. Jadis excellent radiologue, c'était maintenant une institution et ses connaissances professionnelles, désormais dépassées, se trouvaient, en conséquence, limitées. Bien que Martin, en privé, fût assez sarcastique quant à la possibilité pour Goldblatt d'assimiler des découvertes telles que le C.A.T. scan, il n'en admirait pas moins l'homme. Il avait contribué de façon déterminante au prestige acquis par la radiologie.

Goldblatt se leva pour serrer la main de Philips et lui fit signe de prendre un siège en face du bureau. Agé de soixante-quatre ans, encore vigoureux, il était toujours vêtu de la même manière que lors de sa sortie de Harvard en 1939 : costume trois-pièces fatigué avec des pantalons à revers, faisant des poches au genou et s'arrêtant à trois centimètres au-dessus des chevilles ; nœud papillon mince noué à la main et, partant, penché et asymétrique. Ses cheveux presque blancs étaient taillés en une sorte de brosse améliorée, s'autorisant une légère longueur au-dessus des oreilles. Il scruta Martin par-dessus ses petites lunettes cerclées d'acier à la Benjamin Franklin.

« Docteur Philips, commença Goldblatt en s'asseyant, les coudes sur le bureau, les mains jointes, les doigts fermement croisés. Trimballer des cadavres à peine froids, de la morgue dans un service en plein milieu de la nuit, n'est pas exactement l'idée que je me fais d'une activité professionnelle normale. »

Philips convint que cela semblait absurde et pour s'en expliquer, sinon pour s'en excuser, il parla d'abord à Goldblatt du programme d'interprétation des radios que Michaels et lui avaient mis au point, puis des densités anormales que le programme avait détectées sur la radio de Lisa Marino. Il expliqua à Goldblatt qu'il lui fallait davantage de clichés pour déterminer la nature de l'anomalie. Il ajouta qu'il lui paraissait impératif de suivre la

164

découverte, susceptible d'être utilisée pour lancer la conception d'un analyseur de radiographies par ordinateur.

Philips en ayant terminé, Goldblatt sourit d'un air bienveillant et hocha la tête.

« A vous écouter, Martin, je me demande si vous savez exactement ce que vous faites.

— Je crois le savoir. » La réflexion de Goldblatt surprit Martin, et il était difficile de ne pas en prendre ombrage.

« Je ne parle pas de l'aspect technique de votre tentative. J'entends les implications sur votre travail. Franchement, je ne crois pas que le service puisse accorder son soutien à un projet dont le but est d'éloigner le patient du médecin davantage encore que maintenant. Vous proposez un système où la machine remplacerait le radiologue. »

Martin fut surpris : il ne s'attendait pas à se faire taxer d'hérésie par Goldblatt.

« Vous avez devant vous un avenir prometteur, poursuivit Goldblatt, et j'aimerais vous aider à le conserver. Il est aussi de mon devoir de veiller à l'intégrité de ce service dans le cadre du Centre médical. A mon avis, vous devriez orienter votre goût pour la recherche vers des buts plus acceptables. En tout état de cause, il ne vous est pas permis de radiographier d'autres cadavres sans autorisation. Cela va sans dire. »

Philips comprit soudain. Mannerheim devait avoir pris contact avec Goldblatt. Il n'y avait pas d'autre explication. Mannerheim se conduisait comme une *prima donna* qui n'aime pas qu'on lui vole le premier rôle. Pourquoi donc agissait-il maintenant main dans la main avec Goldblatt et probablement Drake ? Cela n'avait pas de sens.

« Un dernier mot, dit Goldblatt, formant un clocher de ses doigts. On a porté à ma connaissance que vous entreteniez une sorte de liaison avec l'une de nos résidentes. Je ne pense pas que le service puisse fermer les yeux sur ce genre de fraternisation. »

165

Philips se leva d'un bond, les yeux plissés, les muscles du visage tendus. « A moins que mes qualités professionnelles ne soient mises en cause, dit-il lentement, ma vie personnelle ne regarde personne dans le service. »

Il tourna les talons et sortit du bureau. Goldblatt le rappela, murmurant quelque chose à propos de l'image de marque du service, mais Philips ne s'arrêta pas.

Il passa devant Helen sans un regard, bien qu'elle se tînt debout, son bloc à la main. Il claqua la porte, s'assit en face du négatoscope et décrocha son micro. Mieux valait se mettre au travail et laisser s'écouler quelque temps avant d'affronter ses sentiments. Le téléphone sonna, mais il l'ignora. Helen répondit et appela Philips. Celui-ci se rendit à la porte et demanda à Helen, par gestes, qui appelait. Le docteur Travis, dit-elle.

Travis dit à Martin qu'il n'existait décidément pas de Lynn Anne Lucas au Centre médical de New York. Il avait fouillé l'hôpital, tentant de découvrir toutes les possibilités qui auraient pu conduire à ne pas laisser trace du transfert. Puis il demanda à Philips ce qu'il avait appris, lui, du service des Admissions.

« Pas grand-chose », répondit Philips sans grande conviction, gêné d'avouer qu'il n'avait pas vérifié après avoir contraint Travis à tant d'efforts. A peine eut-il raccroché qu'il appela les Admissions. Son insistance se révéla payante et il put enfin parler à l'employée chargée des sorties et des transferts. Il lui demanda comment un patient pouvait quitter l'hôpital en pleine nuit.

« Les patients ne sont pas des prisonniers, répondit le bureau des Admissions. La patiente a-t-elle été admise par les Urgences ?

— Oui, répondit Philips.

— Eh bien, c'est tout à fait courant, dit l'employée. Il arrive souvent qu'on transfère les malades admis en urgence, une fois leur état stabilisé, lorsque le médecin traitant personnel ne bénéficie pas, ici, de chambres pour sa clientèle privée. »

Philips grogna qu'il comprenait, puis demanda des détails concernant Lynn Anne Lucas. Du fait que le programme de l'ordinateur utilisé par les Admissions exigeait le numéro ou la date de naissance de la patiente, l'employée lui dit qu'il lui faudrait obtenir le numéro des Urgences avant de pouvoir accéder à un quelconque renseignement. Elle rappellerait dès que possible.

Martin essaya de se remettre à sa dictée, mais il avait du mal à se concentrer. Juste sous son nez se trouvaient les dossiers médicaux de Collins et McCarthy. Il se souvint de la réflexion de Denise à propos des tests de Pap. Ce qu'il savait de la gynécologie en général et des tests de Pap en particulier était négligeable. Enfilant sa longue blouse blanche et prenant le dossier de Katherine Collins, Philips quitta son bureau. En passant devant Helen, il lui dit qu'il serait bientôt de retour et lui demanda de ne l'appeler qu'en cas d'urgence.

Première étape : la bibliothèque. Croisant plusieurs malades venant de l'extérieur en vêtements de pluie, Philips décida de passer par le tunnel. On accédait au bâtiment de la nouvelle Ecole de Médecine en prenant le même embranchement à droite que celui qu'empruntait Philips pour se rendre chez lui. Il se trouvait juste au-delà des escaliers menant à l'ancienne Ecole de Médecine, abandonnée depuis deux ans, époque de l'achèvement des nouvelles installations.

Les anciens bâtiments étaient destinés à être rénovés afin de fournir des locaux, dont le besoin se faisait cruellement sentir, aux services en pleine expansion comme la Radiologie, mais du fait des énormes dépassements de budgets, on s'était trouvé à cours de crédits pour terminer la nouvelle école. Depuis deux ans, une partie des nouveaux bâtiments attendaient toujours des crédits supplémentaires. Aussi avait-on indéfiniment repoussé le projet de restauration de l'ancienne école et les différents services se trouvaient contraints d'attendre.

La nouvelle école apparaissait bien différente de ce

qu'avait connu Philips quand il était étudiant. La bibliothè-que était particulièrement luxueuse : c'était un hall spa-cieux d'où partaient deux escaliers se reflétant sur le parquet et grimpant à l'étage supérieur.

Le catalogue par fiches de la bibliothèque se trouvait sous l'aplomb du balcon formant une mezzanine. Philips y trouva le numéro de référence d'un ouvrage courant de gynécologie. Certes, il voulait se documenter sur le test de Pap, ou frottis de Papanicolaou, mais un manuel complet de cytologie ne l'intéressait pas particulièrement. Philips était déjà convaincu de l'efficacité du test, probablement le meilleur et le plus fiable dans la détection des cancers. L'ayant lui-même pratiqué, pendant ses études, il le savait extrêmement facile à réaliser : un simple grattage de la surface cervicale à l'aide d'un abaisse-langue, puis un frottis sur une lame de verre. Mais il ne se souvenait pas de la classification des résultats et de ce qu'on était censé faire en cas de rapport déclarant le résultat « atypique ». Malheu-reusement, le manuel ne se révéla pas d'une grande utilité. Il indiquait seulement qu'il convenait, devant un utérus suspect, de pratiquer un test de Schiller, consistant en une coloration de l'utérus à l'aide d'une substance iodée afin de déterminer les zones anormales — ou encore de pratiquer une biopsie ou une colposcopie. N'ayant aucune idée de la colposcopie, Philips dut consulter l'index. La colposcopie se révéla être une procédure dans laquelle, pour l'examen du col utérin, on utilisait une sorte de microscope.

Ce qui surprit le plus Philips fut d'apprendre qu'on détectait 10 à 15 pour 100 de cas nouveaux de cancers du col de l'utérus chez des femmes dont l'âge se situait entre vingt et vingt-neuf ans. Il avait pensé, à tort, que le cancer de l'utérus était un problème qui touchait les tranches d'âge plus avancées. On ne pouvait trouver de meilleur argument en faveur de l'examen gynécologique annuel.

Martin rapporta le manuel et se rendit au service de Gynécologie de l'université. Il se souvint que cette partie du service était interdite aux étudiants en médecine, en raison du nombre considérable de jolies filles que l'on croisait dans les couloirs. En général, les malades réservées aux étudiants en médecine étaient les habituelles multipares plus âgées et, en comparaison, toutes les étudiantes paraissaient sortir de la page centrale de *Playboy*.

Philips se sentit nettement déplacé tandis qu'il s'approchait de la réceptionniste. Comme il s'arrêtait en face d'elle, elle battit des cils et prit une profonde inspiration pour soulever sa poitrine plate. Martin l'observa car elle avait, dans le visage, quelque chose qui paraissait bizarre. Il détourna son regard en réalisant qu'il s'agissait tout simplement de ses yeux, curieusement rapprochés.

« Je suis le docteur Martin Philips.

— Salut. Ellen Cohen. »

Involontairement, le regard de Philips se reporta sur les yeux d'Ellen Cohen.

« Je voudrais parler au médecin de service. »

De nouveau Ellen Cohen battit des cils. « Le docteur Harper est actuellement en train d'examiner une patiente, mais il ne va pas tarder. »

Dans tout autre service, Philips se serait probablement dirigé tout droit vers les salles d'examen. Il préféra se tourner vers la salle d'attente, aussi gêné que, à l'âge de douze ans, lorsqu'il avait attendu sa mère dans un salon de coiffure pour dames. Une demi-douzaine de jeunes femmes, assises, l'observaient. Elles se replongèrent dans leurs magazines au moment où leurs regards croisèrent le sien.

Martin s'assit sur une chaise près du bureau de la réceptionniste. Furtivement, Ellen Cohen fit glisser son livre de poche de son bureau dans l'un de ses tiroirs. Elle sourit à Philips quand, fortuitement, il la regarda. Philips laissa ses pensées vagabonder vers Goldblatt. Ce type avait un culot incroyable : comment osait-il régenter la vie personnelle de Philips, ou même ses recherches ? Peut-être pourrait-on trouver quelque justification à cette attitude si le service avait financé la recherche de Philips, mais ce n'était pas le cas. Il prenait sur son temps sa contribution à la radiologie. Le financement nécessaire au matériel et au paiement des programmes provenait des ressources émanant du département de l'Informatique scientifique de Michaels.

Martin réalisa soudain qu'une patiente s'était approchée de la réceptionniste et demandait ce que signifiait un test de Pap atypique. Elle semblait s'exprimer avec difficulté et s'appuyait légèrement au bureau de la réceptionniste.

« Ça, mon chou, dit Ellen Cohen, il faudra le demander à Mrs. Blackman. » La réceptionniste prit immédiatement conscience de l'attention de Philips. « Je ne suis pas médecin. » Son rire était surtout destiné à Martin. « Asseyez-vous. Mrs. Blackman ne va pas tarder. »

Kristin Lindquist avait eu son compte de frustration pour la journée.

« On m'avait dit que je passerais tout de suite », dit-elle, et elle poursuivit, racontant à la réceptionniste sa migraine, ses vertiges et ses troubles de la vision le matin même, de telle sorte qu'elle ne pouvait vraiment pas attendre comme la veille. « Voulez-vous, s'il vous plaît, dire immédiatement à Mrs. Blackman que je suis là. Elle m'a téléphoné et promis que je n'attendrais pas. »

Kristin se retourna et se dirigea vers un siège, face à Philips. Elle se mouvait lentement, comme une personne peu sûre de son équilibre.

Ellen Cohen roula des yeux en attrapant le regard de Philips, laissant sous-entendre tout ce que présentait de déraisonnable l'exigence de la jeune femme, mais elle se leva tout de même et partit à la recherche de l'infirmière. Martin se tourna pour regarder Kristin, son esprit se livrant à des associations entre des tests de Pap atypiques et de vagues symptômes neurologiques. Kristin ayant fermé les yeux, Philips put l'observer sans la gêner. Une vingtaine d'années, pensa-t-il. Rapidement, Philips ouvrit le dossier de Katherine Collins et le feuilleta jusqu'à ce qu'il trouve le rapport initial de la Neurologie. La patiente se plaignait de migraines, vertiges et troubles de la vision.

Son regard revint à Kristin Lindquist. Se pouvait-il que cette femme, en face de lui, constitue un autre cas présentant la même image radiologique ? Possible, pensa Philips. Avec toutes les difficultés rencontrées pour obtenir des radiographies d'autres patientes, il se sentait particulièrement séduit par l'idée de tomber sur un nouveau cas. Il pourrait prendre, au tout début, toutes les radios utiles.

Sans plus attendre, il se dirigea vers Kristin et lui tapa légèrement sur l'épaule. Elle sursauta et chassa une boucle blonde de son visage. La crainte qu'il exprimait lui donnait un air particulièrement vulnérable, et Martin prit soudain conscience de la beauté de la jeune femme.

Pesant soigneusement ses mots, Martin se présenta, précisa qu'il appartenait au service de Radiologie et qu'il l'avait entendue décrire ses symptômes à la réceptionniste. Il lui dit avoir vu les radios de quatre jeunes femmes présentant les mêmes problèmes, et qu'il pouvait être de son intérêt de passer une radio. Il prit soin de mettre l'accent sur le fait qu'il s'agissait là d'une simple précaution et qu'elle ne devait pas s'inquiéter.

Pour Kristin, l'hôpital recelait des tas de surprises. A sa première visite, on l'avait fait attendre des heures. Et voilà que maintenant elle tombait sur un médecin qui, apparemment, racolait ses patients.

« Je n'aime pas beaucoup les hôpitaux », dit-elle. Ni les docteurs, voulut-elle ajouter, mais cela lui parut trop irrévérencieux.

— A vrai dire, moi non plus », dit Philips. Il lui sourit. Il avait immédiatement ressenti de la sympathie pour la jeune femme et se sentait d'humeur protectrice avec elle. « Mais une radio ne vous prendra pas beaucoup de temps.

— Je ne me sens pas bien et je crois préférable de rentrer chez moi dès que possible.

— Ça ne sera pas long, dit Philips. Je vous assure Un seul cliché. Je vous conduirai moi-même. »

Kristin hésitait. D'un côté, elle détestait l'hôpital. De l'autre, elle ne se sentait toujours pas bien, et l'intérêt que lui manifestait Philips la touchait.

« Alors ? dit-il, insistant.

— D'accord, dit finalement Kristin.

— Magnifique. Pour combien de temps en avez-vous dans le service ?

— Je ne sais pas. Pas longtemps, du moins c'est ce qu'on m'a dit.

— Parfait. Ne partez pas sans moi », dit Martin.

On appela Kristin quelques minutes plus tard. Presque au même moment, une autre porte s'ouvrit et le docteur Harper apparut.

Philips reconnut Harper comme l'un des internes aperçus de temps à autre dans l'hôpital et ses environs. Jamais il n'avait rencontré l'homme, mais on oubliait difficilement son crâne chauve. Philips se leva et se présenta. Il y eut un instant de gêne. En tant qu'interne, Harper ne disposait pas d'un bureau et, les deux salles d'examen étant occupées, aucun endroit ne se trouvait disponible pour une conversation. Ils aboutirent dans un étroit couloir.

« Que puis-je faire pour vous ? » demanda Harper, quelque peu méfiant. Il trouvait bizarre que le chef adjoint du service de Neuroradiologie vienne en visite à la Gynécologie ; leurs pôles d'intérêt et leurs compétences respectives leur conféraient peu d'affinités.

Philips commença par poser des questions plutôt générales, manifestant son intérêt quant au fonctionnement du service, demandant depuis quand Harper s'y trouvait et s'il s'y plaisait. Harper répondait d'un ton bourru, et ses petits yeux scrutaient le visage de Philips tandis qu'il expliquait que les internes de dernière année passaient deux mois, facultativement et par roulement, à la clinique de l'université. Il ajouta que c'était devenu le marchepied symbolique après lequel on se voyait offrir un poste dans l'équipe, une fois l'internat terminé.

172

« Ecoutez, dit Harper après une pause. J'ai de nombreuses patientes à voir. » Martin réalisa qu'au lieu de le détendre, les questions qu'il posait à Harper mettaient celui-ci plutôt mal à l'aise.

« Encore une chose, dit Philips. Lorsqu'on découvre un test de Pap atypique, que fait-on d'ordinaire ?

— Cela dépend, répondit prudemment Harper. Il existe deux sortes de cellules atypiques. L'une ne laissant pas présumer une tumeur, bien qu'atypique, et l'autre à la fois atypique et laissant présumer une tumeur.

— Dans l'un et l'autre cas, ne convient-il pas de faire quelque chose ? Je veux dire, si ce n'est pas normal, ça doit être suivi, exact ?

— Ouais, répondit évasivement Harper. Pourquoi me posez-vous ces questions ? » Il avait nettement le sentiment de se trouver coincé.

« Oh ! comme ça..., dit Martin, montrant le dossier Collins. Je suis tombé sur plusieurs patientes qui sortaient de cette clinique avec des tests de Pap atypiques. Mais en lisant leur dossier gynécologique, je ne trouve pas trace de tests de Schiller, d'éventuelles biopsies ou colposcopies... simplement des frottis répétés. N'y a-t-il là rien... d'anormal ? » Philips regardait Harper, le sentant mal à l'aise. « Ecoutez, je ne reproche rien. Cela m'intéresse, c'est tout.

— Je ne peux pas me prononcer avant d'avoir vu le dossier », dit Harper. Dans son esprit, sa remarque devait mettre un terme à la conversation.

Philips tendit le dossier Collins à Harper et observa sa réaction. Lorsque Harper lut le nom « Katherine Collins », son visage se crispa. Martin vit avec curiosité le médecin feuilleter rapidement le dossier, trop rapidement pour une lecture efficace. Arrivé au bout, il leva les yeux et rendit le dossier à Martin.

« Je ne sais que dire.

— Anormal, n'est-ce pas ? demanda Martin.

— Disons plutôt que ce n'est pas comme cela que je le

173

traiterais. Mais, il faut que je retourne travailler. Voulez-vous m'excuser ? » Il se glissa devant Philips qui dut se plaquer contre le mur pour lui permettre de passer.

Surpris par la fin brutale de la conversation, Martin regarda l'interne se hâter de pénétrer dans l'une des salles d'examen. Dans l'esprit de Philips, ses questions n'avaient rien de personnel, et il se demanda s'il ne s'était pas montré plus accusateur qu'il ne l'avait pensé. Restait, cependant, l'étrange réaction de l'interne en ouvrant le dossier de Katherine Collins. De cela, Philips était sûr.

Persuadé qu'il n'y avait rien de plus à tirer de Harper, Martin retourna au bureau de la réceptionniste et demanda Kristin Lindquist. Ellen Cohen fit tout d'abord semblant de n'avoir pas entendu la question. Lorsque Philips la répéta, elle répondit vivement que Miss Lindquist se trouvait avec une infirmière et n'allait pas tarder à sortir. La réceptionniste avait détesté Kristin dès le début, et elle la détestait davantage encore maintenant que Philips paraissait s'y intéresser. Inconscient des jalousies d'Ellen Cohen, Martin se sentait seulement incroyablement troublé par la clinique gynécologique de l'université.

Quelques minutes plus tard, Kristin sortit de la salle d'examen, accompagnée par une infirmière que Martin avait déjà vue, probablement à la cafétéria. Il se souvenait de ses lourds cheveux bruns, coiffés en un chignon serré sur le dessus de la tête.

Il se leva, lorsque la jeune femme s'approcha du bureau, et entendit l'infirmière demander à la réceptionniste de donner un rendez-vous à Kristin dans quatre jours. Kristin paraissait très pâle.

« Mademoiselle Lindquist, appela Martin, en avez-vous terminé ?

— Je crois, répondit Kristin.

— Et cette radio ? demanda Martin. Vous vous en sentez capable ?

— Je crois », répéta Kristin.

Soudain l'infimière aux cheveux bruns revint à grands

174

pas vers le bureau. « Si cela ne vous dérange pas, j'aimerais savoir de quelle radio vous parlez ?

— Un profil crânien, dit Martin.

— Je vois, dit l'infirmière. La raison de ma question est que Kristin présente un test de Pap anormal et que nous préférons éviter toute radio abdominale ou pelvienne avant le retour à la normale de ses tests.

— Pas de problème, répondit Philips. On ne s'intéresse qu'à la tête dans mon service. » Il n'avait jamais entendu parler d'un rapport quelconque entre des tests de Pap et des radios de diagnostic, mais cela lui parut raisonnable.

L'infirmière hocha la tête, puis disparut. Ellen Cohen flanqua une carte de rendez-vous dans la main tendue de Kristin, puis se retourna et fit mine de se pencher sur sa machine à écrire. « Salope de Californienne », murmurat-elle entre ses dents.

Martin guida Kristin hors du remue-ménage de la clinique et, la faisant passer par une porte de communication, la conduisit dans l'hôpital proprement dit. Une fois passée la porte coupe-feu, le paysage parut très agréable par rapport à la clinique. Kristin marqua sa surprise.

« Ce sont des cabinets réservés à certains chirurgiens », expliqua Philips tandis qu'ils enfilaient le long couloir moquetté. Des peintures à l'huile décoraient même les murs fraîchement repeints.

« Je pensais que tout l'hôpital était vieux et délabré, dit Kristin.

— Pas tout à fait. » Une image de la morgue en soussol s'imposa à l'esprit de Philips, se mêlant à celle, récente, de la clinique de gynécologie.

« Dites-moi, Kristin, en tant que patiente, comment trouvez-vous la clinique de l'université ?

— Question difficile, répondit Kristin. Je déteste les rendez-vous de gynécologie à un point tel que je ne pense pas pouvoir donner une réponse objective.

— Et par rapport à votre expérience passée ?

175

— Eh bien, cela me paraît terriblement anonyme, tout au moins était-ce ainsi hier lorsque j'ai vu le docteur. Mais aujourd'hui je n'ai vu que l'infirmière et c'était mieux. Et puis aussi, je n'ai pas eu à attendre aujourd'hui comme hier, et on s'est contenté de me faire une nouvelle prise de sang et un autre contrôle de ma vue. Je n'ai pas eu à subir de nouvel examen. Dieu merci. »

Ils arrivèrent aux ascenseurs et Philips pressa le bouton d'appel.

« Mrs. Blackman a trouvé le temps de m'expliquer mon test de Pap. Rien de grave, apparemment. Seulement une classe II, a-t-elle dit, ce qui est courant et revient presque spontanément à la normale. Elle m'a dit que c'était probablement provoqué par l'ulcération cervicale, que je devais utiliser des injections faibles et éviter les rapports sexuels. »

Martin se trouva momentanément décontenancé par la franchise spontanée de Kristin. Comme la plupart des docteurs, il oubliait toujours que sa qualité de médecin encourageait les gens à lui faire des confidences.

Arrivé en Radiologie, Martin chercha Kenneth Robbins et lui confia Kristin pour la seule radio latérale du crâne qu'il souhaitait. Comme il était plus de seize heures, le service se trouvait relativement calme et l'une des principales salles de radiographie était vide. Robbins prit la radio et disparut dans la chambre noire pour placer le cliché dans la tireuse automatique. Tandis que Kristin attendait, Martin se posta à la bouche de sortie par où allait émerger le cliché.

« Tu as tout du chat devant un trou de souris », dit Denise. Arrivée derrière Philips, elle l'avait surpris.

« C'est l'impression que je me fais. J'ai trouvé une patiente en gynéco qui présente des symptômes analogues à ceux de Marino et des autres, et je brûle de savoir si l'on tombera sur la même image radio. Comment ça s'est passé tes angio cet après-midi ?

— Très bien, merci. J'ai apprécié que tu me laisses travailler seule.

— Ne me remercie pas, tu l'as bien gagné. »

A cet instant apparut l'extrémité de la radio de Kristin, puis elle sortit d'entre les rouleaux, égouttée au passage dans le réceptacle.

Martin la saisit et la plaça sur la visionneuse. Son doigt parcourut une zone située approximativement au-dessus de l'oreille de Kristin.

« Bon sang, dit Philips. Rien à signaler.

— Et alors ! protesta Denise. Tu ne vas pas me dire que tu souhaites réellement trouver un signe pathologique chez la patiente ?

— Tu as raison, dit Martin. Je ne souhaite en trouver chez personne. Je désire seulement trouver un cas que je puisse radiographier correctement. »

Robbins sortit de la chambre noire. « Voulez-vous d'autres clichés, docteur Philips ? »

Martin secoua la tête, prit la radio et se rendit dans la salle où attendait Kristin. Denise suivit.

« Bonne nouvelle, dit Philips en agitant le cliché. Radio normale. » Puis il dit à Kristin qu'il conviendrait peut-être de recommencer dans une semaine si ses symptômes persistaient. Il lui demanda son numéro de téléphone, et lui donna son numéro de poste semi-direct pour le cas où elle aurait des problèmes.

Kristin le remercia et essaya de se lever. Aussitôt elle dut s'appuyer en saisissant la table de radiographie tandis qu'une vague de vertige la submergeait. La salle lui parut tourner dans le sens des aiguilles d'une montre.

« Vous vous sentez mieux ? demanda Martin, lui prenant le bras.

— Je crois, répondit Kristin en clignant des yeux. Le même vertige. Mais c'est déjà passé. » Ce qu'elle n'avoua pas, c'est qu'elle avait de nouveau senti l'odeur nauséabonde familière, un symptôme trop bizarre pour qu'elle en fasse part. « Ça va aller. Je crois que je ferais mieux de rentrer. »

Philips offrit d'appeler un taxi, mais elle insista sur le fait qu'elle se sentait bien. Tandis que les portes de l'ascenseur se refermaient, elle fit signe de la main et réussit même à sourire.

« Voilà une manière très adroite d'obtenir le numéro de téléphone d'une jolie fille », dit Denise en retournant au bureau de Philips. En passant le dernier angle de mur, Philips se sentit soulagé de voir qu'Helen était partie. Denise jeta un coup d'œil dans la pièce et demanda : « Qu'est-ce que c'est que ce fourbi ?

— Ne dis rien, répondit Philips, essayant de s'y retrouver dans le désordre de son bureau. Ma vie se désintègre et les remarques ironiques n'arrangeraient rien. » Il ramassa les messages laissés par Helen. Ainsi qu'il s'y attendait, il y avait des messages de Goldblatt et de Drake qualifiés d'urgents. Après les avoir considérés un instant, il laissa les deux feuilles de papier tomber en tournoyant dans sa grande corbeille.

Puis il brancha l'ordinateur et y glissa la radio crânienne de Kristin.

« Eh bien, qu'est-ce que ça donne ? » demanda Michaels, paraissant sur le seuil de la porte. A l'épaisseur des papiers, il pouvait se rendre compte que la situation avait peu évolué depuis sa visite du matin.

« Ça dépend de quoi tu parles, dit Philips. Si tu veux parler du programme, je te réponds : bien. Je n'ai passé que quelques clichés, mais jusqu'ici ça marche avec une précision d'environ 110 pour 100.

— Merveilleux, dit Michaels en applaudissant.

— C'est plus que merveilleux, dit Philips, c'est fantastique. La seule chose qui tourne rond dans le coin. Je regrette seulement de n'avoir pas eu plus de temps pour travailler dessus. Malheureusement, j'ai du retard dans mon boulot courant. Mais je vais rester un moment ici ce soir et passer autant de clichés que je pourrai. »

Le claquement saccadé de l'imprimante ponctua sa dernière phrase.

« Il s'agit de l'interprétation d'un cliché du crâne d'une jeune femme que je viens juste de faire, reprit Martin. Elle s'appelle Kristin Lindquist. J'ai pensé qu'elle présenterait peut-être les mêmes anomalies que celles des autres patientes dont je t'ai parlé. Mais ce n'est pas le cas.

— Pourquoi t'intéresses-tu tant à cette seule anomalie ? demanda Michaels. Personnellement, j'aimerais mieux que tu t'occupes du programme lui-même ? Tu auras tout le temps plus tard pour ce genre de divertissements.

— Tu ne connais pas les médecins, dit Martin. Quand on va lâcher ce petit ordinateur au milieu de la communauté médicale qui ne se doute de rien, ça va être comme si on opposait l'Eglise catholique médiévale à l'astronomie copernicienne. Si nous pouvions montrer un indice radiologique nouveau, ça pourrait passer plus facilement. »

Lorsque l'imprimante s'arrêta, Philips arracha le morceau de listing. Il jeta un coup d'œil rapide sur l'ensemble et ses yeux se braquèrent sur un paragraphe au milieu. « C'est incroyable. » Martin saisit le film et le replaça sur la visionneuse. Ses mains cachant la plus grande partie de la radio, Philips isola une petite surface dans la région occipitale. « Le voilà ! Mon Dieu ! Je savais bien que la patiente présentait les mêmes symptômes. Le programme s'est souvenu des autres cas et a été capable de trouver cet exemple insignifiant de la même anomalie.

— Et nous savions que cela paraissait particulièrement subtil sur les autres clichés, dit Denise, regardant pardessus l'épaule de Philips. Cette anomalie ne concerne que l'extrémité de la pointe occipitale, pas les régions pariétale ni temporale.

— On en est peut-être à une phase plus précoce de l'évolution de la maladie, suggéra Philips.

— Quelle maladie ? demanda Michaels.

— Nous ne sommes pas sûrs, dit Martin. Mais on pensait à la sclérose en plaques pour plusieurs patientes qui présentaient cette même anomalie de densité. On avance à l'aveuglette.

— Je ne vois rien, avoua Michaels. » Il rapprocha son visage du cliché, mais cela ne lui fut d'aucune utilité.

« Il s'agit de qualité de texture, dit Martin. Il faut d'abord savoir ce que représente une texture normale avant de pouvoir percevoir la différence. Tu peux me faire confiance, c'est bien là. Le programme ne l'invente pas. Demain, je vais faire revenir la patiente et plonger tout droit sur la zone en cause. Peut-être qu'avec de meilleurs clichés, tu pourras voir. »

Michaels reconnut que son appréciation de la normalité n'était pas particulièrement aiguë. Après avoir décliné l'offre d'aller dîner à la cafétéria, Michaels s'excusa. A la porte, il conjura de nouveau Martin de consacrer davantage de temps au passage d'anciens clichés en ordinateur, disant qu'il existait de fortes chances pour que le programme décèle toute sorte d'indices radiologiques nouveaux, et que si Philips perdait son temps à les suivre tous, le programme ne serait jamais bouclé. Avec un ultime salut de la main, Michaels disparut.

« Impatient, hein? dit Denise.

— Il a raison, répondit Martin. Il m'a dit hier que, pour passer le programme, ils avaient conçu un nouvel ordinateur avec une mémoire plus efficace. Apparemment, il va être bientôt prêt. Et alors, ce sera moi qui les retarderai.

— Tu as donc l'intention de travailler ce soir?

— Bien sûr. » Martin la regarda et remarqua pour la première fois combien elle avait l'air fatiguée. Elle n'avait presque pas dormi la nuit précédente et travaillé toute la journée.

« J'espérais que cela t'intéresserait de venir chez moi pour un petit dîner, et peut-être pour finir ce que nous avions commencé la nuit dernière », dit-elle pour le provoquer.

« Il faut que je rattrape un peu le temps perdu.

180

Pourquoi ne pas rentrer plus tôt chez toi ? Je t'appellerai et je viendrai peut-être tout à l'heure. »

Mais Denise insista pour attendre, tandis qu'il terminait tous les rapports d'angiogrammes et de scanographies de la journée dictés par ses collaborateurs de neuroradiologie. Même si son nom n'apparaissait pas sur tous les rapports, Philips contrôlait tout ce qui se faisait dans le service.

Il était sept heures moins le quart quand ils reculèrent leurs chaises et se levèrent pour s'étirer. Martin se tourna pour regarder Denise, mais elle se cacha le visage.

« Qu'est-ce qui se passe ?

— Je n'aime pas que tu me regardes quand j'ai l'air si affreuse. »

Secouant sa tête en signe de dénégation, il tendit la main et essaya de lui soulever le menton, mais elle se recula brusquement. Sa transformation, en quelques secondes après l'extinction du négatoscope, de médecin absorbé par son travail en une femme sensible, était étonnante. Et, pour Martin, elle semblait fatiguée, certes, mais aussi séduisante que jamais. Il essaya de le lui dire mais elle ne voulut rien entendre. Elle lui donna un baiser rapide, et lui dit qu'elle rentrait chez elle prendre un long bain et qu'elle espérait le voir plus tard. Puis elle s'envola.

Il fallut un moment à Martin pour retrouver ses esprits. Il se sentait très amoureux. Sortant le numéro de téléphone de Kristin, il l'appela mais personne ne répondit. Il décida d'emporter une pile de lettres à corriger tandis qu'il dînerait à la cafétéria.

A neuf heures et quart, Martin en avait terminé avec son dernier rapport dicté et sa correspondance. Dans le même temps, il avait réussi à passer vingt-cinq anciens clichés dans l'ordinateur. Randy Jacobs, qui faisait de fréquents allers et retours aux Archives, avait remis en place les enveloppes examinées ; mais comme il en avait rapporté plusieurs centaines d'autres, le bureau de Philips paraissait encore plus désordonné qu'avant.

Du téléphone de son bureau, Philips essaya de nouveau le numéro de Kristin. Elle répondit à la seconde sonnerie.

« Je suis un peu confus, dit-il, mais en regardant de plus près votre radio, je crois avoir découvert une toute petite zone qui nécessite un examen plus attentif. Demain matin, ça vous va ?

— Pas le matin, dit Kristin, j'ai séché mes cours deux jours de suite. Je ne voudrais pas en sécher d'autres. »

Ils tombèrent d'accord pour quinze heures trente. Martin lui donna l'assurance qu'elle n'aurait pas à attendre. En arrivant, il lui suffirait de venir directement au bureau de Philips.

Après avoir raccroché, Martin s'enfonça dans son siège et passa en revue les problèmes de la journée. Exaspérantes, les conversations avec Mannerheim et Drake, mais du moins étaient-elles conformes à la personnalité des deux hommes. Toute différente apparaissait sa conversation avec Goldblatt. Philips, tout à fait sûr que Goldblatt se trouvait à l'origine de sa nomination au poste de chef adjoint du service de Neuroradiologie quatre ans plus tôt, ne s'était pas attendu à une telle attaque de la part de son ex-mentor. Cela n'avait pas de sens. Si le comportement de Goldblatt avait pour origine son hostilité à leur travail sur l'ordinateur, Philips et Michaels allaient devoir faire face à davantage d'ennuis que prévu. A cette pensée, Martin se leva et se mit à chercher la liste des malades présentant le même nouvel indice radiologique potentiel. Il devenait de la plus grande importance de confirmer la nouvelle technique de diagnostic. Il trouva la liste et y rajouta le nom de Kristin Lindquist.

Même en tenant compte de l'aversion de Goldblatt pour le nouvel engin, son comportement n'en paraissait pas plus cohérent pour autant. Cela laissait présumer une collusion entre Mannerheim et Drake, mais pour que Goldblatt se range du côté de Mannerheim — si tel était le cas —, il fallait qu'il se passe quelque chose de peu ordinaire. Quelque chose de particulièrement bizarre.

Philips se leva et saisit sa liste : Marino, Lucas, Collins, McCarthy et Lindquist. A côté du nom de McCarthy, il avait noté : « labo de neurochirurgie ». Si Mannerheim voulait la bagarre, il l'aurait. Philips passa de la semi-obscurité de son bureau dans le couloir brillamment éclairé. Vers les salles de fluoroscopie, il trouva ce qu'il cherchait : les cartes de pointage de l'équipe de nettoyage.

Habitué à travailler tard, Martin avait eu de nombreuses occasions de faire la connaissance de l'équipe chargée du nettoyage. Plusieurs fois, les hommes et les femmes de ménage avaient fait son bureau alors qu'il s'y trouvait, le plaisantant sur le fait qu'il devait vivre secrètement sous son bureau. Cette intéressante équipe se composait de deux hommes de vingt-cinq ans environ, l'un blanc, l'autre noir, et de deux femmes plus âgées, une Portoricaine et une Irlandaise. Philips voulait parler à l'Irlandaise. Travaillant au Centre médical depuis quatorze ans, elle était, au moins en titre, leur chef.

Philips trouva toute l'équipe dans une des salles de fluoroscopie, en train de faire la pause-café. « Dites-moi, Mon Chou », dit Martin à la femme surnommée Mon Chou car elle appelait tout le monde ainsi. « Avez-vous accès au labo de recherche de neurochirurgie ?

— J'ai accès à tout dans cet hôpital, sauf à l'armoire aux substances toxiques, répondit fièrement Mon Chou.

— Magnifique, dit Martin. Je vais vous faire une proposition malhonnête. » Il expliqua qu'il souhaitait lui emprunter son passe un quart d'heure pour prendre, au labo de neurochirurgie, une pièce qu'il voulait radiographier. En échange, il lui offrait une scanographie gratuite.

Il fallut à Mon Chou une bonne minute pour s'arrêter de rire. « Je ne suis pas censée vous donner ce truc, mais étant donné qui vous êtes... Rapportez-le-moi seulement avant qu'on quitte la Radiologie. Ça vous laisse vingt minutes. »

183

Philips passa par le tunnel pour gagner le bâtiment de recherche Watson. Le hall était désert. Il entra dans l'ascenseur et appuya sur le bouton. Bien que Martin se trouvât au beau milieu d'un Centre médical en pleine activité, au cœur d'une ville surpeuplée, il se sentit soudain très seul.

On travaillait à la recherche entre huit et dix-sept heures, et le bâtiment était inoccupé. Le seul bruit audible était le sifflement de l'ascenseur qui montait à toute vitesse.

Les portes s'ouvrirent et il émergea dans un hall faiblement éclairé. Passant une porte coupe-feu, il se retrouva dans un long couloir qui courait tout le long du bâtiment. Pour économiser l'énergie, on avait éteint presque toutes les lumières. Mon Chou ne lui avait pas confié qu'une seule clé, mais tout son gros trousseau de cuivre qui tintait à chaque pas dans le silence du bâtiment vide.

Le labo de neurochirurgie se trouvait au troisième étage à gauche, près de l'autre extrémité du couloir et, tandis qu'il s'en approchait, Martin sentit sa tension augmenter. Une porte métallique avec, au centre, un panneau de verre dépoli, fermait le labo. Après un coup d'œil par-dessus l'épaule, Martin glissa le passe dans la serrure. La porte s'ouvrit. Philips entra rapidement et referma la porte. Sa nervosité grandissait sans aucune commune mesure avec ce qu'il était en train de faire. Il constata qu'il ferait un médiocre cambrioleur.

Le commutateur fit entendre un claquement d'une sonorité insolite lorsqu'il l'alluma. Des rangées de tubes fluorescents inondèrent de lumière l'immense laboratoire. Deux tables de travail couraient sur toute une moitié de la pièce, en son milieu, équipées de lavabos, de becs Bunsen, et surmontées d'étagères pleines d'ustensiles de laboratoire en verre. Tout au bout se trouvait une zone réservée à la chirurgie animale, qui ressemblait à une salle d'opération moderne réduite aux trois quarts de ses dimensions et comportant des scialytiques, une petite table d'opération et même un appareil d'anesthésie. Pas de séparation entre le labo et la partie « opération », cette dernière seule étant carrelée. Dans l'ensemble, tout cela paraissait impressionnant et témoignait de l'habileté de Mannerheim à obtenir des subventions destinées à ses recherches.

Philips n'avait pas la moindre idée de l'endroit où l'on pouvait bien mettre un spécimen de cerveau, mais il pensa qu'il pouvait en exister une collection, aussi ne chercha-t-il que dans les armoires les plus vastes. Chou blanc. Mais il remarqua une autre porte près de l'aire de chirurgie, avec un panneau de verre transparent et tout un réseau de câbles. Il colla son visage contre la vitre, scrutant la pièce obscure de l'autre côté. Juste derrière la porte, il put voir une série d'étagères sur lesquelles se trouvaient des bocaux de verre dont plusieurs contenaient des cerveaux plongés dans une solution destinée à les conserver.

Chaque seconde accroissait l'anxiété de Martin. Dès le moment où il aperçut les cerveaux, il souhaita trouver celui de McCarthy et filer. Il poussa la porte et scruta rapidement les étiquettes. Une forte odeur animale lui parvint et dans le noir, sur la gauche, il entrevit les cages. Mais il reporta son intérêt sur les bocaux ; chacun portait une étiquette avec un nom, un numéro et une date. Devinant que la date était celle du décès du patient, Philips passa rapidement en revue la longue file de bocaux. La seule lumière filtrait du panneau de verre de la porte, et il dut se rapprocher de plus en plus des bocaux à chaque pas. Celui de McCarthy se trouvait tout à fait au bout de la pièce, près d'une porte de sortie.

A l'instant où il levait la main pour saisir l'échantillon, un cri horrible se répercuta dans la petite salle, immédiatement suivi par un bruit métallique. Les jambes de Philips se dérobèrent tandis qu'il se retournait pour se défendre, son épaule heurtant le mur. Un autre cri déchira l'air mais ne fut suivi d'aucune attaque. Martin se retrouva face à un singe en cage, l'animal manifestant une rage folle, ses yeux luisant comme des escarboucles, ses lèvres retroussées montrant ses dents, dont deux s'étaient brisées sur les barreaux d'acier de sa prison dans sa tentative de mordre. Du sommet du crâne du singe émergeait tout un faisceau de fils d'électrodes, pareils à des spaghetti multicolores.

Philips comprit qu'il se trouvait en face de l'un des animaux dont Mannerheim et sa bande avaient fait des monstres hurlants. De notoriété publique au Centre médical, on savait que Mannerheim consacrait ses toutes dernières recherches à la découverte de l'exacte localisation cérébrale de la fureur. Le fait que d'autres chercheurs pensaient qu'il n'existait pas un centre unique, n'avait pas le moins du monde dissuadé Mannerheim de poursuivre.

Les yeux de Philips s'habituant à la faible lueur, il put voir de nombreuses cages. Chacune contenait un singe avec toute une série de mutilations du crâne. Chez certains, on avait remplacé tout l'arrière de la boîte crânienne par des demi-sphères de plexiglas à travers lesquelles passaient des dizaines d'électrodes enfoncées dans le cerveau. Quelques-uns paraissaient si dociles qu'on les aurait cru lobotomisés.

Philips recouvra son équilibre. Gardant un œil sur l'animal furieux qui continuait à hurler et à secouer bruyamment sa cage, Philips souleva le bocal contenant le cerveau en partie disséqué de McCarthy. Derrière le bocal se trouvait une série de lames retenues par un élastique. Philips les prit également. Il s'apprêtait à partir quand il entendit s'ouvrir puis se refermer la porte extérieure du laboratoire, puis des bruits étouffés.

Martin paniqua. Conservant en équilibre le bocal, les lames et le trousseau de clés, il ouvrit la porte de sortie de la salle aux animaux. En face de lui, les escaliers d'incendie plongeaient en une interminable série de lignes brisées. Philips s'arrêta au sommet de l'escalier et réalisa que la fuite n'était pas la bonne solution. Saisissant la porte avant qu'elle se referme, il retourna dans le labo.

« Docteur Philips », dit la voix étonnée d'un agent de la sécurité du nom de Peter Chonabian. Il jouait dans l'équipe de basket de l'hôpital et avait bavardé plusieurs fois, la nuit, avec Philips. « Qu'est-ce que vous faites ici ?

186

— Je suis venu me faire un casse-croûte », dit Martin, l'air sérieux. Il montrait le bocal.

« Beuh ! », fit Chonabian, détournant le regard. « Avant de travailler ici, je pensais qu'il y avait que les psy pour être cinglés !

— Sérieusement », dit Philips en s'avançant, les jambes en coton. « Je vais radiographier cette pièce. J'étais censé la prendre dans la journée, mais je ne l'ai pas fait... » Il adressa un signe de tête à l'autre agent de sécurité qu'il ne connaissait pas.

« Faudrait nous prévenir quand vous venez ici, dit Chonabian. Il y a des microscopes qui se sont fait la malle et on essaie de renforcer la surveillance. »

Philips demanda à l'un des manipulateurs de radiologie du service de nuit de passer en Neuroradiologie entre deux traumatismes aux Urgences, pour avoir son avis. Il avait essayé, sans succès, de prendre un cliché du cerveau en partie disséqué de MacCarthy, posé sur un carton. Mais, quelle que fût la façon dont il s'y prenait, la radio se révélait mauvaise. Sur tous les clichés, il avait de la difficulté à rendre la structure interne. Une réduction du voltage n'avait rien donné. Le manipulateur jeta un regard sur le cerveau et vira au vert. Après son départ, Martin se fit enfin une opinion sur le problème. Bien que conservé dans le formaldéhyde, le cerveau avait dû subir une décomposition des structures internes suffisante pour rendre floue toute définition radiologique. Replongeant le cerveau dans le bocal, Philips l'emporta en Pathologie avec la série de lames.

Le labo n'était pas fermé. Si quelqu'un voulait voler des microscopes, c'était là qu'il fallait venir, pensa Philips. Il ouvrit la porte de la salle d'autopsie. Personne là non plus. Longeant la longue table centrale sur laquelle se trouvaient toute une série de microscopes, chacun flanqué d'un magnétophone, Philips se rappela la première fois qu'il avait examiné son propre sang. Il se souvint de sa terreur de découvrir la trace d'une leucémie dans la lame. Son passage à l'Ecole de Médecine s'était révélé une époque de maladies imaginaires et Martin les avait presque toutes contractées.

Vers l'extrémité de la pièce, il découvrit un bec Bunsen qui faisait bouillir un ballon d'eau à bec verseur. Posant le bocal et les lames, il attendit. Pas longtemps. Un interne en pathologie, particulièrement obèse, entra en se dandinant. Il ne s'attendait pas à trouver de la compagnie, car il remontait la fermeture à glissière de sa braguette tout en passant la porte. Il s'appelait Benjamin Barnes.

Philips se présenta et demanda s'il pouvait lui rendre un service.

« Quel genre de service ? J'essaie de terminer cette autopsie pour pouvoir me tirer.

— J'ai là une série de lames. Je voudrais savoir si vous ne pourriez pas y jeter un coup d'œil rapide.

— Il y a plein de microscopes ici. Faites comme chez vous. »

C'était là une manière bien cavalière de traiter un confrère, fût-il d'un autre service, mais Martin s'efforça de contenir son irritation. « Ça fait quelques années que je n'ai pas touché un microscope, dit-il. En outre, il s'agit d'un cerveau et je n'ai jamais été fameux pour les cerveaux.

— Il vaudrait mieux attendre la Neuropath demain matin, dit Barnes.

— Ce qui m'intéresse, c'est une première impression rapide, tout de suite, répondit Martin. » Il n'avait jamais trouvé les gros très drôles, et le pathologiste confirmait son impression.

De mauvaise grâce, Barnes prit les lames et en glissa une sous le microscope. Il l'examina et en prit une autre. Il lui fallut environ dix minutes pour examiner tout le paquet.

« Intéressant, dit-il. Tenez, jetez un œil à celle-ci. » Il se poussa pour que Philips puisse voir.

« Vous voyez cette zone dégarnie ? demanda Barnes.

— Ouais.

— Il y avait une cellule nerveuse dans le coin. »

Philips regarda Barnes.

« Toutes ces lames marquées au crayon rouge gras présentent des zones où les neurones sont soit absents, soit en mauvais état, dit l'interne. Ce qu'il y a de curieux, c'est qu'on note peu ou pas d'inflammation. Je dirais qu'il s'agit d'une " nécrose multifocale discrète de neurone ", étiologie inconnue.

— Vous n'avez même pas envie d'en connaître la cause ? » demanda Philips.

L'interne fit une drôle de tête, fronçant les sourcils. « Non.

— La sclérose en plaques ? demanda Philips.

— Peut-être. Ordinairement, on trouve des lésions de la matière grise dans la sclérose en plaques, même si les lésions se situent normalement dans la matière blanche. Mais ça ne ressemble pas à cela. On trouverait davantage d'inflammation. Mais, pour en être sûr, il faudrait que je fasse une coloration de la myéline.

— Et le calcium ? » demanda Philips. Il savait que peu de matières affectent la densité des rayons X, dont le calcium.

« Je n'ai rien vu qui puisse me faire penser à une calcification. Là encore, il faudrait que je fasse une coloration.

— Encore une chose, dit Philips. J'aimerais faire quelques lames du lobe occipital. » Il tapotait le haut du bocal.

« Je croyais que vous vouliez seulement que je jette un coup d'œil aux lames, dit Barnes.

— Exact. Je ne vous demande pas de regarder le cerveau, mais simplement de le couper. » Martin avait eu une rude journée et ne se sentait pas d'humeur à discuter avec un interne en pathologie paresseux.

Barnes possédait assez de bon sens pour ne rien ajouter. Il ramassa le bocal et se dirigea en se dandinant vers la salle d'autopsie, Philips sur ses talons. Barnes sortit le cerveau du formaldéhyde et le posa sur la table de travail en acier inox à côté du lavabo. Brandissant un des grands scalpels d'autopsie, il demanda à Philips de désigner la partie qu'il souhaitait avoir. Barnes tailla ensuite plusieurs tranches d'un centimètre et les plongea dans la parafine.

« Les coupes seront prêtes demain. Quelle sorte de coloration voulez-vous ?

— Tout ce qui vous viendra à l'idée, dit Philips. Une dernière chose : vous connaissez le gardien de nuit de la morgue ?

— Vous voulez dire Werner ? »

Philips acquiesça de la tête.

« Vaguement. Il est un peu bizarre, mais sérieux et bon travailleur. Ça fait des années qu'il est là.

— Il en croque ?

— Je n'en sais rien. Vous pensez à quoi ?

— N'importe quoi. Des glandes pituitaires pour des hormones de croissance, des dents en or, des petits avantages. Des combines.

— Je ne sais pas. Mais je n'en serais pas surpris. »

Après l'expérience quelque peu traumatisante au labo de neurochirurgie, Philips se sentait particulièrement mal à son aise en suivant la ligne rouge qui conduisait à la morgue au sous-sol. L'immense salle sombre et caverneuse en antichambre de la morgue semblait le décor idéal pour quelque horreur moyenâgeuse. Le hublot de quartz, à la porte de l'incinérateur, luisait dans l'obscurité comme l'œil d'un monstre cyclopéen.

« Pour l'amour de Dieu, Martin, qu'est-ce qui ne tourne pas rond chez toi ? » se demandait Philips, essayant de regonfler son assurance déclinante. La morgue ressemblait exactement à ce qu'elle était la veille au soir. Les douilles sans ampoules, qui pendaient au bout de leurs fils, donnaient à la scène un air bizarre et sinistre. S'y ajoutait une odeur légère de pourriture. La porte de la chambre froide était entrebâillée et un rai de lumière intérieure filtrait, dans un nuage de buée froide.

« Werner ! » appela Philips. L'écho de sa voix se répercuta dans la vieille salle carrelée. Pas de réponse. Philips pénétra dans la pièce et la porte battit plusieurs fois derrière lui. « Werner ! » Seules les gouttes d'un robinet qui fuyait troublaient le silence. Timidement, Philips avança jusqu'à la chambre froide et jeta un coup d'œil à l'intérieur. Werner se débattait avec un des cadavres, apparemment tombé de l'un des chariots, car il soulevait le corps nu et raide et tentait maladroitement de le replacer sur le chariot mobile. Un coup de main lui aurait été utile, mais Philips demeura où il se trouvait et observa la scène. Lorsque Werner parvint à replacer le corps sur le chariot, Martin pénétra dans la chambre froide.

« Werner ! » La voix de Martin semblait dépourvue d'expression.

Le gardien fléchit les jambes et leva les mains, tel une créature de la jungle prête à l'attaque. Philips l'avait surpris.

« Je voudrais vous parler », dit Philips, décidé à faire montre d'autorité. Mais sa voix lui parut faible. Entouré par tous ces cadavres, ses défenses cédèrent. « Je comprends parfaitement votre position et je ne veux pas vous créer d'ennuis, mais j'ai besoin de renseignements. »

En reconnaissant Philips, Werner se détendit mais ne bougea pas. Sa respiration s'exhalait en courtes bouffées de vapeur condensée.

« Il faut que je retrouve le cerveau de Lisa Marino. Je me fous de savoir qui l'a pris et pourquoi. Je veux seulement pouvoir l'examiner, pour un projet de recherche. »

Werner restait de marbre. D'ailleurs, sans la trace de sa respiration, visible dans la lumière, il aurait ressemblé à l'un de ses cadavres.

« Ecoutez, dit Martin, je suis prêt à payer. » Et voilà ! Pour la première fois de sa vie, il allait corrompre quelqu'un.

« Combien ? demanda Werner.

— Cent dollars.
— Je ne sais rien. »

Philips observa l'homme immobile. Il se sentait impuissant. « O.K. Vous pouvez m'appeler à la radiologie si ça vous revient. » Il tourna les talons et sortit mais, dans le couloir, il se surprit à courir en direction des ascenseurs.

A l'odeur qui régnait à l'intérieur de l'immeuble où habitait Denise, on aurait dit que tous les locataires avaient fait des oignons frits pour dîner. Philips grimpa les escaliers. Denise n'habitait qu'au second, mais, en arrivant aux dernières marches, il sentit combien il était fatigué. Il venait de vivre une journée longue et épuisante.

Denise ouvrit la porte et se jeta dans ses bras. Puis, sans un mot, toujours enlacés, ils entrèrent dans la chambre et roulèrent sur le lit. D'abord passive, Denise répondit à son désir et ils firent l'amour avec violence.

Pendant un moment, ils demeurèrent immobiles, apaisés.

Quand Martin se pencha à nouveau sur elle pour l'embrasser, il sentit qu'il était au bord de l'épuisement. Denise se leva et entra dans la salle de bains. Les yeux fermés, Martin laissait son esprit vagabonder sur la mystérieuse disparition de Lynn Anne. Jetant un coup d'œil à la porte fermée de la salle de bains, il décida de passer un coup de fil rapide à l'hôpital. Il rappela à l'infirmière que Lynn Anne avait été admise par les Urgences, puis immédiatement transférée. L'infirmière se souvenait du cas, car le transfert était intervenu juste après qu'elle en eût terminé avec toute la paperasserie relative aux admissions. Martin lui demanda si elle se rappelait l'endroit où l'on avait envoyé la patiente, mais elle ne s'en souvenait pas. Philips la remercia et raccrocha.

Dans le lit, il se blottit contre le dos de Denise mais ne parvint pas à s'endormir. Il commença à lui raconter son inquiétante aventure avec les singes à la tête hérissée d'électrodes, et lui demanda si les informations obtenues par Mannerheim valaient le sacrifice. Denise, sur le point de s'endormir, se contenta de grommeler, mais l'esprit de Martin, particulièrement aiguillonné, revint à sa visite à la clinique de gynécologie de l'université.

« Hé, es-tu déjà allée à la clinique de gynécologie de l'hôpital ? » Il se dressa sur un coude, et le mouvement la réveilla.

« Non, je n'y suis pas allée.

— J'y suis passé aujourd'hui et l'endroit m'a fait une drôle d'impression.

— Qu'est-ce que tu veux dire ?

— Je n'en sais rien. Difficile à exprimer, mais il faut avouer que je n'ai pas beaucoup fréquenté les services de gynéco.

— C'est fou ce qu'on s'y amuse, dit Denise ironiquement en tournant le dos à Martin.

— Veux-tu me rendre le service d'aller voir ?

— Tu veux dire comme patiente ?

— Peu importe.

— Eh bien, je suis un peu en retard pour ma visite de santé annuelle. Je pense que ça pourrait se faire. J'appellerai demain, si tu veux.

— Merci », dit Martin avant de sombrer enfin dans le sommeil.

9

Il était plus de sept heures quand Denise s'éveilla et saisit le réveil, horrifiée : elle avait oublié de remonter la sonnerie quand Martin s'était endormi. Rejetant les couvertures, elle fonça dans la salle de bains et sauta sous la douche. Philips ouvrit les yeux à temps pour voir son dos nu disparaître dans le couloir.

Il s'étira avec volupté dans le lit tiède. Il songea d'abord à se rendormir, mais il changea d'avis et se leva pour rejoindre Denise sous la douche.

Dans la salle de bains, il découvrit qu'elle en avait presque terminé et n'était pas d'humeur à badiner. Entrant dans le bac à douche, il gêna son passage et elle lui rappela vivement qu'elle devait présenter les radios à la C.P.C. [1] à huit heures.

« Et si on refaisait l'amour ? dit Martin d'une voix charmeuse. Tu auras un mot du médecin pour excuser ton retard. »

Denise lui jeta sa sortie de bain humide à la tête et enjamba le rebord, posant les pieds sur le tapis de bain. Tandis qu'elle se séchait, elle s'adressa à Philips par-dessus le bruit de la douche : « Si tu termines à une heure décente, je ferai quelque chose à dîner ce soir.

1. *Clinical Pathology Conference :* Conférence de Pathologie clinique. Réunion d'un collège de médecins pour préciser un diagnostic et/ou décider d'une thérapeutique. (N.D.T.)

— Je ne me laisse pas corrompre, hurla Martin. Je vais voir ce que dit la Pathologie de mes coupes du cerveau de McCarthy, et j'espère faire quelques polytomos et une scano de Kristin Lindquist. En plus, il faut que je passe tout un tas de vieilles radios en ordinateur. Aujourd'hui, j'attaque tous azimuths !

— Quelle tête de mule !

— Eh oui. C'est psychique.

— Quand veux-tu que j'aille à la clinique de gynécologie ?

— Dès que possible.

— D'accord. Je vais m'arranger pour demain. »

Toute conversation se révéla impossible tandis que Denise faisait marcher le sèche-cheveux. Philips sortit de la douche et se rasa. Ils durent se livrer l'un et l'autre à une danse compliquée dans l'espace confiné de la petite salle de bains.

Comme Denise s'approchait du miroir pour se maquiller, elle demanda : « Qu'est-ce qui provoque la variation de densité sur ces radios, d'après toi ?

— Je n'en sais vraiment rien », répondit Philips en essayant de discipliner son épaisse tignasse blonde. « C'est pour cela que j'ai fait faire les coupes en Pathologie. »

Denise se recula pour juger des résultats de ses efforts. « Je crois que la réponse à cette question serait un premier pas. Ça vaudrait mieux que d'associer l'anomalie à une maladie spécifique comme la sclérose en plaques.

— Tu as raison, dit Philips. Ce sont les dossiers qui se trouvent à l'origine de l'idée de la sclérose en plaques. Un coup pour rien. Tu sais quoi ? Tu viens juste de me donner une autre idée. »

Philips pénétra dans l'ancienne Ecole de Médecine par le tunnel. On avait depuis longtemps condamné l'entrée par la rue. En montant l'escalier du hall, il se sentit envahi d'une bouffée de sentimentalité pour cette époque déjà

196

lointaine où son avenir ne recélait que promesses. Lorsqu'il arriva aux portes familières de bois foncé, avec ses plaques de cuir rouge fatigué, il s'arrêta. Une planche de bois, clouée en travers, sans ménagement, profanait la plaque aux lettres soigneusement gravées qui indiquaient : ÉCOLE DE MÉDECINE. Sur la planche, une précision : « Ecole de Médecine transférée dans le bâtiment Burger. »

Passées les vénérables portes, le décor se détériorait : l'ancien hall avait été démoli, ses lambris de chêne vendus aux enchères, et les fonds destinés à la restauration épuisés avant même l'achèvement des travaux.

En se dirigeant vers l'amphithéâtre Barrow, Philips remarqua une nouvelle plaque où l'on pouvait lire : DÉPARTEMENT DE L'INFORMATIQUE SCIENTIFIQUE : DIVISION DE L'INTELLIGENCE ARTIFICIELLE. Il poussa la porte et jeta un coup d'œil sur la salle en demi-cercle au-dessous de lui. L'amphithéâtre avait été vidé de ses sièges et servait à entreposer du matériel. Dans la fosse, on avait disposé deux gros engins semblables à la petite unité de traîtement que Philips avait dans son bureau. Un jeune homme en blouse blanche à manches courtes travaillait sur l'un des deux engins, un fer à souder dans une main et du fil de soudure dans l'autre.

« Je peux faire quelque chose pour vous ? cria-t-il.

— Je cherche William Michaels, répondit Philips d'une voix forte.

— Pas encore arrivé. » L'homme posa ses outils et monta vers Philips.

« Voulez-vous lui laisser un message ?

— Dites-lui simplement de rappeler le docteur Philips.

— Vous êtes le docteur Philips ? Très heureux. Carl Rudman. Je fais un troisième cycle avec M. Michaels. »

Philips lui serra la main et jeta un coup d'œil admiratif sur les appareils.

« Dites donc, vous êtes bien équipés... » Martin n'avait jamais visité le laboratoire d'informatique, et il ne

197

l'imaginait pas si important. « Ça me fait tout drôle de me trouver dans cette salle, avoua-t-il, j'étais en fac de Médecine ici en 61. On faisait de la microbiologie dans cet amphi.

— Eh bien, dit Rudman, au moins il sert à quelque chose. Nous n'aurions probablement pas obtenu le moindre mètre carré s'ils ne s'étaient trouvé à cours d'argent pour la rénovation de l'Ecole de Médecine. C'est l'endroit idéal pour travailler sur les ordinateurs : il n'y vient jamais personne.

— Est-ce que les labos de microbiologie derrière l'amphi sont encore intacts ?

— Bien sûr. En fait, on les utilise pour nos recherches sur la mémoire. Isolation parfaite. Quand on travaille sur les ordinateurs, on est en plein roman d'espionnage.

— Vous avez raison », dit Philips. Son bruiteur fit entendre un bip insistant. Il coupa le son et demanda : « Etes-vous au courant du programme de lecture des radios du crâne ?

— Bien sûr. C'est le prototype de notre programme d'intelligence artificielle. On est tous incollables sur ce truc.

— Alors vous pourrez peut-être me répondre. Je voulais demander à Michaels si l'on peut sortir séparément le sous-programme qui traite des densités.

— Evidemment. Vous n'avez qu'à demander à l'ordinateur. Ce truc est capable de faire à peu près n'importe quoi sauf vous cirer les chaussures. »

Vers 8 h 15, la Pathologie se trouvait en pleine effervescence. Une foule d'internes s'entassaient contre la longue table de travail et sa batterie de microscopes. Les prélèvements avaient commencé d'arriver de la Chirurgie quinze minutes plus tôt. Martin trouva Reynolds dans son petit bureau, installé à un microscope élaboré au-dessus duquel on avait adapté un appareil de photo de 35 millimètres pour qu'il puisse photographier tout ce qu'il voyait.

« Tu as une minute ? demanda Philips.

— Bien sûr. En fait, j'ai déjà jeté un coup d'œil à ces coupes que tu as apportées hier soir. Benjamin Barnes me les a apportées ce matin.

— Charmant garçon, dit Martin ironiquement.

— Un peu revêche, mais excellent interne de Pathologie. De plus, j'aime bien l'avoir près de moi. Comme ça, je me sens tout maigrichon.

— Qu'est-ce que tu as trouvé sur ces lames ?

— Très intéressantes. Je veux que quelqu'un de la Neuropath y jette un coup d'œil parce que je ne sais pas ce que c'est. Il semble que les cellules du nerf optique aient disparu. En tout cas, elles sont dans un triste état, avec des nécroses nucléaires, en pleine désintégration. Peu ou pas d'inflammation. Mais le truc le plus curieux c'est que la nécrose des cellules nerveuses se présente en colonnes étroites, perpendiculaires à la surface du cerveau. Jamais rien vu de pareil.

— Et les diverses colorations ? Que donnent-elles ?

— Rien. Pas de calcium ni de métaux lourds, si c'est ce que tu veux dire.

— On ne peut rien voir qui apparaîtrait à la radio ? demanda Philips.

— Absolument rien, répondit Reynolds. Certainement pas les colonnes microscopiques de cellules mortes. Barnes a dit que tu avais parlé de sclérose en plaques. Pas la moindre chance. Aucune modification dans la myéline.

— Si tu devais risquer un diagnostic, qu'est-ce que tu dirais ?

— Difficile. Un virus, je crois. Mais sans aucune certitude. Ce truc a l'air bizarre. »

Lorsque Philips arriva à son bureau, Helen l'y attendait, pratiquement en embuscade. Elle bondit et essaya de lui barrer l'entrée avec une brassée de messages téléphonés et de correspondance. Mais Philips feinta à gauche et la contourna par la droite, souriant pendant toute l'opération.

La nuit passée avec Denise avait complètement changé sa conception des choses.

« Où étiez-vous ? Il est près de neuf heures. » Helen commença à réciter la litanie des appels tandis qu'il fouillait sur son bureau à la recherche de la radio de Lisa Marino. Il la trouva sous les dossiers médicaux, lesquels se trouvaient sous la liste principale des radios du crâne. La radio sous le bras, Philips se dirigea vers le petit ordinateur et le brancha. Au grand mécontentement d'Helen, il commença à taper l'information sur le clavier d'entrée des données. Il demanda à l'engin de sortir le sous-programme des densités.

« La secrétaire du docteur Goldblatt a appelé deux fois, dit Helen, et vous êtes censé rappeler à l'instant même de votre arrivée. »

L'unité de sortie s'activa et demanda à Martin s'il voulait un visuel numérique et/ou analogique. N'en sachant rien, Philips demanda l'un et l'autre. L'appareil lui demanda d'insérer le cliché.

« Et également, débita Helen, le docteur Clinton Clark, chef du service de Gynécologie a appelé. Pas sa secrétaire, le docteur lui-même. Il veut que vous le rappeliez. M. Drake veut également que vous le rappeliez. »

L'imprimante entra en action et commença à vomir des pages et des pages pleines de chiffres. Philips observait, avec une confusion croissante. On aurait dit que la petite machine faisait une crise de nerfs.

Helen éleva la voix pour se faire entendre au-dessus du staccato de l'imprimante. « William Michaels a appelé pour dire qu'il regrettait de n'avoir pas été là lors de votre visite impromptue au labo d'informatique. Il veut que vous lui téléphoniez. Les gens de Houston ont appelé pour savoir si vous présideriez la commission de Neuroradiologie au Congrès national. Ils ont dit qu'il leur fallait la réponse aujourd'hui. Voyons le reste. »

Tandis qu'Helen fouillait dans les messages, Philips

soulevait les listings incompréhensibles crachés par l'ordinateur, couverts de milliers de chiffres. L'imprimante s'arrêta enfin de donner des chiffres et dessina le schéma d'un profil crânien avec un codage des différentes zones. Philips comprit qu'en découvrant le code adéquat, il pouvait obtenir la feuille correspondant aux zones qui l'intéressaient. Mais l'imprimante ne s'arrêta pas pour autant. Elle fournit ensuite un schéma des diverses zones du crâne où les valeurs des densités apparaissaient en diverses nuances de gris. Il s'agissait de la sortie analogique, plus facile à examiner.

« Ah oui, dit Helen. La seconde salle d'angio va se trouver hors d'usage pendant toute la journée. Le temps qu'ils installent un nouveau chargeur de films. »

A cet instant, Philips n'écoutait plus du tout Helen. En comparant les zones sur le listing analogique, Martin découvrit que les zones anormales présentaient, en général, une densité inférieure à celle des zones normales alentour. Un résultat surprenant, car même si les variations se révélaient subtiles, il avait eu l'impression erronée d'une densité plus importante. Philips en comprit la raison en lisant le listing numérique. Sous forme numérique, il apparaissait évident qu'on trouvait de grands écarts entre les valeurs des chiffres voisins, raison pour laquelle il avait cru possible l'existence de petites taches de calcium ou autre matière dense. Mais l'engin lui disait que, dans l'ensemble, les zones anormales apparaissaient moins denses ou plus claires que le tissu normal, c'est-à-dire que les rayons X les traversaient plus facilement. Philips repensa à la nécrose des cellules nerveuses aperçue en Pathologie mais, bien évidemment, cela était insuffisant pour affecter l'absorption des rayons X. Un mystère que Philips ne pouvait s'expliquer.

« Regardez ça, dit-il en montrant le listing numérique à Helen qui hocha la tête, feignant de comprendre.

— Qu'est-ce que c'est ? demanda-t-elle.

— Je ne sais pas, à moins que... » Martin s'arrêta au milieu de sa phrase.

« A moins que quoi ?

— Donnez-moi un couteau, n'importe quel couteau. » Philips paraissait tout excité.

Helen prit celui du pot de beurre de cacahuète posé près de la machine à café, étonnée de la bizarrerie de son patron. Quand elle revint dans son bureau, elle eut un haut-le-cœur : Philips sortait un cerveau humain d'un bocal de formaldéhyde et le posait sur un journal, les circonvolutions familières de l'organe luisant à la lumière de la visionneuse des radios. Luttant contre la nausée, Helen regarda Philips se mettre à tailler, plus ou moins nettement, une tranche à l'arrière du spécimen. Après avoir replacé le cerveau dans le formaldéhyde, il fonça vers la porte, transportant la tranche de cerveau posée sur le journal.

« Il y a aussi la femme du docteur Thomas qui vous attend en salle de myélogramme », dit Helen en voyant que Philips s'en allait.

Sans répondre, Martin descendit rapidement le couloir jusqu'à la chambre noire. Il fallut à ses yeux quelques minutes pour s'accoutumer à la faible lumière rouge. Lorsqu'il fut capable de se repérer correctement, il sortit un film vierge, y posa la tranche de cerveau, et les plaça l'un et l'autre dans un placard supérieur qu'il ferma avec un morceau de ruban adhésif. Il y ajouta un mot : « Film vierge. Ne pas exposer ! Docteur Philips. »

Denise appela la clinique de gynécologie à sa sortie de la C.P.C. Elle pensait se faire une opinion plus exacte si elle s'y rendait incognito, c'est pourquoi elle indiqua simplement qu'elle appartenait à la communauté universitaire. Elle fut surprise que la réceptionniste lui demande de ne pas quitter. Quand l'interlocutrice suivante décrocha, Denise fut impressionnée par l'importance des renseignements demandés par la clinique, avant que celle-ci lui fixe un rendez-vous. Ils insistèrent pour avoir des précisions sur son état général et même son état neurologique ainsi que son passé gynécologique.

« Nous serons ravis de vous recevoir, dit finalement la femme. En fait, nous avons un trou cet après-midi.

— Je ne peux pas, dit Denise. Et demain ?

— Parfait, dit la femme. 11 h 45, ça vous va ?

— Parfaitement », dit Denise.

Après avoir raccroché, elle se demanda pourquoi Martin manifestait de la méfiance à l'égard de la clinique. Sa première impression était très favorable.

S'approchant davantage encore du cliché du myélogramme placé sur la visionneuse, Philips essaya de se faire une idée exacte de ce que le chirurgien orthopédiste avait fait au dos de Mrs. Thomas. Cela ressemblait à une laminectomie très étendue, impliquant la quatrième lombaire.

A cet instant, la porte du bureau de Philips s'ouvrit brutalement et un Goldblatt furieux fit irruption, le visage tout rouge, les lunettes accrochées tout au bout de son nez. Martin lui jeta un regard, puis se replongea dans ses radios.

Cette attitude ajouta encore à la colère de Goldblatt.

« Vous faites montre d'une rare impudence, gronda-t-il.

— Je crois que vous venez de faire irruption dans cette pièce sans frapper, Monsieur. J'ai respecté votre bureau. Je pense pouvoir en attendre autant de vous.

— Votre récent comportement à l'égard de la propriété privée ne constitue pas un encouragement à tant d'urbanité. Mannerheim m'a appelé aux aurores en hurlant que vous aviez pénétré par effraction dans son labo et volé une pièce. Exact ?

— Je l'ai empruntée, dit Philips.

— Empruntée, Seigneur ! hurla Goldblatt. Et hier vous avez tout simplement emprunté un cadavre à la morgue. Quelle mouche vous pique, Philips ? Vous souhaitez vous suicider professionnellement ? Si c'est le cas, dites-le-moi. Ça sera plus facile pour nous deux.

— C'est tout ? demanda Philips avec un calme délibéré.

— Non ! Ce n'est pas tout ! aboya Goldblatt. Clinton Clark me dit que vous avez sermonné son meilleur interne à la clinique de gynécologie. Philips, vous devenez fou ? Vous êtes neuroradiologue ! Et si vous n'étiez pas l'un des meilleurs, je vous aurais viré d'ici. »

Philips garda le silence.

« L'ennui, dit Goldblatt d'une voix où la colère s'émoussait, c'est que vous êtes un neuroradiologue hors pair. Ecoutez, Martin, j'aimerais que vous mettiez une sourdine pendant quelques temps, d'accord ? Je sais combien Mannerheim peut être casse-pieds. Tenez-vous en dehors de ses plates-bandes. Et, bon Dieu ! N'approchez pas de son labo. Ce type ne veut personne dans ce coin à aucun moment, et encore moins qu'on s'y glisse subrepticement, et surtout pas la nuit. »

Pour la première fois depuis son intrusion, Goldblatt balaya du regard le bureau en désordre de Philips. Il resta bouche bée devant l'incroyable fouillis. Se retournant vers Philips, il l'observa pendant une minute.

« La semaine dernière, tout allait bien et vous faisiez un excellent travail. On pense à vous pour le poste de chef de ce service, le cas échéant. Je veux vous voir redevenir le Martin Philips que vous avez toujours été. Je ne m'explique pas votre récente attitude et je ne m'explique pas l'aspect de ce bureau. Mais je peux vous dire ceci : si vous ne vous reprenez pas, vous pourrez chercher une autre situation. »

Goldblatt tourna les talons et sortit de la pièce. Philips demeura immobile, silencieux, le regardant quitter les lieux. Il ne savait pas s'il devait rire ou se fâcher. Après toutes ses idées d'indépendance, la perspective d'être viré était désolante. Martin réagit immédiatement par un tourbillon d'activités bien ordonnées. Il passa dans tout le service, vérifiant les cas en cours de traitement, et distribuant conseils et suggestions quand c'était nécessaire. Il interpréta tous les clichés du matin qui s'étaient accumulés. Puis il pratiqua lui-même une angiographie cérébrale sur un cas délicat, laquelle montra de manière indéniable que le patient n'avait nul besoin de passer en chirurgie. Rassemblant les étudiants, il leur fit un cours sur le scanographe qui les laissa les uns éblouis et les autres perplexes, selon leur degré de concentration. Entre-temps, il donna du travail à Helen en répondant à toute la correspondance et aux messages accumulés au cours des derniers jours. Et, de surcroît, il fit ranger de manière systématique par un employé le tas de radios empilées dans son bureau ; vers trois heures de l'après-midi, il passa en ordinateur soixante des anciennes radios, comparant les résultats aux anciennes interprétations. Le programme fonctionnait à la perfection.

A trois heures et demie, il passa la tête à la porte de son bureau et demanda à Helen si Kristin Lindquist avait appelé. Helen secoua la tête. Se rendant en salle de radio, Philips demanda à Kenneth Robbins si la jeune femme avait donné signe de vie : réponse négative.

Vers quatre heures, Philips avait passé six nouveaux clichés en ordinateur. De nouveau, l'engin se révéla meilleur radiologue que Philips en décelant une trace de calcification qui laissait présager un méningiome. Philips mit le cliché de côté pour qu'Helen retrouve la piste du patient.

A 4 heures 15, Philips composa le numéro de Kristin Lindquist. A la seconde sonnerie, sa camarade de chambre lui répondit.

« Désolée, docteur Philips, mais je n'ai pas vu Kristin depuis son départ pour le Metropolitan Museum ce matin. Elle a séché ses cours de onze heures et d'une heure et quart, ce qui n'est pas dans ses habitudes.

— Voulez-vous essayer de la joindre et lui demander de m'appeler ? demanda Philips.

— Avec plaisir. Franchement, je m'inquiète un peu. »

A 4 heures 45, Helen entra dans le bureau de Philips pour lui faire signer le courrier du jour, afin qu'elle puisse poster les lettres en rentrant chez elle. Un peu avant cinq heures et demie, Denise passa.

« On dirait que tu contrôles mieux les événements, dit-elle en jetant un regard admiratif autour d'elle.

— Pures apparences », dit Philips tandis que le scanographe à laser lui arrachait une radio des mains.

Il ferma la porte de son bureau et l'enlaça étroitement. « Wow ! qu'est-ce que j'ai fait pour mériter ça ? fit Denise.

— J'ai passé toute ma journée à penser à toi et à revivre la nuit dernière. »

Lorsqu'elle lui rappela sa promesse de faire à dîner, il hésita un instant, mais ajouta aussitôt : « J'étais en train de me dire que si j'arrivais à prendre un peu d'avance avec ces films, on pourrait peut-être aller en voiture dans l'île, samedi soir.

— Ce serait merveilleux, dit Denise apaisée. Au fait, j'ai appelé la Gynéco. J'ai un rendez-vous demain vers midi.

— Très bien. A qui t'es-tu adressée ?

— Je ne sais pas, mais ils se sont montrés charmants et ils ont l'air vraiment contents de me recevoir. Ecoute, si tu termines assez tôt, pourquoi ne pas venir ? »

Denise était partie depuis une heure lorsque Michaels arriva, ravi de voir que Philips avait enfin commencé à travailler sérieusement sur le programme.

« Ça dépasse tous mes espoirs, dit Martin. Pas une seule interprétation de faux négatif.

— Fabuleux, dit Michaels. On est peut-être plus avancé qu'on ne le croit.

— Ça en a bien l'air. Si ça continue comme ça, on pourrait avoir, au début de l'automne, un système parfaitement au point, et même commercialisable. Il faudrait profiter du Congrès annuel de Radiologie pour annoncer la nouvelle. » L'esprit de Philips s'emballait, imaginant l'impact de cette nouvelle. L'incertitude qu'il avait ressentie le matin quant à sa carrière lui parut ridicule.

Après le départ de Michaels, Philips se remit au travail. Il avait mis au point un système d'introduction des anciennes radios qui permettait d'accélérer le processus. Mais, tout en travaillant, l'absence de Kristin Lindquist commençait à l'inquiéter de plus en plus. Un sentiment croissant de responsabilité prit le pas sur son irritation initiale, provoquée par l'apparente négligence de Kristin. La coïncidence aurait été trop grande si quelque chose arrivait à cette jeune femme, et cette idée l'empêcha de poursuivre son examen des clichés.

Vers neuf heures, Martin composa de nouveau le numéro de Kristin. Sa camarade de chambre répondit à la première sonnerie.

« Je suis désolée, docteur Philips. J'aurais dû vous appeler. Mais je ne peux joindre Kristin nulle part. J'ai même appelé la police. »

Philips raccrocha, essayant de nier l'évidence, se disant que cela ne pouvait arriver. Impossible... Marino, Lucas, McCarthy, Collins et maintenant Lindquist ! Non, impossible, absurde. Il se souvint soudain que les Admissions n'avaient pas rappelé. Saisissant le téléphone, il fut surpris qu'on réponde à la quatrième sonnerie. Mais l'employée qui s'occupait de l'affaire était partie à cinq heures et ne reviendrait pas avant huit heures le lendemain matin, et personne d'autre ne pouvait le renseigner. Philips raccrocha violemment.

« Nom de Dieu ! », cria-t-il, se levant de son tabouret et commençant à faire les cent pas. Soudain, il se souvint de la coupe du cerveau de McCarthy enfermée dans le placard.

A la chambre noire, il dut attendre qu'un manipulateur en ait terminé avec le traitement de quelques clichés de la salle des urgences. Aussitôt qu'il le put, Martin ouvrit le placard et récupéra le film et la coupe du cerveau, maintenant sèche. Ne sachant que faire du spécimen de cerveau, il finit par le jeter dans la corbeille. Il passa le film vierge au développement.

Dans le couloir, debout devant la fente de la boîte d'où devait sortir son cliché, Martin se demandait si la disparition de Kristin ne pouvait-être qu'une coïncidence de plus. Et, sinon, que signifiait-elle ? Et, question plus importante, que pouvait-il faire, lui ?

A cet instant, la radio tomba dans le réceptacle. Martin s'attendait à un cliché complètement noir, aussi fut-il surpris quand il le glissa dans le négatoscope. « Seigneur Dieu ! » Il demeura bouche bée d'incrédulité. Une zone brillante apparaissait, de la forme exacte de la tranche du cerveau. Philips savait qu'il n'y avait qu'une cause possible à ce phénomène : la radioactivité ! L'anomalie de densité des radios avait pour origine une dose importante de radiations.

Philips descendit en courant tout le couloir jusqu'en Médecine nucléaire. Dans le labo, à côté du bêtatron, il trouva ce qu'il cherchait : un détecteur de radiations et une boîte d'emballage de bonne taille, revêtue de plomb. Il réussit à soulever la boîte ; comme elle était très lourde, il la posa sur un chariot.

Il s'arrêta à son bureau. Le bocal révélait incontestablement des traces de radioactivité. Il enfila des gants de caoutchouc et déposa dans la boîte, le bocal, le journal qui avait enveloppée le cerveau et le couteau dont il s'était servi. Puis il passa le détecteur dans toute la pièce. Rien à signaler.

Dans la chambre noire, Philips prit la corbeille à papier et jeta son contenu dans la boîte. Passant ensuite le détecteur sur la corbeille, il fut rassuré. De retour dans son bureau, il ôta les gants, les laissa tomber dans la boîte et la boucla. De nouveau, il passa le détecteur dans la pièce et fut heureux de constater qu'il ne révélait qu'un taux de radioactivité insignifiant. L'étape suivante consista à sortir le film du dosimètre qu'il portait à sa ceinture et à le préparer pour le traitement. Il voulait connaître la dose exacte de radiations qu'il avait reçue de l'échantillon de cerveau.

Tout en se livrant à cette activité physique fébrile, Martin essaya sans succès de relier tous les faits disparates : cinq jeunes femmes, présentant probablement une assez forte dose de radioactivité dans la tête et sans doute dans d'autres parties du corps... des symptômes neurologiques laissant présumer un état analogue à la sclérose en plaques... toutes ayant passé des visites gynécologiques et présentant des tests de Pap atypiques.

Philips ne trouva aucune explication à ces faits, mais il lui parût que la radioactivité constituait la donnée essentielle. Une forte dose d'irradiation générale, réfléchit-il, pouvait provoquer des altérations des cellules de l'utérus et, partant, un test de Pap atypique. Mais il était tout de même curieux que tous les cas aient présenté des tests atypiques. A nouveau, il lui parut difficile d'expliquer un phénomène spécifique par la simple coïncidence. Et pourtant, y avait-il une autre explication ?

Une fois passé le détecteur, Philips nota les numéros de dossier de Collins et McCarthy, et les dates de leurs visites en Gynécologie. Puis il fonça dans le couloir central de la Radiologie, traversa la salle de lecture principale des radios et prit l'ascenseur. Il sentait que Kristin Lindquist était une véritable bombe : pour que la radioactivité de sa tête impressionne un film de radio normal, il fallait que la dose de radiations reçue fût importante. Et, pour lui mettre la main dessus, Martin pensait qu'il lui faudrait expliquer toutes les bizarreries des événements de cette dernière semaine.

Il fut surpris de trouver Benjamin Barnes affalé sur son tabouret. L'interne en Pathologie n'était pas un homme très sympathique, mais Martin éprouvait du respect pour sa conscience professionnelle.

« Qu'est-ce qui vous amène ici deux soirs de suite ? demanda l'interne.

— Les tests de Pap, répondit Philips sans préambule.

— Je suppose que vous avez une lame urgente à me faire interpréter, dit Barnes, d'un ton ironique.

— Non. Je désire seulement des renseignements. Je voudrais savoir si une irradiation peut provoquer un test de Pap atypique. »

Barnes réfléchit un instant avant de répondre. « Je n'ai jamais entendu dire ça d'une radio de diagnostic, mais il est à peu près certain que la radiothérapie pourrait affecter des cellules de l'utérus, et par conséquent le test de Pap.

— En voyant un test atypique, pourriez-vous dire s'il a été provoqué par une irradiation ?

— Peut-être, répondit Barnes.

— Vous vous souvenez de ces lames que vous avez interprétées pour moi hier soir ? poursuivit Philips. Les coupes de cerveau. Ces lésions des cellules nerveuses auraient-elles pu être provoquées par la radioactivité ?

— J'en doute, dit Barnes. Il aurait fallu irradier avec un viseur télescopique. Les cellules nerveuses exactement voisines de celles que j'ai trouvées endommagées paraissaient en bon état. »

Philips pâlit dans sa tentative d'assembler tous ces faits inconsistants. Les patientes avaient absorbé assez de radiations pour impressionner un film de radio et cependant, au niveau cytologique, on trouvait une cellule complètement détruite et sa voisine en parfait état.

« Est-ce qu'on conserve les tests de Pap ? demanda-t-il enfin.

— Je crois. Au moins un certain temps, mais pas ici. Ils se trouvent au labo de cytologie qui fonctionne pendant les heures de bureau. Ils seront là dans la matinée, après neuf heures.

— Je vous remercie », dit Philips en soupirant. Il se demanda s'il devait essayer de pénétrer immédiatement dans le labo. Peut-être en appelant Reynolds. Sur le point de partir, il lui vint une autre idée. « Quand on interprète un test de Pap, est-ce qu'on note juste la classification dans le dossier, ou bien est-ce qu'on précise la pathologie ?

— Je crois bien, dit Barnes. On stocke les résultats sur

210

bande. Il vous faut seulement le numéro d'immatriculation
de la malade et vous pouvez lire le rapport.

— Merci infiniment, dit Philips. Je sais que vous êtes
occupé et j'apprécie le temps que vous me consacrez. »

Barnes remercia d'un léger signe de tête et retourna à
son microscope. Le terminal de Pathologie se trouvait
séparé du labo par une série de boxes. Tirant une chaise,
Martin s'assit face à l'engin, un appareil semblable au
terminal de Radiologie, avec un écran identique à un écran
de télévision placé directement derrière le clavier. Sortant
la liste des cinq patientes, Philips entra le nom de
Katherine Collins suivi de son numéro et du numéro de
code du test de Papanicolaou. Après un instant, des lettres
apparurent sur l'écran : d'abord le nom de Katherine
Collins, puis, après une courte pause, la date du premier
test de Pap suivi de :

*Frottis satisfaisant, bonne fixation, coloration adé-
quate. Maturation et différenciation cytologiques normales. Stimulation œstrogénique normale : 0/20/80. Quelques faibles sécrétions. Résultat : négatif.*

Philips contrôla la date du premier test, tandis que la
machine inscrivait le rapport suivant. La date correspon-
dait à celle notée par Philips sur la liste. Ramenant son
regard sur l'écran de la console, Philips, incrédule, découvrit que le second test de Pap de Collins était également
négatif !

Philips effaça l'écran et entra rapidement le nom
d'Ellen McCarty, son numéro et le code. Il sentit son
estomac se nouer tandis que l'engin sortait l'information.
La même. Négatif !

Martin se sentait perplexe en descendant l'escalier. En
médecine, on lui avait appris à croire ce qu'il trouvait dans
les dossiers, notamment en ce qui concernait les résultats
de laboratoire. Ces résultats constituaient les données
objectives, tandis que les symptômes des patients et les
impressions des médecins présentaient l'aspect subjectif.

211

Philips savait qu'il existait une toute petite chance d'erreur dans les examens de laboratoire, tout comme il savait qu'il existait une possibilité, pour lui, de rater ou d'interpréter de manière erronée une radio. Mais il y avait un abîme entre une infime possibilité d'erreur et une falsification délibérée. Il flottait sur cette affaire un parfum de complot.

Assis à son bureau, Martin se posa la tête entre les mains et se frotta les yeux. D'abord tenté d'appeler l'administration de l'hôpital, il réalisa que cela signifiait Stanley Drake et il y renonça. La réaction de Drake serait d'éviter la publicité dans la presse, d'étouffer l'affaire. La police ! Il imagina la conversation : « Allô, ici le docteur Martin Philips. Je voudrais vous signaler qu'il se passe de drôles de choses au Centre hospitalier universitaire Hobson. Les filles présentent des tests de Pap normaux, mais on les note comme atypiques dans leur dossier. » Philips secoua la tête. Cela paraissait par trop ridicule. Non, il lui fallait davantage de renseignements avant de mettre la police dans le coup. Intuitivement, il sentait l'existence d'un rapport avec la radioactivité, même si cela semblait insensé. En fait, la radioactivité pouvait parfaitement provoquer un test de Pap atypique et il parut à Philips que, si quelqu'un voulait éviter qu'on découvre les radiations, on pourrait consigner comme normaux des tests de Pap atypiques, pas le contraire.

Philips se mit à repenser au gardien de la morgue. Après leur rencontre manquée la veille au soir, Martin avait la conviction que Werner en savait plus sur Lisa Marino qu'il ne voulait bien l'avouer. Peut-être cent dollars ne suffisaient-ils pas. Peut-être Philips devait-il offrir davantage. Après tout, l'affaire ne se présentait désormais plus comme une pure hypothèse d'école.

Martin prit conscience de l'impossibilité, pour lui, d'affronter Werner avec succès à la morgue. Entouré de ses cadavres, Werner se trouvait dans son élément tandis que Martin trouvait le lieu totalement déconcertant, et il savait qu'il devait se montrer énergique et exigeant s'il voulait faire parler Werner. Philips jeta un coup d'œil à sa montre : 22 h 25. A l'évidence, Werner prenait le service du soir, de seize heures à minuit. Martin décida subitement de suivre Werner chez lui et de lui offrir cinq cents dollars. Tout agité, il composa le numéro de Denise. Le téléphone sonna six fois avant qu'une voix ensommeillée réponde : « Tu viens ?

— Non, répondit évasivement Philips. Je suis sur un coup et il faut que je tienne bon.

— Je connais un endroit où on est bien au chaud...

— Ce sera pour ce week-end. Fais de beaux rêves ! »

Martin sortit sa parka de ski bleu foncé de son armoire et se coiffa de la casquette de commandant grec qu'il trouva dans la poche. On était en avril, mais le mauvais temps avait amené le vent du nord-est et il faisait frisquet.

Il quitta l'hôpital par la sortie de secours, sautant de la plate-forme sur le goudron constellé de flaques du parking. Mais, au lieu de sortir dans la rue, il tourna à droite, à l'angle du bâtiment principal de l'hôpital, et s'engouffra dans l'espèce de canyon formé par la face nord de l'hôpital Brenner pour enfants. Quarante mètres plus loin, le canyon s'ouvrait sur la cour intérieure du Centre médical.

Les bâtiments de l'hôpital s'élançaient dans le brouillard de la nuit comme des falaises rocheuses, formant une vallée irrégulière de béton. On avait bâti le Centre médical d'un seul jet, sans l'inclure dans un plan d'ensemble plus rationnel, ce qui apparaissait à l'évidence dans la cour, où les bâtiments empiétaient sur l'espace libre en une série d'angles et d'arcs-boutants chaotiques. Philips repéra la petite aile qui abritait le bureau de Goldblatt et s'en servit comme point de repère pour s'orienter. A peine une quinzaine de mètres plus loin, il tomba sur la plate-forme sans signe distinctif qui menait dans les abysses de la morgue. Si l'hôpital avait affaire avec la mort, tout se passait dans la discrétion et l'on glissait les cadavres à la dérobée dans les corbillards noirs qui attendaient là, loin des regards

213

Martin s'appuya au mur, mains dans les poches. Tout en attendant, il repassait dans sa mémoire le film des événements survenus depuis que Kenneth Robbins lui avait tendu la radio de Lisa Marino, à peine deux jours plus tôt ; deux jours qui lui paraissaient deux semaines. L'excitation qu'il avait ressentie au début, en voyant l'étrange anomalie radiologique, se muait maintenant en une peur profonde. Il craignait presque de découvrir ce qui se passait à l'hôpital, un peu comme une maladie qui aurait affecté sa propre famille. La médecine était toute sa vie et, sans le sentiment immédiat de responsabilité qu'il éprouvait à l'égard de Kristin Lindquist, il se demandait s'il ne valait pas mieux oublier purement et simplement ce qu'il savait. La philippique de Goldblatt sur son suicide professionnel lui résonnait encore à l'oreille.

Werner sortit à l'heure prévue, se retournant pour boucler la porte derrière lui. Philips se plaqua davantage contre le mur et s'abrita les yeux de la main pour s'assurer qu'il s'agissait bien de Werner. Il avait changé de vêtements et portait maintenant un costume noir, une chemise blanche et une cravate. Martin fut surpris de constater que le gardien de la morgue ressemblait maintenant à un commerçant aisé fermant boutique pour la nuit. Son visage creux, qui paraissait laid dans la morgue, lui conférait maintenant un air quasi aristocratique.

Werner se retourna et hésita un instant. Il tendit la main, paume en l'air, pour voir s'il pleuvait ; puis, satisfait, il se dirigea vers la rue, un porte-documents noir dans la main droite, un parapluie étroitement roulé se balançant au creux de son bras gauche.

Suivant à distance sûre, Martin remarqua l'étrange démarche de Werner : pas une claudication mais plutôt un sautillement, comme s'il avait une jambe beaucoup plus forte que l'autre. Mais il marchait vite et d'une allure régulière.

Martin avait espéré que Werner habiterait à proximité de l'hôpital, mais son espoir s'évanouit quand l'homme tourna l'angle de Broadway et s'engouffra dans l'escalier du métro. Hâtant le pas, Philips réduisit la distance qui le séparait de Werner et descendit l'escalier en sautant les marches. Tout d'abord, il ne vit plus Werner. Apparemment, celui-ci devait avoir un jeton. Philips en acheta un en toute hâte et passa le tourniquet. L'ascenseur de l'I.R.T. [1] était vide ; Philips descendit en courant sur le quai de l'I.N.D. [2]. Au dernier tournant, il aperçut la tête de Werner qui disparaissait au bas des escaliers menant au quai de la ligne Sud.

Philips ramassa un journal dans une corbeille à papiers et feignit de lire. A peine à dix mètres de lui, Werner, assis sur l'un des sièges en plastique moulé, semblait captivé par la lecture d'un traité d'échecs. A la lumière blanchâtre, Philips put beaucoup mieux juger la tenue de l'homme : il portait un costume bleu marine, de coupe classique, fendu sur le côté. Avec ses cheveux en brosse et coiffés de frais, ses pommettes hautes et bronzées, on aurait dit un général prussien. Seules ses chaussures juraient avec son aspect général, des chaussures mal entretenues qui auraient eu besoin d'un coup de cirage.

C'était l'heure des changements d'équipe à l'hôpital et les quais grouillaient d'infirmières, d'aides-soignantes et d'employés. Lorsque l'express de la ligne Sud pénétra dans la station avec un bruit de tonnerre, Werner grimpa dans une voiture et Philips suivit. Le gardien de la morgue se tenait assis pareil à une statue, son livre devant lui, ses petits yeux enfoncés allant et venant sur les pages. Son

---

1. *Interborough Rapid Transit* : sorte de R.E.R. reliant les cinq grands « quartiers » de New York : Manhattan, Bronx, Brooklyn, Queens et Richmond (Staten Island).

2. I.N.D. : *Independant Line.* Ces deux lignes ainsi que le B.M.T. (*Brooklyn Manhattan Transit*), distinctes à l'origine, sont regroupées sous la tutelle du *New York Transit Authority,* administration coiffant à la fois le métro urbain et suburbain, aérien et souterrain. Ces réseaux communiquent grâce aux *free transfer stations,* stations de correspondance. (N.D.T.)

porte-documents, qu'il serrait entre ses genoux, était posé tout droit sur son siège. Philips s'installa au milieu de la voiture, face à un Espagnol en costume de polyester. A chaque arrêt, Martin s'apprêtait à descendre, mais Werner ne bronchait pas. Comme ils dépassaient l'arrêt de la 59e rue, Philips commença à s'inquiéter. Peut-être Werner ne rentrait-il pas directement chez lui. Pour quelque obscure raison, Philips n'avait jamais envisagé une telle possibilité. Il fut soulagé quand le gardien descendit à la 42e rue. Désormais, il ne s'agissait plus de savoir si Werner rentrait chez lui ou pas, mais de savoir combien de temps il allait passer, où qu'il aille. En atteignant la rue, Philips se sentit stupide et découragé.

Les noctambules grouillaient. Malgré l'heure et le froid humide, la 42e rue brillait de tous ses feux. L'élégant Werner ignorait la faune bizarre et grotesque qui se bousculait devant les cinémas pornos et les sex shops. Il semblait habitué aux perversions psychosexuelles du monde entier. Pour Philips, il en allait tout autrement. On aurait dit que ce monde étranger gênait délibérément sa progression, l'obligeant à se contorsionner, à esquiver et même à descendre parfois du trottoir pour dépasser des agrégats humains sans perdre Werner de vue. Devant lui, il vit Werner tourner brusquement et pénétrer dans une librairie réservée aux adultes.

Martin s'arrêta devant le magasin. Il décida de donner encore une heure à Werner. Si le gardien ne rentrait pas chez lui dans cet intervalle, Philips renoncerait. Alors qu'il faisait le pied de grue, Martin s'aperçut bien vite qu'il constituait un gibier de choix pour tout un tas de solliciteurs, colporteurs ou simplement mendiants, tous nombreux et insistants. Afin d'échapper à leurs sollicitations suppliantes, Philips changea d'avis et pénétra dans le magasin.

Juste à l'entrée, installée sur un balcon semblable à une chaire, une femme aux cheveux bleu lavande et au regard dur, assise, regardait Philips. De ses yeux, profon-

216

dément enfoncés au-dessus de cernes noirs, elle jaugeait Martin comme pour s'assurer s'il convenait de le laisser entrer. Croisant son regard, et craignant qu'on le voie en un tel lieu, Philips prit la première allée. Plus de Werner !

Un client passa tout contre Philips, les bras ballant mollement le long du corps, de façon à pouvoir frôler le bas du dos de Philips en passant. Martin ne réalisa ce qui lui arrivait qu'une fois l'individu passé. Il en ressentit du dégoût et se retint de crier ; la dernière chose qu'il souhaitait était bien d'attirer l'attention sur lui.

Il fit le tour du magasin pour s'assurer que Werner ne se trouvait pas caché derrière une rangée de livres ou un présentoir de magazines. La femme aux cheveux lavande, de son perchoir, semblait suivre tous les mouvements de Philips. Pour avoir l'air moins suspect, il prit un magazine, mais il découvrit qu'il était scellé dans une enveloppe de plastique et le reposa. Sur la couverture, deux hommes s'accouplaient acrobatiquement.

Soudain, Werner émergea d'une porte au fond du magasin et passa tout près de Philips qui, surpris, se tourna rapidement pour caresser quelques cassettes vidéo pornos. Mais Werner regardait droit devant lui, comme s'il portait des œillères et, en quelques secondes, il se trouva dehors.

Martin attendit autant de temps qu'il pensa pouvoir le faire sans perdre Werner. Il ne voulait pas que sa filature paraisse trop ostensible mais, alors qu'il sortait, la femme au balcon se pencha et le regarda passer la porte. Elle savait qu'il était sur quelque chose.

Dans la rue, Philips aperçut Werner monter dans un taxi. De crainte de le perdre après tous ces efforts, Philips descendit du trottoir et agita frénétiquement le bras pour appeler un taxi. L'un d'eux s'arrêta en face, et Philips dut traverser au milieu de la circulation pour y monter.

« Suivez ce taxi, là, derrière le bus », dit Philips d'une voix excitée.

Le chauffeur se contenta de lui jeter un coup d'œil.

« Allez-y », insista Philips.

L'homme haussa les épaules et embraya. « Z'êtes une sorte de flic ? »

Martin ne répondit pas. Moins il parlerait, mieux cela vaudrait, pensa-t-il. Werner descendit à l'angle de la 52e rue et de la 2e avenue. Martin se fit arrêter une trentaine de mètres avant l'angle et courut jusqu'au bout du pâté de maisons, cherchant Werner qui pénétrait dans une boutique trois portes plus loin.

Traversant l'avenue, Werner examina le magasin. Il s'appelait « Assistance sexuelle » et paraissait différent de la librairie pour adultes de la 42e rue, avec sa façade très traditionnelle. D'un coup d'œil aux alentours, Philips remarqua qu'il se trouvait dans un quartier de magasins d'antiquités, de restaurants élégants et de boutiques de luxe. Les appartements étaient bon chic-bon genre. Bref, un beau quartier.

Werner apparut sur le seuil, accompagné d'un autre homme qui riait et tenait le gardien de la morgue par l'épaule. Werner sourit et serra la main de l'homme avant de remonter la 2e avenue. Philips lui emboîta le pas, à bonne distance.

S'il s'était douté le moins du monde que la filature de Werner allait entraîner tous ces arrêts, Philips ne s'y serait pas aventuré. Pour l'instant, il continuait à espérer que l'odyssée arrivait à son terme. Mais telle n'était pas l'intention de Werner. Il traversa en direction de la 3e avenue, remontant la 55e rue où il pénétra dans un petit immeuble blotti à l'ombre d'un gratte-ciel de béton et de verre, un bar paraissant sortir d'une photo des années 1920.

Après s'être interrogé, Martin suivit, craignant de perdre Werner s'il le quittait des yeux. A la surprise de Philips, et malgré l'heure tardive, l'établissement était bondé et il dut jouer des coudes pour se frayer un chemin. C'était un de ces bars pour « célibataires » où Philips n'avait jamais mis les pieds.

Cherchant Werner dans la foule, Philips fut surpris de le découvrir immédiatement à sa gauche, un verre de bière à la main et souriant à une blonde secrétaire. Philips baissa un peu plus sa casquette sur les yeux.

« Qu'est-ce que vous faites, dans la vie ? » demandait la secrétaire, criant presque pour se faire entendre dans le vacarme des conversations.

« Je suis médecin, dit Werner, pathologiste.

— Vraiment, fit la secrétaire, manifestement impressionnée.

— Ça a ses bons et ses mauvais côtés. En règle générale, je travaille tard. Ça vous dirait de prendre un verre un de ces jours ?

— J'en serais ravie », cria la femme.

Martin se fraya un chemin jusqu'au bar, se demandant si la fille savait dans quoi elle se fourrait. Il commanda une bière et entreprit de gagner le fond de la salle où il trouva un coin d'où il pouvait observer Werner. Tout en buvant sa bière, Martin commença à juger toute l'absurdité de la situation. Quant à Werner, il semblait parfaitement à l'aise au milieu des hommes d'affaires et des avocats qui formaient la clientèle du bar.

Après avoir noté le numéro de téléphone de la secrétaire, le gardien de la morgue vida son verre de bière, ramassa ses affaires et prit un autre taxi sur la 3e avenue. Martin dut discuter brièvement avec le chauffeur de son taxi à propos de la filature, mais il résolut la question avec un billet de cinq dollars.

La course se passa dans le silence. Philips regardait les lumières de la ville jusqu'à ce qu'elles soient noyées par une soudaine averse. Les essuie-glaces du taxi s'activèrent pour battre la pluie de vitesse. Ils traversèrent la ville par la 57e rue, prirent en diagonale vers le nord par Broadway en passant par Columbus Circle, puis tournèrent dans Amsterdam Avenue. Philips reconnut l'université Columbia lorsqu'ils passèrent devant, la laissant sur la gauche. La pluie cessa aussi brutalement qu'elle avait commencé. A la 141e rue, ils tournèrent à droite et Philips, se penchant en avant, demanda au chauffeur dans quelle partie de la ville ils se trouvaient. « Hamilton Heights », dit le chauffeur. Il tourna à gauche sur Hamilton Terrace et ralentit.

Devant eux, le taxi de Werner s'arrêta. Philips paya la course et descendit. Bien que le paysage, sur Amsterdam Avenue, se fût dégradé au fur et à mesure qu'ils roulaient vers le nord, Philips se retrouva dans un quartier étonnamment agréable. Les rues étaient bordées de maisons au charme vieillot dont les façades différentes illustraient à peu près tous les styles architecturaux depuis la Renaissance. Manifestement, on avait restauré la plupart des immeubles, les autres étant en cours de rénovation. Au bout de la rue, face à Hamilton Terrace, Werner pénétra dans un immeuble à la façade de pierre calcaire et aux fenêtres décorées dans le style gothique vénitien.

Le temps que Philips arrive à hauteur de l'immeuble, la lumière brillait aux fenêtres du second. De près, la maison lui parut moins impressionnante. Mais sa pauvreté n'altérait en rien son allure. Elle donnait à Philips une impression d'élégance désargentée, et il se dit que Werner était un homme qui savait vivre.

En pénétrant sous le porche, Philips se rendit compte qu'il ne pouvait surprendre Werner s'il allait tout droit frapper à sa porte. Il se trouva face à un hall fermé ; la porte était commandée par des interphones — le nom d'Helmut Werner était le troisième en partant du bas.

Le doigt sur le bouton, Philips hésita, pas du tout certain de vouloir aller jusqu'au bout, pas même de ce qu'il allait dire. Mais la pensée de Kristin Lindquist lui redonna courage. Il appuya sur le bouton et attendit.

« Qui est-ce ? demanda la voix de Werner, sortant toute déformée d'un tout petit haut-parleur.

— Le docteur Philips. J'ai du fric pour vous, Werner. Un gros paquet. »

Pendant les quelques instants de silence qui suivirent, Martin put sentir son pouls.

« Qui est avec vous, Philips ?

— Personne. »

220

Un « bzzz » rauque résonna dans le hall jadis luxueux. Philips poussa la porte et grimpa l'escalier jusqu'au second. Derrière l'unique porte du palier, il entendit qu'on tirait plusieurs verrous. La porte s'ouvrit légèrement, juste assez pour laisser tomber un rai de lumière sur le visage de Philips. Il put voir l'un des yeux enfoncés de Werner qui l'observait, le sourcil levé marquant une apparente surprise. On retira une chaîne et la porte s'ouvrit en grand.

Martin entra brusquement, forçant Werner à reculer pour éviter de le heurter. Au milieu de la pièce, Martin s'arrêta.

« Je suis prêt à payer, camarade, dit-il d'un ton faussement assuré. Mais je veux d'abord savoir ce qui est arrivé au cerveau de Lisa Marino.

— Combien êtes-vous prêt à payer ? » Les mains de Werner s'ouvraient et se refermaient spasmodiquement.

— Cinq cents dollars », dit Philips. Il voulait que la somme paraisse alléchante sans être ridicule.

Un sourire détendit la bouche aux lèvres minces de Werner, faisant apparaître des rides profondes dans ses joues creuses. Il avait les dents petites et carrées.

« Vous êtes vraiment seul ? » demanda Werner.

Philips acquiesça.

« Où est le fric ?

— Là. Philips se tapota la poitrine.

— Très bien. Qu'est-ce que vous voulez savoir ?

— Tout.

— C'est une longue histoire, dit Werner en haussant les épaules.

— J'ai tout mon temps.

— J'allais justement manger un morceau. Vous voulez manger ? »

Philips secoua la tête. Il se sentait l'estomac noué.

« Mettez-vous à l'aise. » Werner se retourna et, de son allure caractéristique, se rendit à la cuisine. Philips le suivit, et jeta un coup d'œil rapide à l'appartement. Avec ses murs revêtus d'une sorte de velours rouge et son mobilier victorien, la pièce donnait une impression de toc et de tape-à-l'œil, accentuée encore par la lumière tombant d'une unique lampe style Tiffany. Sur la table, Werner avait posé son porte-documents, un appareil polaroïd et une pile de photos.

La cuisine rappela à Martin des souvenirs d'enfance : une petite pièce avec un évier, un petit fourneau et un réfrigérateur. Werner ouvrit le réfrigérateur et en sortit un sandwich et une bouteille de bière. Il prit un décapsuleur dans un tiroir au-dessous de l'évier, ouvrit la bouteille et remit le décapsuleur en place.

Levant la bouteille, Werner demanda : « Vous voulez boire quelque chose ? » Philips secoua la tête. Le gardien de la morgue sortit de la cuisine, Philips sur ses talons. Arrivé à la table de la salle à manger, Werner repoussa de côté le porte-documents et le polaroïd, et fit signe à Martin de s'asseoir. Werner avala une longue lampée de bière et rota bruyamment en reposant la bouteille. Plus il traînait et plus Philips perdait de son assurance. Il avait déjà perdu l'avantage de la surprise. Pour empêcher ses mains de trembler, il les posa sur ses genoux, les yeux fixés sur Werner, observant chacun de ses gestes.

« Personne ne peut vivre avec un salaire de gardien de morgue », commença Werner.

Philips acquiesça de la tête. Werner mordit dans son sandwich.

« Vous savez, je suis originaire du vieux continent, dit Werner, la bouche pleine. De Roumanie. L'histoire n'est pas très jolie. Les nazis ont tué ma famille et m'ont ramené en Allemagne alors que j'avais cinq ans. C'est à cette époque que j'ai commencé à manipuler des cadavres, à Dachau... » Werner poursuivit le récit de son histoire, l'émaillant de détails macabres : l'assassinat de ses parents, la manière dont on l'avait traité dans les camps, comment il avait été contraint de vivre avec les morts. Werner continuait inlassablement son histoire, n'épargnant à Martin aucun de ses répugnants chapitres. A plusieurs reprises,

Philips tenta d'interrompre l'horrible histoire, mais Werner persista et Philips sentit sa détermination fondre comme neige au soleil.

« Et puis, je suis venu en Amérique », dit Werner, finissant sa bière en une bruyante succion. Il recula sa chaise et retourna dans la cuisine chercher une autre bière. Philips, paralysé, l'observait depuis la table. « J'ai obtenu un boulot à la morgue de l'Ecole de Médecine », cria Werner en ouvrant le tiroir de dessous l'évier. Sous le décapsuleur se trouvaient plusieurs gros scalpels d'autopsie subtilisés par Werner à la morgue, à l'époque où l'on pratiquait encore les autopsies sur la vieille table de marbre. Il en saisit un et, pointe en avant, le glissa dans la manche gauche de sa veste. « Mais j'avais besoin de plus de fric que mon seul salaire. » Il ouvrit la bouteille et remit le décapsuleur en place. Refermant le tiroir, il se retourna et revint vers la table.

« Je veux seulement des tuyaux sur Lisa Marino », dit Martin, mollement.

L'histoire de la vie de Werner lui avait fait prendre conscience de sa propre fatigue physique.

« J'y arrive », dit Werner. Il avala une gorgée de sa nouvelle bouteille de bière et la posa sur la table. « J'ai commencé à me faire du fric en plus à la morgue à l'époque où l'anatomie était plus populaire que maintenant. Des tas de petits trucs. Ensuite, je suis tombé sur l'idée des photos. Je les vends dans la 42e rue. Ça fait des années. » Du bras, Werner fit un geste circulaire, désignant son appartement.

Philips jeta un regard sur la pièce faiblement éclairée. Il avait vaguement remarqué des photos sur les murs tendus de velours rouge. Maintenant, en regardant mieux, il réalisa qu'il s'agissait de photos obscènes, horribles, de cadavres de femmes nues. Philips reporta lentement son attention sur Werner et son regard concupiscent.

« Lisa Marino a été un de mes meilleurs modèles », dit Werner. Il ramassa la pile de clichés polaroïd sur la table et les posa sur les genoux de Philips. « Jetez-y un coup d'œil.

Ça rapporte un paquet de dollars, spécialement sur la 2e avenue. Prenez votre temps. Faut que j'aille aux toilettes. La bière. Ça me passe directement à travers le corps. »

Werner contourna un Philips abasourdi et disparut par la porte de la chambre.

Martin, à contrecœur, baissa les yeux sur les photos d'un sadisme écœurant du cadavre de Lisa Marino, craignant de les toucher, comme si l'aberration mentale qu'elles représentaient pouvait lui coller aux doigts. Bien évidemment, Werner avait mal interprété l'intérêt manifesté par Philips. Peut-être le gardien de la morgue ne savait-il rien du cerveau disparu, et son comportement suspect n'était-il dû qu'à son trafic de photos pour nécrophiles. Philips se sentit pris de nausée.

Ayant traversé la chambre jusqu'à la salle de bains, Werner fit couler l'eau de manière à imiter le bruit de quelqu'un en train d'uriner puis, cherchant dans sa manche, il en sortit le long et mince scalpel d'autopsie. Il le saisit fermement de la main droite, comme une dague, et retraversa silencieusement la chambre.

A cinq mètres de là, Philips, le dos tourné à Werner, assis, tête baissée, regardait les photos posées sur ses genoux. Werner s'arrêta un instant juste sur le seuil de la chambre. Ses doigts minces agrippaient fermement la poignée de bois usée du couteau et il serrait les lèvres.

Philips ramassa les photos et les souleva, se préparant à les poser à l'envers sur la table. Alors qu'elles se trouvaient à hauteur de sa poitrine, il prit conscience d'un mouvement derrière lui. Il commença à se retourner. Il y eut un cri.

La lame du couteau s'enfonça exactement sous la clavicule droite, à la base du cou, perforant le lobe supérieur du poumon avant de traverser l'artère pulmonaire droite. Le sang se déversa à flots dans les bronches ouvertes, provoquant une toux réflexe d'agonie qui projeta le sang craché de la bouche avec violence, inondant la table.

224

Mû par un réflexe animal, Philips bondit sur sa droite, saisissant la bouteille de bière au passage. En se retournant, il fit face à Werner qui titubait en avant, la main tâtonnant en vain pour arracher le stylet fiché dans sa gorge jusqu'au manche. Sa gorge n'émettait qu'un gargouillement, et son corps s'abattit violemment en avant sur la table avant de s'écrouler comme une masse sur le sol. Le scalpel d'autopsie que tenait Werner cliqueta en heurtant la table et glissa avec un bruit sourd.

« Ne bougez pas et ne touchez à rien », cria l'assaillant de Werner, entré dans le couloir par la porte ouverte. « On a bien fait de vous placer sous surveillance. » C'était l'Hispano-Américain à la grosse moustache et au costume de polyester que Philips se souvint d'avoir remarqué dans le métro. « L'idéal, c'est de toucher soit un gros vaisseau, soit le cœur, mais ce type a failli ne pas m'en laisser le temps. » L'homme se pencha et tenta de retirer son couteau du cou de Werner. Celui-ci s'était affaissé, la tête sur l'épaule droite et la lame se trouvait coincée. L'homme enjamba le gardien de la morgue, au corps agité de mouvements convulsifs, pour obtenir une meilleure prise sur l'arme.

Philips, suffisamment remis du choc initial, réagit lorsque l'homme se pencha près de la table. Balançant la bouteille de bière en un demi-cercle complet, Martin l'asséna sur la tête de l'intrus. L'homme avait vu venir le coup et, au dernier moment, il se tourna légèrement, de sorte qu'une partie de la force du coup se trouva absorbée par l'épaule. Néanmoins, le choc l'envoya s'étaler au travers du corps de sa victime.

Saisi par une panique folle, Philips se mit à courir, la bouteille toujours à la main. Mais, arrivé à la porte, il crut percevoir du bruit dans le hall, au-dessous, ce qui lui fit craindre que le tueur ne fût pas seul. S'appuyant au chambranle de la porte pour changer de direction, il fonça de nouveau dans l'appartement de Werner. Il vit le tueur debout sur ses pieds mais encore étourdi, se tenant la tête à deux mains.

Martin se rua vers une fenêtre au fond de la chambre à coucher et en souleva le châssis à guillotine. Il essaya d'ouvrir le store, mais n'y parvenant pas, il le défonça d'un coup de pied. Une fois à l'extérieur, sur l'escalier d'incendie, il dégringola. Par miracle, il ne trébucha pas, bien que sa sortie tint davantage de la chute contrôlée. Arrivé au sol, il n'eut pas le choix de la direction et dut foncer vers l'est. Juste derrière l'immeuble voisin, il traversa une sorte de potager. Sur sa droite, une palissade de protection contre le vent lui barrait le chemin du retour vers Hamilton Terrace. Le sol descendait en pente raide alors que Philips courait vers l'est, et il se retrouva glissant et dégringolant un monticule escarpé et parsemé de rocailles. La lumière maintenant derrière lui, il avança dans l'obscurité. Bientôt, il tomba sur une clôture de fil de fer. Au-delà de la clôture, une dénivellation de trois mètres donnait dans un cimetière de voitures. Au-delà encore, apparaissait l'étendue faiblement éclairée de Saint Nicholas Avenue. Sur le point d'escalader la clôture assez basse, Philips remarqua qu'on l'avait sectionnée. Il se glissa par l'ouverture et se jeta sur le mur de ciment au-dessous de lui, dégringolant les derniers mètres à l'aveuglette.

En fait, il ne s'agissait pas d'un véritable cimetière de voitures, mais simplement d'un terrain vague où rouillaient des autos abandonnées. Avec précaution, Martin se fraya un chemin parmi les carcasses de métal tordu, en direction des lumières de l'avenue en face de lui. Il s'attendait, à chaque instant, à entendre ses poursuivants.

Une fois dans la rue, il put courir plus facilement. Il voulait mettre la plus grande distance possible entre lui et l'appartement de Werner. Il chercha en vain une voiture de patrouille de la police. L'état des immeubles, de chaque côté, se dégradait et Philips remarqua que beaucoup paraissaient incendiés et abandonnés. Les immenses bâtiments vides ressemblaient à des squelettes dans la nuit noire et brumeuse. Des ordures et des détritus jonchaient les trottoirs.

Philips se rendit soudain compte de l'endroit où il se trouvait et ralentit l'allure : il avait couru tout droit jusqu'à Harlem. L'obscurité et le silence des lieux augmentaient son angoisse. Deux pâtés de maisons plus loin, Philips aperçut un groupe de Noirs, sans doute des voyous, qui restèrent bouche bée devant le spectacle de ce Blanc qui passait près d'eux en courant, fonçant vers le centre de Harlem.

Martin se sentit bientôt épuisé par son allure vive et vit arriver le moment où il allait s'effondrer. Chaque aspiration provoquait une douleur lancinante dans sa poitrine. Finalement, en désespoir de cause, il se glissa sous un porche obscur et dépourvu de portes, sa respiration s'exhalant en halètements déchirants tandis qu'il trébuchait sur les briques qui jonchaient le sol. S'appuyant au mur humide, il reprit son équilibre, les narines aussitôt assaillies par l'odeur fétide. Mais il n'y prêta guère attention tant il se sentait soulagé de s'arrêter de courir.

Avec précaution, il se pencha à l'extérieur et s'efforça de voir si on l'avait suivi. Tout paraissait tranquille, mortellement tranquille. Philips sentit l'odeur de l'individu, avant de se rendre compte que la main émergeant de l'ombre lui agrippait le bras. Un cri se forma dans sa gorge qui, sur ses lèvres, devint une faible plainte. Il bondit hors du porche, arrachant violemment son bras à la poigne qui le tenait, propulsant involontairement le possesseur de la main à l'extérieur du porche. Martin se retrouva face à un camé abruti par la drogue, à peine capable de se tenir debout. « Seigneur ! » cria Philips. Il se retourna et s'enfuit dans la nuit.

Il pleuvait à nouveau, une petite pluie fine, tourbillonnant dans la lumière des rares lampadaires.

Deux pâtés de maisons plus loin, Philips tomba sur son oasis. Il était parvenu sur une large avenue. Un bar ouvert toute la nuit faisait l'angle, surmonté d'une enseigne au

227

néon pour la bière Budweiser qui projetait une flaque rouge sang sur l'asphalte du croisement. Quelques silhouettes se blottissaient sous les porches environnants, comme si l'enseigne rouge offrait une sorte de havre, à l'abri de la décrépitude de la ville.

Passant la main dans ses cheveux mouillés, Martin sentit quelque chose de poisseux. A la lueur de l'enseigne Budweiser, il réalisa qu'il s'agissait du sang de Werner qui l'avait éclaboussé. Ne voulant pas avoir l'air de sortir d'une rixe, il essaya d'ôter le sang avec sa main. Après avoir frotté plusieurs fois, il réussit à effacer la tache visqueuse et poussa la porte.

Il régnait dans le bar une atmosphère sirupeuse et lourde de fumée. La musique disco était si forte que chaque note résonnait dans la poitrine de Martin. Il y avait environ une douzaine d'individus dans le bar, tous des Noirs dans un état de stupeur avancée. Outre la musique disco, une petite télé couleurs retransmettait un film de gangsters des années 1930. Le seul à regarder le film était le barman, un malabar qui portait un tablier d'un blanc douteux.

Les visages des clients se tournèrent vers Philips et une tension soudaine envahit l'atmosphère, semblable à de l'électricité statique avant un orage. Philips la ressentit instantanément malgré son affolement.

S'avançant dans le bar avec circonspection, il s'attendait à être attaqué d'un instant à l'autre. Tandis qu'il avançait, les visages menaçants se tournaient pour le suivre du regard. En face de lui, un barbu descendit de son tabouret et se planta au milieu de son chemin. « Avance, Blanche-Neige », grogna le Noir dont le corps luisait sous la lumière sourde.

« Flash », dit sèchement l'homme au bar. « Laisse pisser. » Puis s'adressant à Philips : « Eh, m'sieu, qu'est-ce que vous venez foutre par ici ? Voulez vous faire descendre ?

— Il faut que je téléphone, parvint à dire Philips.

228

— Au fond », dit le propriétaire du bar, hochant la tête d'un air incrédule.

Philips retint sa respiration en contournant l'homme que le barman avait appelé Flash. Trouvant une pièce de dix cents dans sa poche, il chercha le téléphone des yeux. Il en découvrit un près des toilettes, mais il était occupé par un individu qui se querellait avec sa petite amie. « Ecoute, poupée, qu'est-ce que tu as à râler ? »

Un instant plus tôt, dans son affolement, Philips aurait été capable d'arracher le téléphone des mains de l'homme, mais maintenant il parvenait à se contrôler, au moins partiellement. Il revint au bar, se plaça tout au bout et attendit. La tension était tombée d'un degré et les conversations avaient repris.

Le barman lui demanda de payer d'abord, puis il lui servit son brandy.

Le liquide brûlant calma les nerfs tendus de Philips et l'aida à mettre de l'ordre dans ses idées. Pour la première fois depuis l'incroyable événement que constituait la mort de Werner, Martin se sentait capable d'analyser ce qui s'était passé. Au moment du coup de poignard, il avait pensé n'être qu'un personnage secondaire, fortuit, et que la lutte se limitait à un affrontement entre Werner et son agresseur. Mais celui-ci avait ensuite prétendu qu'il suivait Philips. Absurde ! Martin avait suivi Werner. Et Martin avait vu le couteau de Werner. Le gardien de la morgue avait-il été sur le point de l'attaquer ? En essayant de se concentrer sur cet épisode, Philips se trouva encore plus déconcerté, surtout lorsqu'il se rappela avoir vu l'assaillant de Werner dans le métro, un moment auparavant. Philips vida son verre et paya pour en avoir un second. Il demanda au barman dans quelle rue il se trouvait, mais le nom de l'endroit n'évoquait rien pour Philips.

Le Noir qui s'était querellé au téléphone passa derrière Philips et quitta le bar. Martin repoussa le tabouret et, ramassant son verre plein, se dirigea de nouveau au fond de la salle. Il se sentait un peu plus calme et pensait pouvoir donner un exposé plus clair à la police. Philips posa son verre sur une petite étagère sous le téléphone. Glissant une pièce dans la fente, il composa le 911.

Par-dessus le bruit de la musique disco et celui de la télé, il put entendre la sonnerie à l'autre bout de la ligne. Il se demanda s'il devait parler de ses découvertes et de l'hôpital, mais jugea que cela ne ferait qu'ajouter un peu plus de confusion à une situation déjà assez embrouillée. Il décida donc de ne rien dire de ses ennuis hospitaliers, à moins qu'on lui demande expressément ce qu'il faisait dans l'appartement de Werner au milieu de la nuit. Une voix rauque et ennuyée répondit.

« Sixième division. Sergent McNeally à l'appareil.

— Je voudrais signaler un meurtre, dit Martin, essayant de garder une voix égale.

— Où ça ? demanda le sergent.

— Je ne suis pas sûr de l'adresse, mais je pourrais reconnaître l'immeuble.

— Etes-vous en danger en ce moment ?

— Je ne crois pas. Je suis dans un bar à Harlem...

— Un bar ! D'accord, mon gars, coupa le sergent. T'en es à combien de verres ? »

Philips réalisa que l'homme le croyait ivre. « Ecoutez, j'ai vu un homme se faire poignarder.

— Des tas de gens se font poignarder à Harlem, mon gars. Comment tu t'appelles ?

— Docteur Martin Philips. Je suis radiologue au Centre hospitalier universitaire Hobson.

— Vous avez dit Philips ? demanda le sergent d'une tout autre voix.

— C'est ça, dit Philips, surpris de la réaction du sergent.

— Il fallait le dire plus tôt ! Ecoutez, on a attendu votre appel. Je suis censé vous passer immédiatement le Bureau. Attendez ! Si on vous coupe, rappelez-moi immédiatement, d'accord ? »

Le policier n'attendit pas la réponse de Philips. Un

déclic, et on passa Philips en attente. Eloignant le récepteur de son oreille, Martin le contempla comme s'il allait lui fournir la clé de cette bizarre conversation. Il était sûr que le sergent avait dit qu'il attendait son coup de téléphone ! Et qu'entendait-il par le Bureau ? Le Bureau de quoi ?

Après une série de déclics, il entendit une voix à l'autre bout de la ligne, une voix profonde et inquiète.

« C'est bon, Philips, où êtes-vous ?

— A Harlem. Qui est à l'appareil ?

— Agent Sansone. Je suis directeur-adoint du Bureau pour cette ville.

— Quel Bureau ? » Les nerfs de Philips, quelque peu calmés, vibraient comme s'ils étaient branchés sur le secteur.

« Le F.B.I., espèce d'idiot ! Ecoutez, il nous reste très peu de temps. Quittez immédiatement cet endroit.

— Pourquoi ? » Martin se sentait tout désorienté, mais il perçut tout le sérieux de Sansone.

« Pas le temps de vous expliquer. Mais l'homme que vous avez assommé était un de mes agents qui essayait de vous protéger. Il vient juste d'appeler. Vous comprenez ? L'histoire Werner, dans tout ça, n'a été qu'un malheureux accident.

— Je n'y comprends rien, hurla Philips.

— Aucune importance, coupa sèchement Sansone. L'important, c'est que vous sortiez de là. Ne coupez pas, il faut que je vérifie si vous êtes sur une ligne sûre. »

Un autre déclic, et l'on repassa Philips en attente. Les sentiments de Philips, alors qu'il contemplait le téléphone silencieux, atteignirent une tension telle qu'il sentit la colère monter en lui. Tout cela ne pouvait être qu'une sinistre farce.

« La ligne n'est pas sûre, dit Sansone, revenant au téléphone. Donnez-moi votre numéro, je vous rappelle. »

Philips indiqua le numéro et raccrocha. Sa colère commençait à se muer lentement en une nouvelle angoisse. Après tout, c'était le F.B.I.

Le téléphone fit entendre un bruit discordant dans la main de Philips qui sursauta.

« C'est bon, Philips, écoutez-moi bien ! dit Sansone. Il s'agit d'une affaire criminelle impliquant le C.H.U. Hobson et sur laquelle nous enquêtons secrètement.

— Et impliquant des radiations », lâcha Philips. Les choses commençaient à prendre tournure.

« Vous en êtes certain ?

— Absolument, dit Philips.

— Très bien. Ecoutez, Philips, on a besoin de vous dans cette enquête, mais je crains qu'on vous surveille. Il faut qu'on vous parle. Nous avons besoin de quelqu'un à l'intérieur du Centre médical, vous comprenez ? » Sansone n'attendit pas la réponse de Philips. « Impossible de vous faire venir ici. On pourrait vous suivre. La dernière chose que nous souhaitions en ce moment, c'est qu'ils sachent que le F.B.I. enquête sur eux. Ne coupez pas. »

Sansone quitta l'appareil, mais Philips put entendre une discussion en arrière-fond.

« Les Cloîtres, Philips. Vous connaissez les Cloîtres[1] ? demanda Sansone, revenu en ligne.

— Bien sûr, répondit Martin, surpris.

— Rendez-vous là-bas. Prenez un taxi et descendez à l'entrée principale. Renvoyez le taxi. Comme ça, on saura s'ils vous collent au train.

— Au train ?

— Qu'on ne vous suit pas, bon Dieu ! Faites-le, c'est tout, Philips. »

Entre ses mains, le téléphone était muet. Sansone n'avait pas attendu ni question ni accord. Ses directives n'étaient pas des suggestions mais des ordres. Philips ne pouvait pas ne pas être impressionné par le profond sérieux

---

1. Situés dans la partie nord de Manhattan, sur une éminence dominant l'Hudson, les Cloîtres sont des copies de monastères français, dont celui de Saint-Michel-de-Cuxa.

de l'agent. Il revint vers le barman et lui demanda s'il pouvait appeler un taxi.

« Pas facile de faire venir un taxi à Harlem la nuit », dit l'homme au bar. Un billet de cinq dollars lui fit changer d'avis et il utilisa le téléphone placé derrière la caisse. Martin remarqua, dans le même coin, la crosse d'un 45.

Avant qu'un taxi accepte de venir, Martin dut promettre un pourboire de vingt dollars et préciser sa destination : Washington Heights. Puis, il attendit quinze minutes fiévreuses avant que le taxi s'arrête devant le bar. Martin y grimpa et le taxi démarra dans un hurlement de pneus. Le chauffeur demanda à Martin de verrouiller toutes les portes.

Ils passèrent une dizaine de pâtés de maisons avant que la ville commence à paraître moins menaçante. Ils se retrouvèrent bientôt dans un quartier que Philips connaissait, et des devantures illuminées remplacèrent les immeubles délabrés. Martin aperçut même quelques piétons sous des parapluies.

« Bon, où on va ? » demanda le chauffeur, manifestement soulagé, comme s'il venait de ramener un homme de derrière les lignes ennemies.

« Aux Cloîtres, dit Philips.

— Aux Cloîtres ! Bon sang, il est trois heures et demie du matin et tout le coin va être désert.

— Je paierai, dit Martin, ne souhaitant pas discuter.

— Minute », dit le chauffeur en s'arrêtant à un feu rouge. Il se retourna pour regarder à travers la séparation de plexiglas. « Je ne veux pas d'emmerdes. Je sais pas dans quel bordel vous êtes, mais je veux pas d'emmerdes.

— Vous n'aurez pas d'ennuis. Je veux seulement que vous me larguiez à l'entrée principale. Après, vous êtes libre. »

Le feu passa au vert et le chauffeur accéléra.

L'exposé de Martin avait dû le satisfaire car il ne se plaignit plus, et Martin fut heureux de pouvoir réfléchir. Les manières autoritaires de Sansone s'étaient révélées bien utiles. Philips sentait qu'en l'état actuel des choses, il eût été incapable de prendre une décision tout seul. Tout cela paraissait trop bizarre ! Depuis son départ de l'hôpital, il s'était trouvé plongé dans un monde dégagé des habituelles contraintes de la réalité. Il commençait même à se demander si cette expérience n'était pas le fruit de son imagination lorsqu'il vit des taches du sang de Werner sur sa parka, rassurantes en un sens : elles étaient au moins la preuve que Philips gardait tout son bon sens.

A travers la vitre, il contempla les lumières dansantes de la ville et essaya de se concentrer sur l'improbable intervention du F.B.I. Philips, avec son expérience de l'hôpital, se rendait bien compte que les administrations fonctionnent essentiellement au mieux de leurs intérêts à elles, pas de ceux des individus. Si cette affaire, quelle qu'elle fût, se révélait importante pour le F.B.I., comment Martin pouvait-il espérer qu'ils prendraient les siens à cœur ? Impossible ! Il se sentit mal à l'aise en pensant à son rendez-vous aux Cloîtres. Leur isolement l'inquiétait. Il jeta un coup d'œil à la vitre arrière, essayant de voir si on le suivait. Avec cette circulation fluide, cela paraissait improbable, mais pas certain. Sur le point de demander au chauffeur de changer de direction, il réalisa, avec un sentiment d'impuissance, qu'il n'existait probablement aucun endroit où il pût aller. Tendu, il demeura immobile jusqu'à ce qu'ils arrivent près des Cloîtres, puis il se pencha en avant :

« Ne vous arrêtez pas. Continuez de rouler.

— Mais vous avez dit que vous vouliez que je vous dépose », protesta le chauffeur.

Le taxi venait juste de pénétrer dans l'aire ovale et pavée qui servait d'entrée principale. Un gros lampadaire surmontait le porche médiéval et la lumière se reflétait sur les pavés.

« Faites une fois le tour », dit Philips en scrutant les environs. Deux allées y conduisaient en pleine obscurité. Au-dessus, on pouvait voir quelques lumières à l'intérieur des bâtiments. De nuit, l'ensemble présentait l'aspect menaçant d'un château de croisés.

Le chauffeur jura, mais fit le tour de l'allée circulaire qui offrait une vue sur l'Hudson. Martin ne distinguait pas le fleuve lui-même, mais le pont George Washington, avec ses gracieuses paraboles de lumière, se détachait sur le ciel.

Martin tourna la tête, à la recherche de quelque signe de vie. Rien, pas même les habituels amoureux garés près du fleuve. Il devait être trop tard ou faire trop froid, ou les deux. Leur tour terminé, le taxi s'arrêta devant l'entrée.

« Bon, et alors ? Qu'est-ce que vous voulez faire, bordel ? » demanda le chauffeur en regardant Philips dans le rétroviseur.

« Sortons d'ici », dit-il.

Le chauffeur réagit en braquant et en accélérant pour s'éloigner du bâtiment.

« Arrêtez. Arrêtez ! » hurla Martin. Le chauffeur pila. Philips venait d'apercevoir trois clochards qui se tenaient là à regarder par-dessus la bordure du mur de l'entrée. Ils avaient entendu les pneus crisser. Le temps que le taxi s'arrête, ils se trouvaient dix mètres derrière.

« Combien ? demanda Martin, regardant à travers la vitre du taxi.

— Rien. Tirez-vous, c'est tout. »

Philips posa un billet de dix dollars dans le support de plexiglas et descendit. Le taxi démarra en trombe à la seconde où la portière se refermait. Le bruit du moteur s'estompa rapidement dans l'air humide de la nuit, ne laissant dans son sillage qu'un lourd silence, seulement rompu par le sifflement des voitures qui, de temps à autre, passaient sur l'autoroute Henry Hudson. Philips revint vers les clochards. Sur sa droite, une allée pavée partait de la route et descendait à travers les arbres en bourgeons. Philips distingua vaguement que l'allée se séparait en une fourche dont l'une des branches tournait et revenait sous la voûte du porche.

Il la descendit et jeta un coup d'œil sous le porche. Les

235

clochards n'étaient pas trois, mais quatre. L'un d'eux, ivre mort, ronflait, couché sur le dos. Les trois autres, assis, jouaient aux cartes. Ils avaient fait un petit feu qui éclairait deux cruchons de vin vides. Philips les observa un moment, voulant s'assurer qu'ils étaient bien ce à quoi ils ressemblaient, c'est-à-dire de simples clochards. Il cherchait un moyen d'utiliser ces hommes comme écran entre lui et Sansone. Non qu'il s'attendît à être arrêté. Mais sa méfiance s'était éveillée, et l'utilisation d'un intermédiaire était la seule solution qui lui vînt à l'esprit. Même si tout cela tenait debout, un rendez-vous aux Cloîtres au milieu de la nuit n'était pas un événement banal.

Après avoir attendu encore quelques instants, Philips se dirigea vers le porche, feignant d'être un peu ivre. Les trois clochards l'observèrent un moment et, considérant qu'il ne représentait pas un danger, se replongèrent dans leurs cartes.

« Qui est-ce qui veut gagner cinq sacs ? » demanda Martin.

Pour la seconde fois, les trois épaves levèrent les yeux.

« Qu'est-ce que tu demandes pour cinq sacs ? demanda le plus jeune.

— Te faire passer pour moi pendant dix minutes. »

Les trois clochards se regardèrent et se mirent à rire. Le plus jeune se leva.

« Ouais. Et après ?

— Tu montes aux Cloîtres et tu fais un tour. Si on te demande qui tu es, tu réponds : Philips.

— Fais voir les cinq sacs. »

Philips exhiba l'argent.

« Et moi ? demanda l'un des plus âgés, se levant avec difficulté.

— Ferme ça, Jack, dit le plus jeune. C'est comment votre nom tout entier, M'sieu ?

— Martin Philips.

— Okay, Martin, c'est vendu. »

Retirant sa parka et sa casquette, Philips les fit mettre

à l'homme, dissimulant bien les yeux sous la casquette. Puis, Martin prit le pardessus du clochard et l'enfila à contrecœur, un vieux manteau aux revers de velours étroits. Dans une poche, il trouva un morceau de sandwich.

Malgré les objections de Martin, les deux autres hommes insistèrent pour y aller. Ils se mirent à rire et à plaisanter jusqu'à ce que Philips leur dise qu'il annulait le marché s'ils ne la fermaient pas.

« Faut que je marche tout droit ? demanda le jeune.

— Oui », dit Martin, qui se faisait une autre idée de cette mascarade. Le sentier menait à la cour au-dessous de l'allée principale. Un escarpement assez raide juste avant la zone pavée grimpait jusqu'à un banc au sommet, destiné aux promeneurs fatigués. Le mur de pierre bordant l'entrée se terminait abruptement à l'intersection. Juste en face se trouvait l'entrée principale des Cloîtres.

« Bon, murmura Martin, tu vas simplement jusqu'à cette porte et tu essaies de l'ouvrir. Ensuite, tu reviens et les cinq sacs sont à toi.

— Comment tu sais que je vais pas simplement me tirer avec ta casquette et ta veste ? demanda le jeune.

— Je prends le risque. Et puis je te rattraperais, dit Philips.

— C'est comment ton nom, déjà ?

— Philips. Martin Philips. »

Le vagabond baissa davantage encore la casquette de Philips sur les yeux, de sorte qu'il dut pencher la tête en arrière pour voir. Il commença à grimper le raidillon, mais perdit l'équilibre. Martin lui donna une poussée au creux des reins qui le projeta en avant et, après quelques pas à quatre pattes, il se redressa et remonta le sentier. Martin s'avança vers la grimpette jusqu'à ce qu'il puisse voir par-dessus le mur de pierre. Le vagabond avait déjà traversé l'allée et atteint les pavés, dont le revêtement irrégulier lui fit momentanément perdre l'équilibre, mais il se rattrapa avant de tomber. Il contourna le refuge central, qui servait d'arrêt aux autobus, et se dirigea vers la porte de bois. « Y a quelqu'un ? » hurla-t-il. Sa voix se répercuta en écho dans la cour. Il déboucha en trébuchant au milieu de la cour et cria. « C'est moi, Martin Philips. »

On n'entendait pas le moindre bruit, à part le crépitement de la pluie qui venait juste de recommencer à tomber. L'ancien monastère, avec ses remparts de pierres taillées, donnait à la scène un aspect irréel, intemporel. De nouveau, Martin se demanda s'il n'était pas le jouet d'une gigantesque hallucination.

Soudain, un coup de feu déchira le silence. Le clochard, dans la cour, fut soulevé de terre et projeté sur les pavés. On aurait dit qu'un obus venait de frapper en pleine vitesse un melon mûr. La balle avait arraché presque tout le visage de l'homme, l'éparpillant sur une dizaine de mètres.

Philips et ses deux compagnons demeurèrent frappés de stupeur. Lorsqu'ils comprirent ce qui venait de se passer, ils tournèrent les talons et détalèrent, dégringolant les uns sur les autres dans la pente abrupte qui descendait du monastère.

Jamais Martin ne s'était senti aussi désespéré. Même en s'enfuyant de chez Werner, il n'avait pas ressenti une telle terreur. A chaque instant, il s'attendait à entendre le coup de feu et à sentir la brûlure de la balle. Il savait que, quel que fût celui qui le recherchait, il allait s'assurer de l'identité du cadavre gisant dans la cour et se rendre compte de son erreur. Il fallait décamper.

Mais l'escarpement rocheux représentait lui-même un danger. Le pied de Philips butta et il tomba, tête la première, évitant de justesse une grosse pierre saillante. En se relevant, il vit un sentier qui tournait sur la droite. Ecartant les broussailles, il s'y fraya un chemin.

Il y eut un second coup de feu suivi d'un cri déchirant. Le cœur de Philips battait à tout rompre. Une fois sorti des broussailles, dans le petit bois, il courut aussi vite que possible, se lançant à corps perdu dans l'obscurité du sentier.

Avant de comprendre ce qui lui arrivait, il sentit qu'il venait de dépasser la dernière marche d'un escalier. Il lui parut s'écouler un temps incroyablement long avant de toucher brutalement le sol. Instinctivement, il s'accroupit pour amortir l'impact, se protégeant la tête en roulé-boulé. Il se retrouva sur le dos et se redressa, étourdi. Derrière lui, il entendait des bruits de pas courant dans l'allée et il se releva avec peine. Il se mit à courir, luttant contre le vertige.

Cette fois, il vit l'escalier à temps et ralentit. Il descendit les marches quatre à quatre puis fonça, les jambes en coton. Le sentier en coupait un autre à angles droits, surgissant si vite que Martin n'eut pas le temps de décider de changer de direction. A l'intersection suivante, il hésita un instant. Au-dessous, sur la droite, il vit que le petit bois se terminait. A la lisière des arbres, il aperçut une sorte de balcon avec une balustrade en ciment. Soudain, Philips entendit de nouveau des bruits de pas et, cette fois, il lui sembla bien qu'il y avait plus d'un poursuivant. Sans prendre le temps de réfléchir, il se retourna et fonça vers le balcon. Au-dessous de lui, sur une centaine de mètres, s'étendait une aire de jeux cimentée avec des balançoires, des bancs et une vasque vide, probablement un bassin. Au-delà de l'aire de jeux, Martin aperçut une rue où passait un taxi.

En entendant les pas qui se rapprochaient, il sauta sur les larges escaliers de ciment qui descendaient du balcon sur le terrain de jeux. C'est en entendant le martèlement des pas qui se rapprochaient, qu'il comprit : il ne pouvait traverser l'espace découvert avant que ses poursuivants atteignent le balcon. Il se trouverait complètement exposé.

Rapidement, il se colla dans le renfoncement obscur au-dessous du balcon, indifférent à l'odeur de vieille urine. A cet instant, il entendit des pas lourds au-dessus de lui. Il recula en trébuchant, à l'aveuglette, jusqu'à ce qu'il heurte le mur. Il se retourna et se laissa lentement glisser en position assise, essayant de contrôler le halètement de sa respiration.

Les colonnes de soutènement du balcon saillaient sur l'image indistincte du terrain de jeux. On pouvait voir quelques-unes des lumières de la ville, dans le lointain. Les pas lourds parcoururent la terrasse, puis descendirent les marches de l'escalier. Soudain, une silhouette sombre, en guenilles, dont la respiration sifflante parvenait jusqu'à Martin, se découpa clairement tandis que l'homme débouchait en trébuchant sur le terrain de jeux, fonçant vers la rue à l'autre bout.

Une série de pas légers sur le balcon au-dessus. Philips entendit des mots étouffés. Puis le silence. Devant lui, la silhouette coupait le bassin en diagonale. Le fusil aboya sèchement au-dessus de Martin et, dans le même temps, la silhouette qui fuyait sur le terrain de jeux fut projetée à terre, tête en avant, heurta le ciment et ne bougea plus.

Martin se résigna à son sort. Impossible de fuir plus avant. Il était pris au piège. Il ne lui restait plus qu'à attendre le coup de grâce. Peut-être aurait-il songé à résister s'il ne s'était senti si épuisé mais, dans son état, il se contenta de demeurer immobile, écoutant les pas légers traverser la terrasse et commencer à descendre l'escalier. S'attendant à voir des silhouettes se découper un instant sur les fûts des colonnes en face de lui, Philips ne bougea plus, retenant sa respiration.

10

Denise Sanger se réveilla en sursaut. Couchée, immobile, osant à peine respirer, elle écoutait les bruits de la nuit. Elle pouvait sentir battre ses tempes, cognant sous l'effet de l'adrénaline pompée dans son sang. Elle savait qu'un bruit insolite l'avait réveillée, mais qu'il ne s'était pas reproduit. Elle ne percevait que le ronronnement de son vieux réfrigérateur. Sa respiration revint lentement à la normale. Même le réfrigérateur, avec une dernière secousse et un bruit sourd, s'arrêta, et l'appartement retomba dans le silence.

Elle se tourna, se demandant s'il ne s'agissait pas tout simplement d'un cauchemar. Bien réveillée maintenant, elle sentit qu'il lui fallait se rendre aux toilettes.

A contrecœur, elle sortit du lit tiède et se rendit à la salle de bains à pas feutrés. Ramassant sa chemise de nuit en un paquet contre elle, elle s'assit sur le siège froid des toilettes, sans allumer la lumière ni fermer la porte.

Soudain, elle entendit un bruit sourd — peut-être un objet heurtant le mur d'un appartement voisin.

Denise tendit l'oreille, guettant un nouveau bruit, mais l'appartement demeura silencieux. Rassemblant son courage, elle se glissa silencieusement dans le couloir jusqu'à la porte d'entrée. Elle se sentit soulagée en voyant que le verrou de sûreté était bien tiré.

Elle fit demi-tour et se dirigea de nouveau vers la chambre. A ce moment, elle perçut le glissement sur le sol

241

et entendit le léger bruissement des feuilles de notes épinglées à son tableau. Changeant complètement de direction, elle regagna le couloir et jeta un coup d'œil sur la salle de séjour obscure. La fenêtre donnant sur l'escalier d'incendie était ouverte !

Denise essaya désespérément de ne pas céder à la panique. Depuis son arrivée à New York, sa plus grande crainte avait été la possibilité d'une intrusion nocturne. Pendant presque un mois après son arrivée, elle avait eu les plus grandes difficultés à trouver le sommeil. Et maintenant, avec cette fenêtre ouverte, son pire cauchemar semblait devenir réalité : il y avait quelqu'un dans son appartement !

Tandis que les secondes s'écoulaient, elle se souvint qu'elle possédait deux téléphones, l'un près de son lit et l'autre au mur de la cuisine, juste en face d'elle. D'un seul élan, elle traversa le couloir, sentant sous ses pieds le linoléum usé. En passant devant l'évier, elle saisit un petit couteau à éplucher. Une faible lueur fit briller sa petite lame. L'arme minuscule donna à Denise un faux sentiment de protection. Au moment où elle atteignait le téléphone, le vieux compresseur du réfrigérateur se déclencha et se mit en marche dans un fracas épouvantable. Surprise par le bruit, les nerfs tendus à se rompre, elle laissa tomber le téléphone, prête à hurler.

Mais avant qu'elle ait pu émettre un son, elle sentit une poigne lui serrer la gorge et la soulever puissamment, lui coupant toute force. Ses bras se détendirent et le couteau à éplucher tomba sur le sol avec un bruit métallique. Secouée brutalement comme une poupée de chiffons, elle se sentit traînée rapidement dans le couloir, les pieds effleurant à peine le sol. Elle tituba dans la chambre, perçut plusieurs éclairs, ressentit une chaleur brûlante sur le côté de la tête et entendit une série de sons étouffés, comme ceux d'un pistolet à silencieux.

Les projectiles frappèrent les couvertures en tas sur le

lit. Une ultime et violente poussée projeta Denise sur ses genoux tandis qu'on rejetait les couvertures.

« Où est-il ? » gronda l'un des assaillants, tandis que l'autre ouvrait les cabinets.

Tapie contre le lit, elle leva les yeux. Deux hommes vêtus de noir et portant de larges ceintures de cuir se tenaient devant elle.

« Qui ? parvint-elle à dire d'une voix faible.

— Votre amant, Martin Philips.

— Je ne sais pas. A l'hôpital. »

L'un des deux hommes se baissa, la saisit et la souleva suffisamment pour la jeter sur le lit. « Alors, on va l'attendre. »

Pour Philips, le temps s'était écoulé comme dans un rêve. Après le dernier coup de fusil, il n'avait plus rien entendu, la nuit demeurant silencieuse à l'exception d'une voiture passant de temps à autre de l'autre côté du terrain de jeux. Conscient d'un ralentissement de son pouls, il avait toujours du mal à mettre de l'ordre dans ses idées. Maintenant seulement, alors que le soleil levant glissait imperceptiblement sur le terrain de jeux, son esprit recommençait à fonctionner. Tandis que l'aube se faisait plus claire, il pouvait distinguer davantage les détails du paysage, telle une série de corbeilles à papier en ciment, dessinées de façon à ressembler au roc naturel du paysage. Des oiseaux s'étaient soudain rassemblés dans le coin et plusieurs pigeons vagabondaient sur le corps étendu dans le bassin à sec.

Martin essaya de remuer ses jambes engourdies. Peu à peu, il réalisa que le cadavre dans le terrain de jeux constituait une nouvelle menace. Quelqu'un appellerait bientôt la police et, après cette nuit, Martin la craignait tout naturellement.

Il se dressa sur ses pieds et s'appuya sur le mur jusqu'au rétablissement de sa circulation. Son corps le fit souffrir tandis qu'il remontait avec précaution l'escalier de ciment, regardant attentivement autour de lui. Il aperçut le sentier dans lequel il s'était précipité, à peine quelques heures plus tôt. Un peu plus loin, un homme promenait son chien. Il ne s'écoulerait pas beaucoup de temps avant qu'on découvre le cadavre sur le terrain de jeux.

Il descendit l'escalier et se dirigea en hâte vers le coin le plus reculé du parc, passant tout près du corps de l'épave humaine. Les pigeons se régalaient de débris de matière organique, éparpillés par la balle. Martin détourna le regard.

Sortant du parc, il remonta le col étroit du pardessus du clochard et traversa la rue. Il reconnaissait Broadway. Une bouche de métro se trouvait juste au coin, mais Martin craignit de se trouver pris au piège. Il ignorait si les hommes qui le poursuivaient étaient toujours dans les environs.

Il se glissa sous un porche et scruta la rue. Il faisait de plus en plus jour et la circulation commençait à reprendre. Philips se sentit soulagé. Plus il y avait de monde, plus il se trouverait en sûreté, et il ne voyait personne traîner de manière suspecte ou assis dans l'une des voitures en stationnement.

Un taxi s'arrêta au feu, juste en face de lui. Martin se précipita et essaya d'ouvrir la portière arrière. Elle était verrouillée. Le chauffeur se retourna pour regarder Philips et démarra en trombe, malgré le feu rouge.

Martin, désorienté, resta planté dans la rue, les yeux fixés sur le taxi qui disparaissait au loin. Ce ne fut qu'en revenant vers le porche et en apercevant son image dans la vitre qu'il réalisa pourquoi le chauffeur de taxi avait démarré en trombe. Martin ressemblait vraiment à un clochard, avec ses cheveux en désordre, collés par un conglomérat de sang séché et de débris de feuilles, son visage sale et sa barbe de vingt-quatre heures. Le pardessus loqueteux mettait la touche finale à son allure de vagabond.

Cherchant son portefeuille, Philips fut soulagé de

sentir la forme familière dans sa poche de derrière. Il l'en sortit et compta son argent liquide : trente et un dollars. Sa carte de crédit, en la circonstance, ne lui serait d'aucune utilité. Il garda en main un billet de cinq dollars et rangea son portefeuille.

Cinq minutes plus tard, un autre taxi passa. Cette fois-ci, Philips s'approcha de face pour que le chauffeur puisse le voir. Ayant rendu sa coiffure aussi présentable que possible, il ouvrit son pardessus afin de ne pas rendre immédiatement évident son aspect miteux. Et, plus important, Philips tenait, bien visible, le billet de cinq dollars.

« Où ça, M'sieu ?

— Tout droit, dit Philips. Allez simplement droit devant vous. »

Malgré le coup d'œil soupçonneux qu'il jeta à Martin dans le rétroviseur, le chauffeur embraya lorsque le feu passa au vert et s'engagea sur Broadway.

Philips se retourna sur son siège et regarda par la lunette arrière. Fort Tryon Park et le petit terrain de jeux disparurent rapidement. Martin ne savait toujours pas où aller, mais il savait qu'il se trouverait davantage en sûreté dans la foule.

« Conduisez-moi à la 42e rue, dit-il enfin.

— Pourquoi vous ne l'avez pas dit plus tôt ? se plaignit le chauffeur. On serait passé par Riverside Drive.

— Non, dit Philips, je ne veux pas passer par là, je veux descendre l'East Side.

— Ça va vous coûter dans les dix dollars, M'sieu.

— D'accord », dit Martin. Il sortit son portefeuille et montra un billet de dix dollars au chauffeur qui regardait dans le rétroviseur.

Lorsque la voiture repartit, Martin se décontracta. Il ne parvenait toujours pas à croire ce qui s'était passé au cours des douze dernières heures. On aurait dit que son monde familier tout entier venait de s'écrouler. Il dut réprimer son impulsion spontanée et naturelle d'aller demander de l'aide à la police. Pourquoi l'avaient-ils renvoyé au F.B.I. ? Et pourquoi diable le Bureau voulait-il le supprimer sans lui poser la moindre question ? Tandis que le taxi descendait la 2ᵉ avenue à toute vitesse, il se sentit repris par un sentiment de terreur.

La 42ᵉ rue offrait l'anonymat que souhaitait Philips. Six heures plus tôt, le lieu lui avait paru étranger et menaçant. Maintenant, ces mêmes dangers paraissaient réconfortants. Ici, les gens affichaient leurs perversions. Ils ne se dissimulaient pas derrière une façade de normalité, et l'on pouvait reconnaître et éviter les gens dangereux.

Martin acheta un grand verre de jus d'oranges fraîches et le vida. Il en prit un autre. Puis il descendit la 42ᵉ rue. Il lui fallait réfléchir. Il devait exister une explication rationnelle à tout cela. A l'approche de la 5ᵉ avenue, Philips pénétra dans le petit parc à côté de la bibliothèque. Il trouva un banc de libre et s'y installa. Se drapant dans le manteau sale, il essaya de s'installer aussi confortablement que possible et tenta de passer en revue les événements de la nuit. Tout avait débuté à l'hôpital...

Martin s'éveilla alors que le soleil se trouvait presque à la verticale. Il regarda tout autour de lui pour voir si on l'observait. Le parc s'était rempli, mais personne ne semblait faire attention à lui. La température s'était réchauffée et il transpirait abondamment. En se levant, il prit conscience de l'odeur forte qu'il dégageait. Sortant du parc, il jeta un coup d'œil à sa montre, tout surpris de voir qu'il était 10 h 30.

Il trouva un café grec à plusieurs pâtés de maisons de là. Faisant un tas du vieux manteau, il le glissa sous la table. Il se sentait affamé et commanda des œufs, des frites, du bacon, des toasts et du café. Il se rendit aux minuscules toilettes pour hommes, mais décida de ne pas se laver. En le voyant ainsi, personne ne se douterait qu'il était médecin. Si on le recherchait, il ne pouvait trouver meilleur déguisement.

Son café terminé, il trouva dans sa poche la liste froissée des cinq patientes : Marino, Lucas, Collins,

McCarthy et Lindquist. Pouvait-il y avoir un lien entre ces patientes et le fait bizarre que les autorités le poursuivaient ? Mais, même dans ce cas, pourquoi avoir essayé de le tuer ? Et qu'était-il advenu de ces femmes ? Les avait-on assassinées ? L'affaire avait-elle un rapport quelconque avec le sexe et la pègre ? Dans ce cas, comment les radiations s'articulaient-elles avec le reste ? Et pourquoi le F.B.I. était-il dans le coup ? Peut-être s'agissait-il d'un complot à l'échelon national, concernant les hôpitaux de tout le pays ?

Reprenant du café, Martin acquit la certitude que la réponse à ce puzzle se trouvait au Centre hospitalier universitaire Hobson, mais il savait que c'était l'endroit où les autorités s'attendraient qu'il se rende. En d'autres termes, l'hôpital représentait pour lui l'endroit le plus dangereux et néanmoins le seul où il avait une chance de découvrir ce qui se passait. Délaissant son café, Philips retourna au fond, vers le téléphone. Il appela d'abord Helen.

« Docteur Philips ! Je suis si heureuse de vous entendre. Où êtes-vous ? » Sa voix paraissait forcée.

« Je me trouve à l'extérieur de l'hôpital.

— Je m'en doutais, mais où ?

— Pourquoi ? demanda Martin.

— Simple curiosité, dit Helen.

— Dites-moi, est-ce qu'on m'a demandé ? Le... F.B.I. par exemple ?

— Pourquoi voulez-vous que le F.B.I. vous demande ? »

Martin fut à peu près sûr qu'on surveillait Helen. Ce n'était pas son genre de répondre à une question par une autre question, notamment à une question absurde concernant le F.B.I.

En temps normal, elle aurait tout simplement demandé à Martin s'il était fou. Sansone ou l'un de ses agents devait se trouver près d'elle. Philips raccrocha brutalement. Il lui faudrait imaginer un autre moyen d'obtenir les dossiers médicaux et les autres renseignements dont il avait besoin.

Martin appela ensuite l'hôpital et fit demander Denise Sanger. La dernière chose au monde qu'il souhaitait était qu'elle se rende à la clinique de gynécologie. Mais elle ne répondit pas à l'appel et Martin craignit de lui laisser un message. Raccrochant, il passa un dernier coup de fil chez Kristin Lindquist. La camarade de chambre de Kristin décrocha à la première sonnerie mais, lorsque Philips se fit connaître et demanda après Kristin, elle répondit qu'elle ne possédait aucun renseignement la concernant et qu'elle préférait qu'il ne rappelle pas. Puis elle raccrocha.

De retour à sa table, Philips posa la liste de ses patientes devant lui. Sortant un crayon, il nota : « Forte radioactivité dans le cerveau des jeunes femmes (autres parties du corps ?) ; tests de Pap signalés anormaux bien que normaux ; et symptômes neurologiques voisins de ceux de la sclérose en plaques. » Philips contempla se qu'il venait d'écrire. Il tournait en rond. Puis il écrivit : « Neuro-Gynéco-Police-F.B.I. », suivi par « Werner, Nécrophilie ». Il ne paraissait exister aucun lien possible entre tous ces faits, mais il lui sembla que la Gynéco se trouvait au centre de tout. S'il pouvait découvrir pourquoi on avait signalé ces tests de Pap comme anormaux, peut-être obtiendrait-il quelque chose.

Soudain, il se sentit envahi par le désespoir. Manifestement, il se trouvait confronté à quelque chose qui le dépassait. Son univers habituel, avec ses migraines quotidiennes, ne paraissait plus aussi terrible. C'est avec joie qu'il retrouverait la routine quotidienne s'il pouvait aller se mettre au lit, le soir, avec Denise dans ses bras. Bien qu'il ne fût pas particulièrement croyant, il se surprit à passer un marché avec Dieu : s'Il le sortait de ce cauchemar, Martin ne se plaindrait plus jamais de sa vie.

Il regarda son papier et réalisa qu'il avait les yeux pleins de larmes. Pourquoi la police, entre tous, le recherchait-elle ? C'était dément.

Il retourna au téléphone et essaya de nouveau d'obtenir Denise ; mais elle ne répondit pas à l'appel. En désespoir de cause, il appela la clinique de gynécologie et demanda la réceptionniste.

« Est-ce que Denise Sanger est passée à son rendez-vous ?

— Pas encore, répondit la réceptionniste. On l'attend d'un instant à l'autre. »

Martin réfléchit rapidement avant de parler. « Ici le docteur Philips. Lorsqu'elle arrivera, voulez-vous lui dire que j'ai annulé le rendez-vous et qu'elle doit d'abord me voir ?

— Je lui ferai la commission », dit la réceptionniste, et Martin la sentit totalement déconcertée.

Martin retourna s'asseoir dans le petit parc. Il se trouva incapable de prendre une décision sensée. Pour un homme qui croyait à l'ordre et à l'autorité, ne pas pouvoir entrer en contact avec la police, après qu'on lui eut tiré dessus, lui paraissait le comble de l'irrationnel.

L'après-midi s'écoula en sommes intermittents et en confusion éveillée. Le manque de décision même se transforma en décision. L'heure de pointe arriva, puis la foule commença à se dissiper, et Martin retourna au café pour dîner. Il était un peu plus de six heures.

Il commanda un plat garni et essaya de faire appeler Denise pendant qu'on le lui préparait. Denise ne répondait pas. Lorsqu'il eut terminé, il décida d'essayer d'appeler son appartement.

Elle répondit à la première sonnerie.

« Martin ? demanda-t-elle d'une voix désespérée.

— Oui, c'est moi.

— Dieu merci ! Où es-tu ? »

Martin ignora la question et lui demanda : « Où étais-tu passée ? Je t'ai fait appeler toute la journée.

— Je ne me sentais pas bien. Je suis restée à la maison.

— Tu n'as pas avisé le standard de l'hôpital.

249

— Je sais, je... » Soudain, la voix de Denise changea. « Ne viens pas... », cria-t-elle.

On étouffa sa voix et Philips entendit une lutte assourdie. Son cœur battait à tout rompre. « Denise ! » hurla-t-il. Dans le café, tout le monde s'arrêta ; toutes les têtes se tournèrent vers Philips.

« Philips, Sansone à l'appareil. » L'agent avait pris le téléphone. Martin pouvait toujours entendre Denise, en arrière-fond, qui tentait de crier. « Un instant, Philips », dit Sansone. Puis, se détournant du téléphone, il dit : « Sortez-la d'ici et faites-la taire. » Revenant en ligne, il dit : « Ecoutez, Philips...

— Qu'est-ce qui se passe, Sansone ? hurla Philips. Qu'est-ce que vous lui faites ?

— Calmez-vous, Philips. La fille n'a rien. Nous sommes là pour la protéger. Qu'est-ce qui est arrivé la nuit dernière aux Cloîtres ?

— Qu'est-ce qui m'est arrivé à moi ? Vous êtes cinglé ? Vous vouliez me liquider !

— C'est ridicule, Philips. Nous savions que ce n'était pas vous, dans la cour. Nous pensions qu'ils vous avaient déjà pris.

— Qui, ils ? demanda Philips, stupéfait.

— Philips, je ne peux pas parler de ça au téléphone.

— Dites-moi seulement ce que c'est que ce bordel ? »

Les gens, dans le café, demeuraient toujours immobiles. En bons New-Yorkais, ils étaient accoutumés à toutes sortes d'événements bizarres Mais pas dans leur café habituel !

Sansone dit d'un ton froid et détaché. « Je regrette, Philips. Il faut que vous veniez ici, et que vous veniez tout de suite. Dehors et seul, vous ne faites que nous compliquer la tâche. Et vous savez déjà qu'il y a des vies innocentes en jeu.

— Deux heures, hurla Philips. Je me trouve à deux heures de la ville.

— D'accord. Deux heures, mais pas une seconde de plus. »

Un clic final. On avait raccroché.

Philips fut pris de panique. En une seconde, son indécision se trouva balayée. Il posa un billet de cinq dollars et fonça dans la rue vers la bouche de métro de la 8e avenue.

Il allait au Centre médical, ignorant ce qu'il y ferait une fois arrivé, mais il allait à l'hôpital. Il disposait de deux heures et il lui fallait certaines réponses. Il existait une chance pour que Sansone dise la vérité. Peut-être pensaient-ils qu'il avait été enlevé par une mystérieuse puissance. Mais Philips n'en était pas sûr et cette incertitude le terrifiait. Son intuition lui disait que Denise se trouvait maintenant en danger.

Il n'y avait que des places debout dans le métro qui montait vers le nord, bien que l'heure de pointe fût passée, mais le trajet fit du bien à Philips. Cela calma sa terreur et lui laissa le temps de faire fonctionner l'essentiel de son intelligence. Le temps qu'il descende, il savait comment pénétrer dans le Centre médical et quoi faire une fois qu'il s'y trouverait.

Martin suivit la foule qui sortait du métro et se dirigea vers sa première destination : un magasin de spiritueux. L'employé jeta un regard à l'aspect débraillé de Martin, bondit de derrière sa caisse et essaya de repousser Philips dehors. Il changea d'avis lorsque Martin exhiba son argent.

Il lui fallut à peine trente secondes pour prendre une bouteille d'un demi-litre de whisky et la payer. Tournant depuis Broadway dans une rue latérale, Martin découvrit une petite ruelle pleine de poubelles. Là, il déboucha le whisky, en absorba une grande lampée et s'en gargarisa. Il en avala un peu, mais recracha presque tout. Utilisant le whisky comme de l'eau de Cologne, il s'en passa sur le visage et le cou, puis glissa la bouteille à demi vide dans la poche de sa veste. Trébuchant au milieu de toutes ces poubelles, Philips en repéra une, au fond, emplie de sable

251

ɑestiné probablement aux trottoirs en hiver. Il creusa un trou et y enterra son portefeuille, glissant le reste de son argent dans la même poche que le whisky.

Son arrêt suivant fut un magasin d'alimentation, petit mais très achalandé. Les clients s'écartèrent de lui à distance respectueuse. Il y avait foule, et Philips dut se frayer un chemin en poussant les clients pour trouver un endroit avec une vue dégagée sur les caisses enregistreuses.

« Ahhh », cria Philips en feignant de s'étouffer. Il trébucha, entraînant dans sa chute une pile de boîtes de haricots en promotion. Il se tordait de douleur tandis que les boîtes de haricots roulaient dans tous les sens. Lorsqu'un employé du magasin se pencha sur lui pour lui demander s'il se sentait bien, Martin répondit d'une voix grinçante : « J'ai mal, mon cœur ! »

L'ambulance arriva rapidement. On fixa un masque à oxygène sur le visage de Martin, et on lui plaça sur la poitrine les électrodes d'un E.C.G. pendant le bref trajet jusqu'au C.H.U. Hobson. Déjà, on avait analysé par radio son E.C.G. parfaitement normal, et décidé qu'il n'était pas nécessaire de lui administrer de médicament pour cardiaques.

Tandis que les ambulanciers le transportaient aux Urgences, Martin aperçut plusieurs policiers qui se tenaient sur la plate-forme, mais ils ne lui jetèrent même pas un coup d'œil. On le transporta dans une des principales salles d'urgence et on le mit dans un lit. Une infirmière fouilla ses poches à la recherche de papiers d'identité, tandis que l'interne prenait un nouvel électrocardiogramme. Le tracé apparut normal et l'équipe de cardiologie commença à se retirer, laissant l'interne traiter le cas.

« Et cette douleur, chef ? demanda-t-il, penché sur Philips.

— Il me faut du Maalox, grogna Martin. Des fois, quand je bois de la gnôle, j'ai besoin de prendre du Maalox.

— Ça m'a l'air très raisonnable », dit le médecin.

Une infirmière endurcie, de trente-cinq ans environ,

donna du Maalox à Philips et le traita de tous les noms, eu égard à l'état pitoyable dans lequel il se trouvait. Elle prit des notes et Martin lui raconta qu'il s'appelait Harvey Hopkins, le nom de son camarade de chambrée à l'université. Ensuite, l'infirmière lui dit qu'on allait le laisser se reposer quelques minutes pour voir si ses douleurs revenaient. Elle tira les rideaux autour de son lit.

Philips attendit quelques instants, puis descendit du lit. Sur un chariot des urgences, contre le mur, il trouva un rasoir et un petit morceau de savon utilisé pour nettoyer les plaies. Il prit aussi plusieurs serviettes, une coiffe et un masque de chirurgien. Ainsi équipé, il jeta un coup d'œil furtif à travers les rideaux.

Comme d'habitude à cette heure de la soirée, la salle des urgences semblait un océan de désespoir en pleine confusion. La queue pour se faire inscrire au bureau des entrées atteignait presque le bout du hall, et des ambulances arrivaient à intervalles réguliers. Personne ne jeta un regard sur Martin, tandis qu'il traversait le hall central et poussait la porte grise en face du bureau principal assiégé.

Il n'y avait qu'un seul médecin dans la salle de repos et il se trouvait plongé dans un E.C.G. lorsque Philips se dirigea vers les douches.

Il se doucha et se rasa, laissant ses vêtements dans un coin de la pièce. Près des lavabos, il trouva une pile de vêtements de chirurgie, la tenue favorite de l'équipe des urgences. Il enfila une blouse et un pantalon, et couvrit sa tête mouillée de la coiffe de chirurgien. Il s'attacha même un masque sur le visage. En de nombreuses occasions, le personnel de l'hôpital portait un masque à l'extérieur des salles d'opération, notamment lorsqu'ils avaient un rhume.

En se regardant dans la glace, Philips fut convaincu qu'il aurait fallu bien le connaître pour savoir qui il était. Non seulement il avait réussi à pénétrer dans l'hôpital, mais encore on aurait dit qu'il en faisait partie. Quant à Harvey Hopkins, les malades de la salle des urgences disparaissaient toujours. Philips consulta sa montre : cela lui avait pris une heure.

Sortant de la salle de repos, Philips traversa la salle des urgences et croisa encore deux policiers. Il prit l'escalier situé derrière la cafétéria pour accéder au premier étage. Il lui fallait un détecteur de radiations, mais il jugea trop dangereux d'aller prendre celui de son bureau et il dut chercher dans l'aile de la radiothérapie pour en trouver un. Puis il redescendit l'escalier jusqu'au rez-de-chaussée, et se dirigea en hâte vers le bâtiment des cliniques.

Il grimpa les quatre étages qui menaient à la Gynécologie. Dans le métro, coincé entre deux hommes d'affaires à l'air malheureux, il avait décidé que les radiations pouvaient être liées à la Gynécologie. Mais, maintenant, sur place, il hésitait, sans aucune idée de ce qu'il recherchait.

Philips essaya d'ouvrir le bureau de la réceptionniste : il était fermé, de même que les deux portes derrière le bureau. On avait bouclé tout le coin. Mais les serrures étaient très simples, du type à clé au milieu de la poignée. Une carte de plastique, trouvée dans le bureau de la réceptionniste, suffit pour en ouvrir une. Martin entra, referma la porte et alluma les lumières. Il se trouvait dans le petit couloir où il avait discuté avec le docteur Harper. A gauche, deux salles d'examen et, à droite, le labo ou une salle de débarras. Martin choisit de commencer par les salles d'examen. Maniant le détecteur avec grand soin, il examina chaque salle, passant l'appareil dans chaque placard, dans chaque recoin et même sur les tables d'examen. Rien. Il fit de même dans la partie laboratoire, commençant par les armoires au-dessus des tables de travail, ouvrant les tiroirs, cherchant à l'intérieur des boîtes. Au bout de la pièce, il s'attaqua à la grande armoire aux instruments. Tout se révéla négatif.

La première réponse positive émana de la corbeille à papiers, une réponse très faiblement positive, mais radioactive tout de même. Jetant un coup d'œil à sa montre, Philips remarqua que le temps s'écoulait rapidement. Dans une demi-heure, il lui faudrait rappeler l'appartement de Denise. Il décida de ne s'y rendre qu'une fois assuré que Sansone ne la retenait pas.

Avec son résultat positif sur la corbeille, il décida de retourner au labo. Il ne trouva rien avant de revenir aux placards. Les étagères inférieures contenaient du linge et des blouses d'hôpital, et les étagères supérieures un mélange de fournitures de labo et de bureau. Sous les étagères, se trouvait un panier de linge sale qui déclencha une nouvelle réaction positive très faible quand il approcha le détecteur du sol.

Martin vida le panier de son linge et y passa le détecteur. Rien. Glissant l'appareil à l'intérieur du panier vide, Philips obtint de nouveau une faible réaction positive près du fond. Il se baissa et y glissa les mains. Les parois et le fond du panier étaient en bois peint et paraissaient solides. Du poing, il sonda le fond et le sentit fléchir. Prenant tout son temps, il cogna tout autour. Arrivé tout au fond, à l'angle, la planche plia légèrement puis reprit sa place. Appuyant au même endroit, Martin souleva le fond du panier et regarda dessous ; il y trouva deux boîtes d'emballage, aux parois de plomb, affichant le symbole bien connu signalant un danger de radiations.

Les deux boîtes portaient des étiquettes indiquant leur provenance : les laboratoires de Brookhaven, fournisseurs de toutes sortes d'isotopes médicaux. Une seule des étiquettes apparut complètement lisible : du 2-[18 F] fluoro-2 déoxy-D-glucose. L'autre étiquette, bien qu'en partie déchirée, indiquait aussi du déoxy-D-glucose.

Martin ouvrit rapidement les boîtes. La première, à l'étiquette lisible, révéla une radioactivité modérée. Mais l'autre, à l'écran de plomb protecteur nettement plus épais, affola littéralement le détecteur de radiations. Quoi que ce fût, c'était très « chaud ». Philips referma le conteneur et le boucla. Puis, il remit le linge en place et referma la porte. Philips ne connaissait aucun des composants, mais le simple fait qu'ils se trouvaient dans la clinique de gynécologie constituait une raison suffisante pour les rendre quelque peu suspects. L'hôpital exerçait des contrôles extrêmement stricts quant aux matières radioactives utilisées en radiothérapie, pour certains travaux de diagnostic et de recherche contrôlée. Mais aucune de ces catégories ne concernait la clinique de gynécologie. Maintenant, il fallait que Philips sache à quelles fins on utilisait du déoxy-glucose.

Le détecteur de radiations en main, Philips descendit l'escalier de la clinique jusqu'au rez-de-chaussée. Une fois parvenu au passage souterrain, il dut ralentir son allure pour ne pas éveiller l'attention des groupes d'étudiants. Mais, arrivé à la nouvelle Ecole de Médecine, il accéléra l'allure et parvint tout essoufflé à la bibliothèque.

« Déoxy-glucose, dit-il en haletant. Il faut que je voie ça. Où ?

— Je ne sais pas, dit la bibliothécaire, surprise.

— Merde », dit Philips, faisant demi-tour et se dirigeant vers le fichier.

« Essayez le bureau des références », lui cria la femme.

Refaisant demi-tour, Philips se rendit à la section des périodiques où le bureau des références était tenu par une fille à qui on donnait à peu près quinze ans. Elle avait entendu les éclats de voix et regardait venir Philips.

« Vite..., dit Philips. Déoxy-glucose. Où est-ce que je peux trouver ça ?

— Qu'est-ce que c'est ? » La fille regardait Martin, affolée.

« Ce doit être une sorte de sucre, dérivé du glucose. Ecoutez, je ne sais pas ce que c'est. C'est pourquoi il faut que je voie.

— Je crois que vous pourriez commencer par l'*Abrégé de Chimie* et essayer l'Index des médicaments, ensuite...

— L'*Abrégé de Chimie* ! Où est-ce ? »

La fille montra du doigt une longue table contre laquelle se trouvaient des rayonnages de livres. Philips s'y précipita et feuilleta l'index. Il trouva la référence en sous-chapitre du glucose, indiquant le volume et la page. Lorsqu'il trouva l'article, il commença à le parcourir rapidement mais sa frénésie transforma les mots en un charabia incompréhensible. Il dut se forcer à lire plus lentement et à se concentrer et, ce faisant, il apprit que le déoxy-glucose était si voisin du glucose, le carburant biologique du cerveau, qu'il pouvait franchir la barrière hémato-cérébrale du cerveau et être capté par les cellules nerveuses actives. Mais, une fois à l'intérieur des cellules nerveuses actives, il ne pouvait être métabolisé comme le glucose et s'y accumulait. Tout à fait au bas du bref article, on lisait : « ... Le déoxy-glucose radioactif a laissé entrevoir de grandes promesses dans la recherche sur le cerveau. »

Martin referma le livre, les mains tremblantes. Toute cette histoire commençait à prendre tournure. Quelqu'un à l'hôpital se livrait à des expériences de recherche sur le cerveau, impliquant des sujets humains qui ne se doutaient de rien ! « Mannerheim ! » pensa Martin, dans un tel état de fureur qu'il put en sentir le goût dans sa bouche.

Sans être chimiste, il en savait assez pour comprendre que si on rendait suffisamment radioactif un composé tel que le déoxy-glucose, on pourrait l'injecter à des gens et s'en servir pour étudier son absorption par le cerveau. En cas de radioactivité très importante, ce qui était le cas du produit découvert dans la boîte en Gynéco, il pourrait détruire les cellules qui l'absorberaient. Si quelqu'un voulait étudier le cheminement dans les cellules nerveuses du cerveau, il pourrait les détruire sélectivement grâce à cette méthode. La destruction des cheminements dans le cerveau animal avait constitué la base même de la science neuroanatomique. Pour un savant sans scrupules, il ne s'agissait là que d'un pas à franchir pour appliquer cette méthode à des sujets humains. Philips frissonna. Seul un égocentrique du genre de Mannerheim était capable de passer outre les implications morales.

Martin se sentit écrasé par sa découverte. Il ne voyait

pas comment Mannerheim avait réussi à mettre la Gynécologie dans le coup, mais il fallait bien qu'ils y soient. Et
l'administrateur de l'hôpital devait bien être un peu au
courant, également. Pourquoi, sans cela, Drake défen-
drait-il Mannerheim, la *prima donna* de la chirurgie, le
demi-dieu de l'hôpital ? Martin se sentit accablé par ses
propres conclusions.

Il savait Mannerheim largement subventionné par
l'Etat ; des millions et des millions de dollars passaient dans
ses activités de recherche. Etait-il possible que ce fût là la
raison de l'intervention du F.B.I. ? Martin se trouvait-il
accusé de mettre en péril une découverte majeure financée
par le gouvernement ? Peut-être le F.B.I. ignorait-il que la
découverte impliquait une expérimentation humaine. Martin n'était pas un bleu ; il connaissait ces magouilles
administratives où la main droite ignore totalement ce que
fait la main gauche. Mais la pratique de sacrifices humains
pour la recherche médicale était une véritable perversion,
que le gouvernement entretenait sans le savoir.

Lentement, Martin tourna son poignet pour consulter
sa montre. Il restait cinq minutes avant d'appeler Denise. Il
n'était pas sûr que les agents la brutalisent, mais, à leur
façon de traiter les clochards, il ne voulait pas prendre le
moindre risque. Il se demanda quoi faire. Il savait en partie
ce qui se tramait... pas tout, mais une partie. Il en savait
assez pour faire capoter la conspiration s'il arrivait à
obtenir l'intervention de quelqu'un d'influent. Mais qui ? Il
fallait quelqu'un d'extérieur à la hiérarchie de l'hôpital,
mais suffisamment au fait de l'hôpital et de ses structures.
Le ministre de la Santé ? Quelqu'un de l'entourage du
maire ? Le ministre de l'Intérieur ? On avait dû les abreu-
ver de tant de mensonges que ses mises en garde resteraient
inopérantes.

Soudain, Martin pensa à Michaels, le gamin de génie.
Il pourrait prendre contact avec le doyen de l'université ! Sa
seule parole pourrait bien se révéler suffisante pour qu'on
déclenche une enquête. Cela pourrait marcher. Martin se

précipita à l'un des téléphones et appela l'extérieur. En composant le numéro de Michaels, il pria pour que celui-ci se trouve chez lui. Quand il entendit la voix familière du jeune chercheur au bout du fil, Martin eut envie de hurler de joie.

« Michaels, je suis dans la merde jusqu'au cou.

— Qu'est-ce qui se passe ? demanda Michaels. Où es-tu ?

— Pas le temps de t'expliquer. J'ai découvert une monstruosité liée à la recherche, ici à l'hôpital, et que le F.B.I. semble couvrir. Ne me demande pas pourquoi.

— Qu'est-ce que je peux faire ?

— Appelle le doyen. Dis-lui qu'on se trouve en face d'un scandale mettant en cause des expériences sur des êtres humains. Cela devrait suffire, à moins que le doyen soit dans le coup. Si c'est le cas, que le ciel nous vienne en aide à tous. Mais le problème le plus immédiat, c'est Denise. Elle est détenue dans son appartement par le F.B.I. Demande au doyen d'appeler Washington et de la faire libérer.

— Et toi ?

— Ne t'en fais pas pour moi. Je vais bien. Je suis à l'hôpital.

— Pourquoi ne viens-tu pas ici, chez moi ?

— Je ne peux pas. Je vais au labo de neurochirurgie. Je te retrouverai à ton labo d'informatique dans un quart d'heure. Fais vite ! »

Philips raccrocha et composa le numéro de l'appartement de Denise. Quelqu'un décrocha l'appareil, mais ne dit mot.

« Sansone, hurla Martin, c'est moi, Philips.

— Où êtes-vous, Philips ? J'ai la fâcheuse impression que vous ne prenez pas cette affaire au sérieux.

— Mais si. Je me trouve au nord de la ville. J'arrive. Il me faut encore un moment. Vingt minutes.

— Quinze minutes », dit Sansone. Et il raccrocha.

Martin sortit en toute hâte de la bibliothèque, le cœur

serré. Désormais, il était encore plus sûr que Sansone gardait Denise en ôtage pour l'amener à se rendre. Ils voulaient le tuer et la tueraient probablement pour le capturer. Tout reposait donc sur Michaels. Il devait entrer en contact avec quelqu'un qui ne soit pas dans le coup. Mais Martin savait qu'il lui fallait davantage de renseignements pour étayer ses allégations. Mannerheim, sans aucun doute avait une couverture. Martin voulait savoir combien, parmi les spécimens de cerveaux de la Neurochirurgie, étaient radioactifs.

Il prit un ascenseur vide et grimpa jusqu'à l'étage de la Neurochirurgie. Il se débarrassa de la coiffe de chirurgien et se passa nerveusement la main dans ses cheveux emmêlés. Il ne lui restait que quelques minutes avant d'appeler l'appartement de Denise.

La porte du labo de Mannerheim était fermée, et Martin chercha autour de lui quelque chose pour briser la vitre. Son regard tomba sur un petit extincteur. Le décrochant du mur, il le balança dans le panneau vitré de la porte. Du pied, il fit sauter les débris de verre restants, puis glissa la main et tourna la poignée.

Au même instant, les portes tout au bout du hall s'ouvrirent à la volée et deux hommes foncèrent dans le couloir, tout deux armés de pistolets. Ils n'appartenaient pas au service de sécurité de l'hôpital ; ils portaient des costumes civils en polyester.

L'un des deux hommes s'accroupit, tenant son pistolet à deux mains. L'autre cria : « Ne bougez plus, Philips. »

Martin se précipita à travers la vitre brisée dans le laboratoire, hors d'atteinte du couloir. Il entendit le bruit étouffé d'un silencieux et une balle ricocha sur le chambranle métallique de la porte. Il recouvra son équilibre et claqua la porte, faisant sauter encore quelques débris de verre de la vitre brisée.

S'enfonçant dans le laboratoire, Martin entendit des pas lourds marteler le couloir. La pièce était plongée dans l'obscurité, mais Martin se souvenait de sa disposition et il se précipita entre les boxes qui divisaient la table de travail. Il se rendit à la porte de la salle aux animaux, tandis que ses poursuivants atteignaient la porte extérieure. L'un des hommes actionna l'interrupteur, inondant le labo de lumière fluorescente.

Martin agit en toute hâte. A l'intérieur de la salle aux animaux, il agrippa la cage abritant le singe aux électrodes plantées dans le cerveau et qui avaient fait de lui un monstre enragé. L'animal essaya de saisir la main de Martin et de la mordre à travers le grillage. Poussant de toutes ses forces, Martin fit glisser la cage jusqu'à la porte du laboratoire. Il pouvait voir ses poursuivants arriver, débouchant de la table de travail la plus proche. Retenant sa respiration, Martin ouvrit la porte de la cage.

Avec un hurlement qui fit trembler les ustensiles de verre du laboratoire, le singe s'élança hors de sa prison. D'un seul bond, il atteignit les étagères situées au-dessus des tables de travail, balayant les instruments dans toutes les directions. Surpris par l'apparition de la bête enragée, les deux hommes hésitèrent. C'était tout ce qu'attendait l'animal. Mû par une rage refoulée, le singe sauta de l'étagère sur les épaules du plus proche poursuivant de Martin, lacérant la chair de l'homme de ses ongles et lui plongeant les dents dans la nuque. L'autre homme tenta de venir à la rescousse, mais le singe était trop rapide.

Martin n'attendit pas de voir ce qui se passait. Il traversa la salle des animaux à toute vitesse, longeant la rangée des bocaux où étaient conservés les cerveaux, et pénétra dans la cage d'escalier. Il s'y précipita, descendant les marches aussi rapidement que possible, sautant sur les paliers, virant, descendant à nouveau en un effort prodigieux.

Lorsqu'il entendit la porte de la cage d'escalier s'ouvrir violemment, bien loin au-dessus de lui, il rasa le mur mais ne ralentit pas sa descente. Il n'était pas certain qu'on puisse le voir, mais il ne s'arrêta pas pour vérifier. Il aurait dû se douter que le labo de neurochirurgie de Mannerheim aurait été gardé. Martin entendit des pas qui commençaient a descendre l'escalier, mais il avait plusieurs étages d'avance. Il atteignit le rez-de-chaussée et pénétra dans le tunnel sans entendre de nouveaúx coups de pistolet.

Les gonds, s'ouvrant dans les deux sens du bâtiment de l'ancienne Ecole de Médecine, grincèrent tandis que Philips franchissait les portes en trombe. Après avoir monté en courant les escaliers de marbre en courbe, Philips continua sa course dans le couloir en partie démoli, jusqu'à l'entrée de l'ancien amphithéâtre. Puis il s'arrêta brusquement. Il faisait sombre, ce qui signifiait que Michaels n'était pas encore arrivé. Derrière lui, le silence. Il avait semé ses poursuivants. Mais désormais les autorités savaient qu'il se trouvait dans le Centre médical, et ce ne serait plus qu'une question de temps avant qu'on le découvre. Martin essaya de reprendre sa respiration. Si Michaels n'arrivait pas rapidement, Martin devrait se rendre à l'appartement de Denise, quel que fût son sentiment d'impuissance. Inquiet, il poussa la porte de l'amphithéâtre qui, à sa surprise, s'ouvrit. Il y pénétra et se sentit enveloppé par la froide obscurité. Seul un petit bruit électrique sec et faible troubla le silence, un bruit familier à Philips depuis ses années d'étudiant, le bruit que faisait le commutateur électrique quand on l'allumait. Et tout comme en cette époque lointaine, la lumière inonda la pièce. Apercevant un mouvement du coin de l'œil, Martin regarda vers le bas de l'amphithéâtre. Michaels lui faisait signe. « Martin, quel soulagement de te voir ! »

Philips saisit la rampe devant lui pour s'aider à longer l'allée horizontale qui menait naguère aux gradins lorsque l'amphithéâtre servait de salle de cours. Michaels, en bas des marches, faisait signe à Philips de descendre.

« Tu as vu le doyen ? » hurla Philips. La simple vue de Michaels lui redonnait sa première lueur d'espoir depuis des heures.

— Tout va bien, cria Michaels. Descends donc. »

Martin commença à descendre les marches étroites où s'enchevêtraient les câbles des appareils électroniques occupant l'emplacement des sièges. Trois hommes attendaient avec Michaels. Apparemment, il avait déjà obtenu de l'aide.

« Il faut qu'on s'occupe de Denise immédiatement, ils...

— On s'en est occupé, cria Michaels.

— Ça va ? demanda Martin, ralentissant un instant.

— Elle va bien et se trouve en sécurité. Descends donc. »

Plus Martin se rapprochait du bas de l'amphithéâtre, plus il tombait sur du matériel et plus il se révélait difficile d'éviter les câbles.

« J'ai échappé de justesse à deux hommes qui m'ont tiré dessus au labo de neurochirurgie. » Il était toujours essoufflé et sa voix haletait.

« Tu es en sûreté ici », dit Michaels en regardant son ami descendre les escaliers. Arrivé tout en bas de l'amphithéâtre, Martin quitta des yeux le fouillis des escaliers et regarda Michaels. « Je n'ai pas eu le temps de trouver quoi que ce soit en Neurochirurgie », dit Martin. Maintenant, il pouvait voir les trois autres hommes. L'un d'eux était le jeune étudiant sympathique, Carl Rudman, rencontré à sa première visite au labo. Il ne connaissait pas les deux autres, vêtus de combinaisons noires.

Ignorant les derniers mots de Martin, Michaels se tourna vers l'un des inconnus. « Vous êtes satisfaits maintenant ? Je vous avais dit que j'arriverais à le faire venir ici. »

L'homme qui n'avait pas quitté Philips des yeux dit : « Vous l'avez fait venir, mais allez-vous pouvoir le contrôler ?

— Je crois », dit Michaels.

Martin surveillait ce curieux échange, ses yeux sautant de Michaels à l'homme en combinaison. Soudain, il reconnut le visage. L'homme qui avait tué Werner !

« Martin », dit Michaels doucement, presque paternellement. « Il faut que je te montre quelque chose. »

L'inconnu l'interrompit. « Docteur Michaels, je puis vous assurer que le F.B.I. n'agira pas inconsidérément. Mais je ne peux garantir ce que fera la C.I.A. J'espère que vous comprenez cela, docteur Michaels. »

Michaels se retourna. « Monsieur Sansone, je me rends parfaitement compte que la C.I.A. n'est pas sous votre juridiction. J'ai besoin de demeurer encore un moment avec le docteur Philips. »

Se tournant vers Philips, il dit : « Martin, il faut que je te montre quelque chose. Viens. »

Il fit un pas en direction de la porte de l'amphithéâtre voisin.

Martin, paralysé, étreignait de ses mains la rampe de cuivre qui bordait le fond de l'amphithéâtre. Le soulagement s'était mué en perplexité et avec la perplexité surgissait de nouveau, au tréfonds de lui-même, une peur renaissante.

« Qu'est-ce qui se passe ici ? » demanda-t-il avec un sentiment d'inquiétude. Il parlait lentement, articulant chaque mot.

« C'est ce que je veux te montrer, dit Michaels. Allons, viens ! »

— Où est Denise ? » Pas un muscle de Philips ne bougea.

« Parfaitement en sécurité, je t'assure. Viens donc. » Michaels se retourna vers Philips et lui saisit le poignet pour l'encourager à descendre dans le fond de l'amphithéâtre. « Il faut que je te montre certaines choses. Détends-toi. Tu vas voir Denise dans quelques minutes. »

Philips se laissa conduire, passant devant Sansone et pénétrant dans l'amphithéâtre voisin. Le jeune étudiant, déjà devant eux, alluma la lumière. Martin vit un autre amphithéâtre d'où l'on avait retiré les sièges. Dans le fond se trouvait un immense écran, fait de millions de cellules photoélectriques, dont les fils pénétraient dans une unité de traitement. Du premier processeur sortait un nombre beaucoup moins important de fils, rassemblés en deux troncs qui menaient à deux ordinateurs. Les fils de ces ordinateurs conduisaient à d'autres ordinateurs connectés entre eux. Tout cela remplissait la pièce.

« Est-ce que tu as une idée de ce que tu vois là ? » demanda Michaels.

Martin secoua la tête.

« Tu es en train de contempler le premier modèle informatisé de système de vision humaine. C'est gros et primitif selon nos normes courantes, mais étonnamment fonctionnel. Les images apparaissent sur l'écran et les ordinateurs que tu vois là associent l'information. » Michaels fit un geste circulaire de la main. « Ce que tu contemples, Martin, est comparable à la première pile atomique fabriquée à Princeton. Ce sera l'une des plus grandes découvertes scientifiques de l'histoire. »

Martin regarda Michaels. Peut-être était-il fou ? « Nous avons créé la quatrième génération d'ordinateurs ! » dit Michaels, et il donna à Martin une grande claque dans le dos. « Ecoute, la première génération ne représentait que les ordinateurs autres que de simples machines à calculer. La seconde génération est apparue avec le transistor et la troisième avec les " puces ". Nous avons donné naissance à la quatrième génération, et ce petit appareil de traitement qui se trouve dans ton bureau constitue l'une des premières applications. Sais-tu ce que nous avons fait ? »

Philips secoua la tête. Michaels se montrait tout excité.

« Nous avons créé la véritable intelligence artificielle ! Nous avons fabriqué des ordinateurs qui pensent. Ils apprennent, ils raisonnent. Cela devait arriver et nous l'avons réalisé ! » Michaels saisit Martin par le bras et l'entraîna dans le couloir reliant les deux amphithéâtres. Là, entre les deux salles de cours à gradins, se trouvait la porte qui menait aux anciens labos de microbiologie et de physiologie. Lorsque Michaels l'ouvrit, Martin vit qu'on avait blindé l'intérieur avec de l'acier. Derrière, une seconde porte, également renforcée et solidement fixée.

Michaels la déverrouilla avec une clé spéciale. On aurait dit une chambre forte.

Martin tituba sous le choc de ce qu'il vit. Il ne restait plus rien des petits boxes et de leurs tables de travail carrelées. Philips se trouvait dans une pièce d'une trentaine de mètres de long, dépourvue de fenêtres. Au milieu, une rangée d'immenses cylindres de verre emplis d'un liquide clair.

« Voici la réalisation qui représente à nos yeux le plus de valeur, la plus productive, dit Michaels en tapotant le premier cylindre. Bon, je sais que ta première impression va être purement et profondément émotionnelle. Comme pour nous au début. Mais, crois-moi, la récompense vaut bien le sacrifice. »

Martin commença à faire lentement le tour du conteneur, mesurant au moins 1,80 m de haut et 90 cm de diamètre. A l'intérieur, plongés dans ce que Martin sut plus tard être du liquide cérébro-spinal, se trouvaient les restes vivants de Katherine Collins. Elle flottait en position assise, les bras en suspension au-dessus de la tête. Un appareil d'assistance respiratoire fonctionnait, indiquant qu'elle vivait toujours. Mais on lui avait complètement dénudé le cerveau. Il ne restait quasiment plus rien du visage à part les yeux, détachés par dissection et recouverts de lentilles de contact. Un tube endotrachéal lui sortait du cou.

Ses bras aussi avaient été soigneusement disséqués pour mettre à nu l'extrémité des nerfs sensitifs. Ces terminaisons nerveuses formaient des sortes de boucles sur l'arrière, tels des fils de toile d'araignée, afin d'être connectées à des électrodes enfoncées dans le cerveau. Philips fit lentement le tour du cylindre, envahi par une affreuse faiblesse, ses jambes menaçant de céder sous lui.

« Tu sais probablement, dit Michaels, que les découvertes importantes en cybernétique — comme le *feedback,* par exemple — ont pour origine l'observation des systèmes vivants. Eh bien, nous venons de franchir le pas suivant en nous attaquant au cerveau lui-même, au lieu de l'étudier comme le fait la psychologie, qui le considère comme une mystérieuse boîte noire. » Soudain, Philips se rappela que Michaels avait utilisé cette expression énigmatique, le jour où il avait apporté à Martin le programme d'ordinateur. Maintenant, il comprenait. « Nous l'avons étudié comme n'importe quel autre appareil très complexe. Et nous avons réussi au-delà de nos rêves les plus fous. Nous avons découvert comment le cerveau stocke l'information, et comment il la traite — les opérations se déroulent parallèlement, et non en série, comme les ordinateurs d'hier ; et comment le cerveau est organisé en un système hiérarchiquement fonctionnel. Mieux encore, nous avons appris à concevoir et à construire un système mécanique imitant le cerveau et possédant ces mêmes fonctions. Et ça marche, Martin ! Ça dépasse tout ce que nous avions imaginé ! »

Michaels avait poussé Martin à poursuivre sa visite le long de la rangée de cylindres, regardant les cerveaux exposés des jeunes femmes, tous à un degré différent de vivisection. Arrivé au dernier cylindre, Michaels s'arrêta. Le sujet en était au tout premier stade de la préparation. Philips reconnut les restes du visage de Kristin Lindquist.

« Maintenant, écoute, dit Michaels. Je sais que ça a l'air intolérable, la première fois. Mais c'est une découverte scientifique si considérable que personne ne peut encore évaluer ses retombées immédiates. Rien qu'en médecine, cela va révolutionner tous les domaines. Tu as déjà vu ce que notre tout premier programme réalise avec les radios du crâne. Philips, je ne veux pas que tu prennes une décision trop hâtive, tu comprends ? »

Ils avaient fait le tour du laboratoire, résultat du mariage entre un hôpital et une batterie d'ordinateur. Dans un coin, Philips vit ce qui lui parut être une installation complexe de maintien en survie, une sorte d'unité de soins intensifs. Assis face à l'un des moniteurs, se trouvait un homme en longue blouse blanche. L'arrivée de Michaels et de Philips ne le détourna pas un instant de son travail.

Revenant face à Katherine Collins, Philips parvint à articuler quelques mots : « Qu'est-ce qui pénètre dans le cerveau de ce sujet ? » demanda-t-il d'une voix sans timbre, dépourvue d'émotion.

« Les nerfs sensitifs, répondit Michaels, passionnément. Tu sais que le cerveau, curieusement, est insensible à son propre état ; nous avons donc relié des nerfs périphériques sensitifs de Katherine à des électrodes, afin qu'elle puisse nous dire quelles parties de son cerveau fonctionnent à un moment donné. Nous avons construit un système de *feedback* pour le cerveau.

— Tu veux dire que cette préparation communique avec vous ? » Philips était sincèrement surpris.

« Bien sûr. C'est toute la sophistication du système. Nous avons utilisé le cerveau humain pour s'étudier lui-même. Je vais te montrer. »

A l'extérieur du cylindre de Katherine, mais face à ses yeux, se trouvait une unité de traitement qui ressemblait à un terminal d'ordinateur, avec un grand écran et un clavier reliés à un appareil placé à l'intérieur du cylindre, ainsi qu'à une unité centrale d'ordinateur sur le côté de la pièce. Michaels tapa une question. Elle apparut sur l'écran : *Comment vous sentez-vous, Katherine ?*

La question disparut de l'écran et à sa place apparut la réponse : *Très bien. J'ai hâte de commencer à travailler. Stimulez-moi s'il vous plaît.*

Michaels sourit et regarda Martin. « Cette fille n'en a jamais assez. C'est pourquoi elle est si bien.

— Qu'est-ce qu'elle a voulu dire par " stimulez-moi " ?

— Nous lui avons planté une électrode dans le centre du plaisir. C'est ainsi qu'on la récompense et qu'on l'encourage à collaborer. Quand on la stimule, elle a des orgasmes multiples. Ça doit être sensationnel car elle en demande constamment. »

Michaels frappa sur le clavier : « Une seule fois, Katherine, il faut être patiente. » Puis il enfonça un bouton rouge sur le côté du clavier. Philips put voir le corps de Katherine s'arquer légèrement et frissonner.

« Tu sais, dit Michaels, on a démontré que le système des récompenses du cerveau constitue la force de motivation la plus puissante, plus puissante même que l'instinct de conservation. Nous avons même découvert le moyen d'inclure ce principe dans notre plus récente unité de traitement. Cela fait fonctionner plus efficacement la machine.

— Mais qui a pu concevoir tout cela? demanda Philips, incrédule.

— On ne peut en attribuer le mérite ou le reproche à un seul et unique individu, dit Michaels. Tout cela s'est fait par étapes, l'une conduisant à l'autre. Mais les deux principaux responsables sont toi et moi.

— Moi! » dit Martin. On aurait dit qu'on l'avait giflé.

« Oui, dit Michaels. Tu sais que je me suis toujours intéressé à l'intelligence artificielle ; c'est cela qui m'a plu dans l'idée de travailler avec toi, au début. Les problèmes que tu as soulevés quant à l'interprétation des radios ont provoqué la cristallisation de tout le processus central appelé " reconnaissance des types ". Les hommes pouvaient reconnaître les types, mais les ordinateurs les plus complexes se heurtaient à des difficultés insolites. Grâce à ton analyse consciencieuse de la méthodologie utilisée pour interpréter les radios, nous avons, toi et moi, isolé les étapes logiques à franchir dans le domaine de l'électronique si nous voulions obtenir une duplication de la fonction. Ça a l'air compliqué, mais en fait c'est très simple. Il nous fallait connaître certains détails sur la façon dont un cerveau humain reconnaît des objets familiers. J'ai fait équipe avec des physiologistes intéressés par la neuro-science, et nous avons commencé par une très modeste étude en utilisant le déoxy-glucose, susceptible d'être injecté à des patientes soumises ensuite à une stimulation spécifique. Nous avons pris les tableaux des lettres E, fréquemment utilisés en ophtalmologie. L'analogue

radioactif du glucose provoquait ensuite des lésions microscopiques dans le cerveau des sujets, en tuant les cellules
utilisées dans la reconnaissance et l'association de type de
la lettre E. Ensuite, il ne s'agissait plus que de localiser ces
lésions pour déterminer comment fonctionnait le cerveau.
On utilisait la technique de la destruction sélective dans la
recherche sur les cerveaux d'animaux depuis des années. A
cette différence près que l'utilisation de sujets humains
nous permettait d'apprendre tellement plus et tellement
plus vite que cela nous a incités à de plus grands efforts.

— Pourquoi des jeunes femmes ? » demanda Martin.
Le cauchemar devenait réalité.

« Par commodité. Il nous fallait une population de
sujets en bonne santé que nous pourrions faire revenir
chaque fois que c'était nécessaire. La population de la
Gynéco nous donnait toute satisfaction. Elles posent très
peu de questions sur ce qu'on leur fait, et, en falsifiant
simplement les résultats du test de Pap, nous pouvions
obtenir d'elles qu'elles reviennent aussi souvent qu'il le
fallait. Ma femme s'occupe de la clinique de gynéco de
l'université depuis des années. Elle choisissait les patientes,
et leur injectait ensuite la substance radioactive par voie
intraveineuse lors de la prise de sang des examens de
routine. Très facile. » Martin se représenta soudain la
sévère femme aux cheveux noirs de la clinique de gynéco. Il
eut du mal à l'associer à Michaels, mais réalisa ensuite que
cela paraissait beaucoup plus vraisemblable que tout ce
qu'il avait vu jusque là.

L'écran, situé en face de Katherine, s'alluma de
nouveau : *Stimulez-moi, s'il vous plaît.*

Michaels tapa sur le clavier : « *Vous connaissez les
règles. Plus tard, quand nous commencerons les expériences.* »

Il se tourna de nouveau vers Martin et ajouta : « Le
programme s'est révélé si facile et si fructueux que cela
nous a encouragés à étendre le champ de nos recherches.
Mais nous l'avons compris progressivement, sur plusieurs

années. Cela nous a poussés à administrer des doses énormes de radiations pour déterminer les zones d'associations finales du cerveau. Malheureusement, cela a provoqué des symptômes chez certaines de nos patientes, notamment quand on a commencé à travailler sur les connexions du lobe temporal. C'est là que le travail est devenu délicat, parce qu'il nous fallait garder un juste équilibre entre les destructions provoquées et le seuil des symptômes tolérable pour les sujets. Si les sujets présentaient de trop nombreux symptômes, il fallait les amener ici, ce qui a provoqué le début de ce stade de la recherche. » Michaels fit un geste en direction de la rangée de cylindres de verre. « Et c'est là, dans cette pièce, que nous avons réalisé toutes nos découvertes majeures. Mais, bien entendu, nous n'avions pas prévu cela quand nous avons débuté.

— Et les patientes récentes, comme Marino, Lucas et Lindquist ?

— Ah oui. Elles ont provoqué une certaine agitation. Il s'agissait des patientes qui recevaient les plus fortes doses de radiations, et leurs symptômes apparaissaient si vite que certaines sont allées consulter un médecin avant qu'on leur mette la main dessus. Mais les médecins n'ont jamais posé le bon diagnostic. Ils ne l'ont même pas approché, notamment Mannerheim.

— Tu veux dire qu'il n'est pas dans le coup ? demanda Martin, surpris.

— Mannerheim ? Tu plaisantes ? On ne peut pas associer un connard pareil à un projet de cette envergure. Il se serait attribué la moindre petite découverte ! »

Philips jeta sur la pièce un regard circulaire, horrifié et accablé. Comment de telles choses pouvaient-elles exister, au beau milieu d'un Centre hospitalier universitaire ? « Ce qui me surprend le plus, dit Martin, c'est que tu aies pu passer au travers de tout. Je veux dire que le moindre pharmacologue qui maltraite un rat se retrouve avec la S.P.A. sur le dos.

— On nous a beaucoup aidés. Tu as dû remarquer que ces hommes, là-dehors, sont des agents du F.B.I. »

Philips regarda Michaels. « Pas la peine de me le rappeler. Ils ont essayé de me tuer.

— J'en suis désolé. Je n'avais aucune idée de ce qui se passait avant que tu appelles. Ça fait un an que tu es sous surveillance. Mais ils m'ont dit que c'était pour te protéger.

— Sous surveillance ?

— Comme nous tous. Philips, laisse-moi te dire ceci : les résultats de ces recherches vont complètement bouleverser la conception de la société. Je ne dramatise pas. Quand nous avons débuté, ce n'était qu'un petit projet, mais nous avons très vite obtenu des résultats que nous avons fait breveter. Ce qui a conduit les grosses boîtes d'informatique à nous arroser littéralement de fric et d'assistance. Et peu leur importait la façon dont nous aboutissions à nos découvertes. Tout ce qu'ils voulaient, c'étaient des résultats, et ils se sont battus entre eux pour nous accorder leurs faveurs. Mais l'inévitable s'est produit. La première application majeure de notre ordinateur de la quatrième génération a intéressé le ministère de la Défense. Cela a révolutionné le concept d'armement. En utilisant une petite unité d'intelligence artificielle couplée à un système de mémoire moléculaire holographique, nous avons conçu et réalisé le premier système de guidage de missiles véritablement intelligent. L'armée possède désormais un prototype de " missile intelligent ". C'est la plus grande découverte depuis celle de l'énergie atomique. Et le gouvernement se soucie encore moins de l'origine de nos découvertes que les sociétés d'informatique. Que cela nous plaise ou non, ils ont mis en place le plus haut niveau de sécurité jamais mis en œuvre, plus important même que celui du Projet Manhattan à l'époque où l'on a créé la bombe atomique. Même le président ne peut entrer ici. Nous sommes tous sous surveillance. Et ces types sont une sacrée équipe de paranoïaques. Tous les jours, ils pensaient que les Russes se trouvaient sur le point d'envahir le coin.

Et la nuit dernière, ils ont prétendu que tu étais devenu fou furieux et que tu présentais un danger pour la sécurité. Mais je peux les contrôler jusqu'à un certain point. Un tas de choses dépendent de toi. Il va te falloir prendre une décision.

— Quelle sorte de décision ? demanda Martin d'une voix lasse.

— Il va falloir que tu décides si tu peux vivre avec toute cette histoire. Je sais que ça fout un choc. J'avoue que je ne tenais pas à te mettre au courant ; mais tu en as appris assez pour risquer d'être liquidé ; il fallait que tu saches. Ecoute, Martin. Je sais que l'expérimentation sur des êtres humains sans leur consentement, notamment quand elle exige leur sacrifice, est en opposition formelle avec le code traditionnel de l'éthique médicale. Mais je crois que les résultats justifient les méthodes. Dix-sept jeunes femmes ont inconsciemment sacrifié leur vie. Exact. Mais pour le mieux-être de la société et la garantie future de la suprématie militaire des Etats-Unis. Si l'on considère chacun des sujets pris individuellement, il s'agit là d'un immense sacrifice. Si l'on considère deux cents millions d'Américains, cela ne représente pas grand-chose. Pense au nombre de jeunes femmes qui, chaque année, renoncent à la vie de propos délibéré, ou au nombre de gens qui se tuent sur les routes et pourquoi ? Ici, dix-sept jeunes femmes ont apporté quelque chose à la société et toutes ont été traitées avec compassion. On a pris soin d'elles et elles n'ont pas souffert. Au contraire, elles ont ressenti le plaisir à l'état pur.

— Je ne peux pas accepter cela. Pourquoi ne pas les avoir laissés me tuer, tout simplement ? demanda Philips d'une voix fatiguée. Tu n'aurais pas eu, alors, à te soucier de ma décision.

— Je t'aime bien, Philips. Voilà quatre ans que nous travaillons ensemble. Tu es un homme intelligent. Ta contribution au développement de l'intelligence artificielle a été et peut encore être énorme. L'application médicale, notamment dans le domaine de la radiologie, représente la couverture de toute cette opération. Nous avons besoin de toi, Philips. Ce qui ne signifie pas que nous ne pouvons pas nous passer de toi. Aucun de nous n'est indispensable, mais nous avons besoin de toi.

— Vous n'avez pas besoin de moi.

— Je ne veux pas discuter. Le fait est là, on a besoin de toi. Et je voudrais mettre l'accent sur un autre point. Nous n'avons plus besoin de sujets humains. En fait, nous allons mettre un terme à cet aspect biologique du projet. Nous avons obtenu les renseignements que nous voulions, et il est temps maintenant d'affiner les concepts au plan électronique. L'expérimentation humaine est terminée.

— Combien y a-t-il de chercheurs dans le coup ? demanda Philips.

— Ça, dit fièrement Michaels, c'est une des beautés du programme dans son ensemble. Par rapport à l'ampleur du protocole, nous n'avons utilisé qu'un personnel très réduit. Une équipe de physiologistes, une équipe d'informaticiens et quelques infirmières.

— Pas de médecins ?

— Non, dit Michaels avec un sourire. Attends ! Ce n'est pas tout à fait exact. L'un des physiologistes spécialistes en neuroscience est docteur en médecine et docteur en philosophie. »

Un silence s'ensuivit pendant lequel les deux hommes s'observèrent.

« Encore une chose, dit Michaels. C'est à toi, bien évidemment et à juste titre, que l'on attribuera tout le mérite des progrès médicaux réalisés instantanément par l'utilisation de cette nouvelle technologie informatique.

— C'est une tentative de corruption ?

— Non, un fait. Mais cela va faire de toi l'un des chercheurs les plus célèbres dans le domaine de la médecine aux Etats-Unis. Tu vas pouvoir programmer la radiologie pour que les ordinateurs soient capables de réaliser tout ce travail de diagnostic avec une efficacité à 100 pour

100. Tu m'as dit toi-même, une fois, que les radiologues, même les bons, n'arrivent qu'à 75 pour 100. Encore une dernière chose... » Michaels baissa les yeux et remua les pieds, quelque peu gêné. « Ainsi que je te l'ai dit, je ne peux contrôler les agents que jusqu'à un certain point. S'ils pensent que quelqu'un représente un risque pour la sécurité, je n'y peux rien. Malheureusement, Denise Sanger se trouve désormais mêlée à l'affaire. Elle ignore les aspects particuliers de cette recherche, mais elle en sait suffisamment pour mettre le projet en danger. En d'autres termes, si tu choisis de ne pas accepter ce programme, non seulement on te liquidera toi, mais aussi Denise. Je n'y peux rien. »

A l'idée que Denise était en danger, une nouvelle vague d'émotion submergea Philips. La haine monta en lui. Ce ne fut qu'au prix de grandes difficultés qu'il parvint à se retenir d'éclater. Il se sentait épuisé, les nerfs tendus à se rompre. Puis il se sentit envahi par un sentiment de futilité : que pouvait-il face à la puissance et à la détermination absolues qui se trouvaient derrière le projet ? Philips eût été capable de se sacrifier, mais pas de sacrifier Denise. Un triste sentiment de résignation pesa sur lui, comme une chape étouffante.

Michaels posa la main sur l'épaule de Philips. « Eh bien, Martin ? Je crois que je t'ai tout dit. Qu'est-ce que tu en penses ?

— Je crois que je n'ai pas le choix, dit Martin d'une voix lente.

— Si, tu l'as, dit Michaels. Mais dans des limites très restreintes. Manifestement, Denise et toi demeurerez sous surveillance étroite. On ne vous laissera pas l'occasion de raconter cette histoire ni au Congrès, ni à la presse. On a prévu des plans pour parer à toute éventualité. Le choix est simple : la vie pour toi et Denise, ou une mort instantanée et inutile. Désolé d'être si direct. Si tu te décides comme je le pense, on dira seulement à Denise que tes recherches présentaient des implications, que tu ignorais, en matière de Défense nationale, et que tu étais devenu, par erreur, un risque pour la sécurité. Il t'appartiendra de lui cacher la vérité en ce qui concerne les origines biologiques. »

Philips respira profondément et se détourna de la rangée de cylindres de verre. « Où est Denise ?

— Suis-moi », dit Michaels en souriant.

Ils parcoururent le chemin inverse à travers les portes en double voûte et les amphithéâtres, descendirent le couloir jonché de décombres et tournèrent dans le bureau administratif de l'ancienne Ecole de Médecine.

« Martin ! » cria Denise. Elle bondit d'un siège pliant et se précipita entre deux agents. Enlaçant Philips, elle éclata en sanglots. « Que s'est-il passé ? »

Martin ne pouvait parler. Ses émotions refoulées débordèrent dans sa joie de retrouver Denise vivante et sauve ! Comment aurait-il pu accepter la responsabilité de sa mort ?

« Le F.B.I. a tenté de me convaincre que tu étais devenu un traître. Je ne l'ai pas cru un seul instant, mais dis-moi que ce n'est pas vrai. Dis-moi que tout cela est un mauvais rêve. »

Philips ferma les yeux. Quand il les rouvrit, il recouvra sa voix. Il parla lentement, choisissant ses mots avec le plus grand soin, car il savait tenir la vie de Denise entre ses mains. Pour l'instant, il était pris au piège, mais il trouverait le moyen de rompre ses chaînes, un jour, même si cela devait prendre des années. « Oui, dit Philips. Tout cela n'est qu'un mauvais rêve. Une terrible erreur. Mais c'est fini, maintenant. »

Martin releva le visage de Denise et l'embrassa. Elle lui rendit son baiser, certaine de ne pas s'être trompée sur ses sentiments pour lui, certaine que tant qu'elle lui ferait confiance elle ne risquerait rien. Il resta un moment, le visage enfoui dans ses cheveux. Si la vie d'un individu lui tenait à cœur, c'était bien celle de Denise. A lui plus qu'à quiconque.

« C'est fini maintenant », répéta-t-il.

Philips regarda Michaels par-dessus l'épaule de Denise et l'expert en électronique approuva de la tête. Mais Martin savait que cela ne finirait jamais...

« *UN SAVANT SOULÈVE L'ÉMOTION DE LA COMMUNAUTÉ SCIENTIFIQUE EN DEMANDANT L'ASILE POLITIQUE EN SUÈDE* »

STOCKHOLM (A.P.)

Le docteur Martin Philips, à qui ses recherches avaient valu récemment une notoriété internationale, a disparu hier après-midi en Suède dans des circonstances mystérieuses. Alors qu'il devait donner une conférence à 13 heures au célèbre institut Carolinska, le neuroradiologue ne s'est pas présenté devant la salle comble. Le docteur Denise Sanger, son épouse depuis quatre mois, a également disparu.

Les premières suppositions ont permis de penser que le couple souhaitait échapper à l'attention dont il avait sans cesse été l'objet depuis le début des révélations du docteur Philips sur son étonnante série de découvertes et d'innovations dans le domaine de la médecine, au cours des six derniers mois. Cependant, la presse a dû abandonner cette idée en apprenant que le couple bénéficiait d'une protection importante des services secrets, et que seule la collaboration des autorités suédoises pouvait expliquer leur disparition.

Le département d'Etat observe le silence le plus complet sur cette affaire. Ce silence est pour le moins curieux, quand on sait par ailleurs que l'affaire a provoqué une fébrilité inaccoutumée à plusieurs échelons du gouvernement américain, sans commune mesure avec l'importance de l'événement.

La curiosité internationale, d'ores et déjà éveillée, a été portée à son comble par la déclaration suivante, faite la nuit dernière par les autorités suédoises :

Sur la demande du docteur Martin Philips, la Suède lui a accordé l'asile politique. L'intéressé et son épouse ont été placés au secret politique. Dans les vingt-quatre heures, un document rédigé par le docteur Martin Philips sera divulgué à la communauté internationale, mettant l'accent sur une grave violation des droits de l'Homme, perpétrée sous l'égide de l'expérimentation médicale. Jusqu'alors, le docteur Philips a été contraint de taire son sentiment sous la pression conjuguée de diverses instances officielles dont le gouvernement des Etats-Unis. Une fois le document porté à la connaissance du public, le docteur Philips tiendra une conférence de presse par vidéo sous les auspices de la télévision suédoise.

On ignore ce qu'il convient d'entendre exactement par « grave violation des droits de l'Homme », encore que la série d'événements étranges

280

ayant entouré la disparition du docteur Martin Philips ait donné lieu à d'intenses spéculations.

Le domaine dans lequel le docteur Philips est considéré comme un expert comprend l'interprétation informatique d'images médicales, domaine qui semble difficilement s'offrir à une importante violation de l'éthique expérimentale.

Toutefois, la réputation du docteur Philips (la plupart des chercheurs en renom tiennent pour acquis le fait qu'il devrait se voir attribuer le prix Nobel de médecine pour cette année) lui assure une vaste et attentive audience.

De toute évidence, l'affaire a dû sérieusement porter atteinte au sens moral du docteur Philips pour qu'il compromette sa carrière en prenant cette décision radicale et dramatique. Cette affaire laisse aussi présumer que le monde médical n'est pas à l'abri d'un Watergate à son échelle.

NOTE DE L'AUTEUR

L'expérimentation humaine, depuis la Seconde
Guerre mondiale, a soulevé quelques problèmes
difficiles quant à l'utilisation croissante de
patients comme sujets d'expérience, alors qu'il
apparaît évident qu'on n'aurait pu se servir
d'eux sans une véritable prise de conscience de
l'utilisation qu'on voulait en faire [1].

Le commentaire ci-dessus émane d'un respectable
professeur de recherche en anesthésie de l'Ecole médicale
de Harvard ; il figure au début d'un article citant deux
exemples d'expériences dont il pensait qu'elles violaient
l'éthique médicale. Il a cité ces expériences parmi une liste
de cinquante cas, et indiqué qu'un professeur, en Angleterre, le docteur M. H. Pappworth, en avait dressé une liste
de cinq cents [2]. Le problème ne se pose pas en termes
d'incidents isolés et peu fréquents. Il existe à l'état endémi-
que, et trouve son origine dans le système de base des
valeurs inhérentes à l'image du médecin-expérimentateur
engendrée par la communauté médicale. Considérons
quelques exemples...

Une expérience dont on a beaucoup parlé dans les
journaux au cours des dernières années, et qui a fait l'objet
d'un document dans l'émission *Soixante Minutes*, mettait
en cause plusieurs organismes dépendant du gouvernement
américain se livrant à des expériences sur des militaires qui

en ignoraient tout, afin de déterminer les effets de drogues hallucinogènes. Peut-être plus inquiétante encore, et plus proche de l'intrigue de ce livre, eut lieu une expérience dans laquelle on injecta des cellules cancéreuses vivantes à des patients âgés sans leur consentement éclairé[3]. A l'époque de l'étude, les chercheurs ignoraient si les cancers se développeraient ou pas. Apparemment, ils prirent sur eux de décider quels patients étaient suffisamment âgés pour que cela fût sans importance !

On connaît de nombreux exemples d'injections de matières radioactives à des patients ignorants, ne se doutant de rien, et principalement des déficients mentaux internés, mais même des nouveau-nés n'ont pas été à l'abri de telles pratiques[4]. On ne peut, en aucun cas, justifier ces méthodes en invoquant les bienfaits thérapeutiques qu'en retirent les individus, et ces cobayes humains inconscients ont indubitablement couru des risques de lésions ou de maladies, sans parler de gêne et de souffrance. Enfin et surtout, les résultats des expériences de cette nature sont souvent de portée réduite et servent davantage à étoffer le palmarès des chercheurs qui s'y livrent qu'à faire progresser la science médicale. Un grand nombre de ces études se pratiquent sous les auspices des organismes officiels américains.

Une autre expérience a consisté en l'injection délibérée, à sept ou huit enfants retardés, de sérum destiné à provoquer l'hépatite[5]. Apparemment, le Service épidémiologique des Forces armées, entre autres, a approuvé cette étude et lui a apporté son aide. On a prétendu avoir obtenu le consentement des parents, mais les circonstances conduisent à se demander comment fut obtenu ce consentement et dans quelle mesure il s'agissait d'un « consentement éclairé » ; et, même dans cette hypothèse, le consentement des parents protégeait-il le droit des sujets ? La question reste posée : qui, parmi les chercheurs, aurait autorisé la participation d'un membre de sa famille retardé mental ? Les chercheurs auraient-ils permis qu'on utilisât un membre de leur famille ou eux-mêmes comme sujets ? Je suis très sceptique à cet égard. L'élitisme intellectuel que favorisent la médecine et la recherche médicale engendre un sentiment d'omnipotence et, avec ce sentiment, une conception équivoque.

Il serait inconsidéré de prétendre que la majorité des recherches, mettant en cause des êtres humains aux Etats-Unis, se fonde sur des critères contraires à l'éthique : cela est manifestement faux. Toutefois, on peut s'effrayer de l'existence d'une minorité non négligeable qui doit mobiliser toute l'attention du public. La pression engendrée par la recherche à l'intérieur de nos centres médicaux spécialisés est plus forte que jamais, et l'enthousiasme scientifique, ainsi que l'atmosphère de compétition professionnelle qui en découlent, peuvent entraîner les intéressés à négliger les conséquences négatives sur les patients. Quant à l'idée que le consentement du patient éliminerait tout abus, elle s'est révélée fausse. Considérons par exemple le cas de femmes de cinquante et un ans, utilisées comme sujets d'étude pour une drogue provoquant le déclenchement de l'accouchement. Toutes ont signé des formulaires de consentement, mais apparemment dans des conditions rien moins qu'idéales. Des recherches entreprises sur cette étude ont révélé que bon nombre de ces femmes avaient donné leur consentement sous la contrainte des procédures administratives d'admission, ou même une fois arrivées dans la salle d'accouchement[5]. Après-coup, on a interrogé les patientes ; près de 40 pour 100 d'entre elles n'avaient pas conscience d'avoir été l'objet d'expériences, bien que présentées comme ayant donné leur consentement « éclairé ». L'une des manières subtiles d'obtenir le consentement consistait à prétendre que l'étude impliquait l'utilisation d'un médicament « nouveau » ou « expérimental », le chercheur sachant parfaitement que l'adjectif « nouveau » impliquerait que le médicament expérimental était meilleur que l'ancien.

Il faut nécessairement recourir à un subterfuge pour

obtenir un consentement. Le stratagème le plus fréquent consiste en de subtiles insinuations, laissant entendre que l'on ne garantira pas à l'individu tous les soins souhaitables s'il ne « coopère » pas. Ensuite, le chercheur laisse habilement croire que la procédure expérimentale bénéficiera à l'individu, même si une telle possibilité apparaît négligeable. Nous en arrivons enfin à la méthode par laquelle le chercheur néglige d'informer le sujet potentiel qu'il existe d'autres solutions et, fréquemment, d'autres thérapeutiques reconnues.

Tout cela n'est pas nouveau. Voilà plus de vingt ans que, dans les revues médicales, on parle du bout des lèvres de violation de l'éthique médicale, mettant en cause l'expérimentation humaine. Le fait que cela existe toujours à une telle échelle constitue une tragédie aux inquiétantes proportions. Au moment où les années 80 nous laissent entrevoir la possibilité d'un nouveau mariage entre médecine et physique, les occasions d'abus atteignent un potentiel effrayant. Le lieu où se déroule ce mariage est la neuroscience et l'acteur principal de la pièce le cerveau humain, considéré par beaucoup comme la création la plus mystérieuse et la plus surprenante de l'univers. Il convient de résoudre les implications éthiques impliquant l'expérimentation humaine avant...

... avant que fiction et imagination deviennent réalité.

Robin Cook,
Docteur en médecine.

1. Beecher, H. K., « Ethique et recherche clinique », *New England Journal of Medecine,* vol. 274, 1966, pp. 1354-1360.

2. Pappworth, M. H., *Les Cobayes humains : L'expérimentation sur l'homme,* Beacon Press, Boston, 1967.

3. Barber, B., « L'éthique de l'expérimentation sur les sujets humains », *Scientific American,* vol. 234, n° 2, février 1976, pp. 25-31.

4. Pappworth, M. H., *op. cit.*

5. Veatch, R. M., *Etude de cas d'éthique médicale,* Harvard University Press, 1977, pp. 274-277.

6. Barber, B., *op. cit.*

Achevé d'imprimer en avril 1982
sur presse CAMERON,
dans les ateliers de la S.E.P.C.
à Saint-Amand-Montrond (Cher)

— N° d'édit. 109. — N° d'imp. 644. —
Dépôt légal : avril 1982.

43.01.0086.02

ISBN 2-86374-087-3

43.0086.9